MARIE

DU MÊME AUTEUR
CHEZ POCKET

La mémoire d'Abraham
Les mystères de Jérusalem
Le vent des khazars
Bethsabée
Marie
Je me suis réveillé en colère (à paraître)

La Bible au féminin

Sarah
Tsippora
Lilah

Marek Halter

Marek Halter est né en 1936 à Varsovie, en Pologne, d'une mère poétesse yiddish et d'un père imprimeur. En 1940, sa famille fuit Varsovie sous l'occupation nazie, pour chercher refuge à Moscou, puis en Ouzbékistan. En 1946, il retourne en Pologne avec ses parents et, quatre ans plus tard, la famille obtient un visa et arrive à Paris. À 17 ans, Marek Halter est admis à l'École nationale supérieure des beaux-arts, et reçoit l'année suivante le prix international de peinture de Deauville. En 1967, il fonde et préside le Comité pour la paix négociée au Proche-Orient.
Il publie son troisième livre, *Le fou et les rois* (prix Aujourd'hui 1976), après deux albums de dessins (*Mai 68* et *Le quotidien*). En 1983, *La mémoire d'Abraham* (prix du Livre Inter), dont la suite, *Les fils d'Abraham*, paraît en 1989, connaît un succès mondial.
Après une trilogie consacrée à la modernité des femmes de la Bible (*Sarah*, *Tsippora* et *Lilah*), il s'attache à nouveau, avec *Marie* (Robert Laffont, 2006) et *La reine de Saba* (Robert Laffont, 2008), aux grands mythes de la tradition judéo-chrétienne.
Il est également l'auteur d'une vingtaine de romans, de récits et d'essais, et réalise depuis 1968 des documentaires et des films, dont *Tzedek, les Justes.*
Marek Halter collabore à de nombreux journaux dans le monde et milite sans relâche pour les droits de l'homme, la mémoire et la paix.

MAREK HALTER

MARIE

ROBERT LAFFONT

ISBN 978-2-266-17481-7

« Sois sans crainte, Marie, car tu as trouvé
grâce auprès de Dieu,
Voici que tu vas être enceinte, tu enfanteras un fils
et tu lui donneras le nom de Jésus...
Le Seigneur Dieu lui donnera le trône de David,
son père ; il régnera pour toujours sur la famille de Jacob,
et son règne n'aura pas de fin. »

ÉVANGILE SELON LUC, 30-33

« Qui donc est parent ?
La mère et l'enfant. »

AVADÂNAS, *Contes et apologues indiens*

« Jésus est la figure la plus lumineuse de l'Histoire.
Si personne n'ignore aujourd'hui qu'il était juif,
personne en revanche ne sait que sa mère Marie l'était aussi. »

DAVID BEN GOURION

Avertissement

Les historiens considèrent désormais que la naissance possible de Jésus daterait de l'an – 4, soit quatre années avant le début du calendrier officiel de l'ère chrétienne. L'erreur est imputée à un moine du XIe siècle.

Prologue

Il faisait nuit. Les portes et les volets du village étaient clos, les bruits du jour absorbés par l'obscurité.

Sur son tabouret rembourré d'un peu de laine, Joachim le charpentier, le poing serré sur des ronces enveloppées dans un chiffon, polissait des pièces de bois aux nervures délicates qu'il déposait avec précaution, une fois achevées, dans un panier.

Ses gestes étaient ceux de l'habitude, alourdis par la fatigue et le sommeil. Parfois il s'immobilisait. Ses paupières se fermaient, son menton s'affaissait.

De l'autre côté du foyer, Hannah, son épouse, le visage rosi par les braises mourantes, coula vers lui un regard tendre. Un sourire plissa ses joues. Elle cligna de l'œil vers sa fille Miryem, qui lui tendait un écheveau de laine. L'enfant répondit à sa mère d'une grimace complice. Puis, de nouveau, les doigts agiles d'Hannah tirèrent les brins de laine, les entremêlant et les torsadant si régulièrement qu'ils ne formaient plus qu'un seul fil.

Des braillements les firent sursauter.

Là dehors, tout près.

Joachim se redressa, la nuque tendue, les épaules raides, sans plus trace de sommeil.

Ils entendirent d'autres cris, reconnurent des voix, plus aiguës que des cliquetis de métal, et les rires qui jaillirent soudain, incongrus. Une plainte de femme s'éleva, s'acheva en sanglots.

Miryem scruta le visage de sa mère. Hannah, les doigts noués sur la laine, se tourna vers Joachim. La mère et la fille le regardèrent déposer dans le panier la pièce de bois qu'il travaillait encore. Un geste précis, soigneux. Par-dessus, il jeta la poignée de ronces enveloppées de chiffons.

À l'extérieur, les hurlements enflèrent, plus violents. Toute la ruelle du village s'agitait. Des insultes fusaient, clairement compréhensibles, franchissant les portes et les murs.

Hannah rangea son ouvrage dans le tissu déployé sur ses cuisses et ordonna tout bas à Miryem :

– Monte.

Sans attendre, elle retira l'écheveau des bras tendus de la fillette. La voix plus dure, elle répéta :

– Monte. Dépêche-toi !

Miryem s'écarta de la cheminée et recula jusqu'à la tenture qui masquait la cage d'escalier noyée d'ombre. Le rideau repoussé, elle s'arrêta, incapable de détacher les yeux de son père.

Joachim était debout, s'avançant vers la porte. Lui aussi s'immobilisa. La barre était glissée en travers du grand vantail et de l'unique volet. Il l'avait placée lui-même. Elle était bien bloquée, il le savait. Comme il savait qu'elle était inutile. Elle ne les protégerait pas de ceux qui approchaient. Les portes et les volets, ils s'en moquaient.

Les gueulements, maintenant, résonnaient plus près, entre les murs des resserres et des ateliers.

– Ouvrez ! Ouvrez ! Ordre d'Hérode, votre roi !

Des mots prononcés en mauvais latin et répétés en mauvais hébreu. Des voix, un accent, une manière de brailler qu'ici on considérait comme une langue étrangère.

C'était ainsi chaque fois que les mercenaires d'Hérode venaient semer la terreur et le malheur dans le village. Ils arrivaient de préférence la nuit, sans que l'on sache jamais pourquoi.

Parfois, ils s'éternisaient dans Nazareth des jours durant. En été, ils campaient à la sortie du village. En hiver, ils jetaient des familles hors de leurs masures et s'installaient au gré de leurs caprices. Ils ne s'en allaient qu'après avoir volé, brûlé, détruit et tué. Ils prenaient leur temps, se plaisaient à contempler l'effet du mal et de la souffrance qu'ils engendraient.

Parfois, ils traînaient des prisonniers derrière eux. Des hommes, des femmes, même des enfants. On les revoyait rarement, mais il fallait du temps avant qu'on les tienne pour morts.

Quelquefois, les mercenaires laissaient le village en paix pendant des mois. Une saison entière. Les plus jeunes, les plus insouciants oubliaient presque leur existence.

À présent, les cris cernaient la maison. Miryem entendit le raclement des semelles sur le dallage de pierre.

Joachim devina le regard de sa fille qui pesait dans son dos. Il se retourna, chercha sa silhouette dans l'ombre. Il ne se montra pas fâché de la trouver encore là, mais agita la main de manière pressante.

– Monte vite, Miryem ! Sois prudente.

Il lui fit une grimace. Peut-être un sourire. Miryem vit sa mère qui pressait les mains devant sa bouche et la regardait avec effroi. Cette fois, elle se détourna pour de bon et s'élança dans l'escalier.

Dans l'obscurité, elle frôla le mur pour se guider, sans prendre la peine d'éviter les marches grinçantes. Les soldats braillaient tant qu'ils ne risquaient pas de l'entendre.

Les coups portés étaient si violents que le mur trembla sous la main de Miryem à l'instant où elle poussa la porte qui conduisait à la terrasse.

D'ici, le tumulte des cris, des ordres, des plaintes se perdait dans la nuit. En bas, dans la salle commune, la voix de Joachim semblait étonnamment calme tandis qu'il retirait la barre de la porte et laissait celle-ci pivoter sur ses gonds.

***

Les torches des soldats formaient une onde rouge dans l'obscurité. Le cœur battant, Miryem résista au désir de s'approcher de la murette pour contempler le spectacle. Elle le devinait sans peine. Les cris résonnaient dans la maison, sous ses pieds. Elle percevait les protestations de son père, les gémissements de sa mère, que les aboiements des mercenaires enjoignaient de se taire.

Elle courut vers l'autre extrémité de la longue terrasse en surplomb de l'atelier, évitant le fatras qui l'encombrait. Des paniers, des sacs de vieux bois, de sciure, des briques mal cuites, des jarres, des bûches et des peaux de mouton. Tout ce que son père venait y déposer, par manque de place dans la resserre.

Dans un angle, d'énormes rondins à peine équarris étaient entassés dans un désordre qui menaçait de s'écrouler. Cependant, tout ce bric-à-brac n'était que tromperie. La cache réalisée par Joachim pour sa fille était sans doute le plus beau et le plus astucieux de tous les ouvrages de charpente qu'il avait fabriqués dans sa vie.

Entre les rondins entassés, si lourds qu'il fallait au moins deux hommes pour les soulever, étaient coincées çà et là de fines planchettes. On aurait pu croire que les troncs, glissant les uns sur les autres, les avaient bloquées au hasard de leur poids.

Pourtant, à l'extrémité du tas, il suffisait de pousser l'une de ces planchettes de caroubier pour ouvrir une trappe. Se confondant avec les éclats naturels du bois, les coups de gouge et l'usure des intempéries, ce battant demeurait parfaitement invisible.

Derrière, savamment creusée dans l'amoncellement des rondins, fixés et chevillés avec art, apparaissait une tanière assez grande pour qu'un adulte puisse s'y tenir allongé.

Seule Miryem, sa mère et Joachim connaissaient son existence. Ni ami, ni voisin. Ils ne pouvaient courir ce risque. Les mercenaires d'Hérode savaient faire avouer aux hommes et aux femmes ce qu'ils croyaient pouvoir taire à jamais.

La main sur la planchette, Miryem allait actionner le mécanisme, quand elle s'immobilisa. Malgré le vacarme effroyable qui croissait dans la rue et dans la maison, elle eut la sensation d'une présence toute proche.

Elle tourna vivement la tête. L'ombre claire d'un tissu chatoya. Puis s'éteignit. Elle fouilla du regard l'ombre derrière les tonneaux de saumure où macéraient des olives, consciente qu'elle ne pourrait demeurer ainsi longtemps.

– Qui est là ? chuchota-t-elle.

Pas de réponse. D'en bas provenait la voix sourde de Joachim qui affirmait, en réponse aux vociférations d'un soldat, que non, qu'il n'y avait jamais eu de garçon dans cette maison. Dieu Tout-Puissant ne lui en avait pas donné.

– Ne mens pas ! gueulait le mercenaire avec un accent qui entrechoquait les syllabes. Il y a toujours des garçons chez les Juifs.

Miryem devait se dépêcher : ils allaient monter.

Avait-elle réellement vu quelque chose ou était-ce son imagination ?

Retenant son souffle, elle avança. Et buta contre lui. Il bondit tel un chat à l'attaque.

Un garçon, grand et maigre, pour ce qu'elle en devinait à la faible lueur des torches de la rue. Des yeux brillants, un visage à la peau tendue sur les os.

– Qui es-tu ? murmura-t-elle, stupéfaite.

S'il avait peur, il n'en montra rien. Il agrippa Miryem par la manche de sa tunique et, sans un mot, l'entraîna dans l'épaisseur de l'obscurité. La tunique craqua. Miryem finit par s'accroupir près du garçon.

– Idiote ! Tu vas me faire repérer !

Une voix sèche et grave.

– Lâche-moi, tu me fais mal.

– Crétine ! gronda-t-il encore.

Mais il relâcha son bras en se rencognant contre la murette.

Miryem se redressa à demi et s'écarta. S'il pensait pouvoir échapper aux soldats en se cachant ici, il était aussi stupide que brutal.

– C'est toi qu'ils cherchent ? demanda-t-elle.

Il ne répondit pas ; c'était inutile.

– À cause de toi, ils détruisent tout, dit-elle encore.

Cette fois, ce n'était pas une question. Cependant, il n'ouvrit pas la bouche. Miryem jeta un coup d'œil par-dessus les barriques. Ils allaient venir, le trouver. Les mercenaires n'écouteraient rien. Ils croiraient que ses parents avaient voulu cacher cet idiot. Ils seraient tous perdus. Elle voyait déjà les soldats d'Hérode battre sa mère et son père.

– Si tu t'imagines qu'ils ne te trouveront pas, là-derrière ! Tu vas tous nous faire prendre.

– Tais-toi !... File d'ici, bon sang !

Ce n'était pas le moment de discuter.

– Ne sois pas si bête. Vite ! On a juste le temps avant qu'ils arrivent !

Elle espéra qu'il ne serait pas trop têtu. Sans l'attendre, elle bondit vers le tas de rondins. Bien sûr, il ne la suivit pas. Elle regarda vers la porte de la terrasse. En bas, les protestations de sa mère se mêlaient au vacarme d'objets brisés.

– Dépêche-toi ! Je t'en supplie !

Déjà, elle avait poussé la planchette et tiré la trappe de la cache. Il avait enfin compris et se tenait derrière elle, encore enclin à discuter.

– Qu'est-ce que c'est ?

– Qu'est-ce que tu crois ? Entre là-dedans, ce sera assez grand.

– Mais toi...

Sans répondre, elle le poussa de toutes ses forces dans la cachette. Avec une certaine satisfaction, elle l'entendit se cogner la tête et grommeler, puis elle rabattit la trappe en prenant soin de ne pas faire de bruit. Elle bascula la planchette, bloquant ainsi le mécanisme qui permettait d'ouvrir de l'intérieur. « Comme ça, on ne courra pas de risque à cause de lui ! » Elle ne le connaissait pas, ignorait jusqu'à son nom. Mais elle n'avait nul besoin d'en savoir davantage pour deviner qu'il n'en faisait qu'à sa tête.

Elle s'accroupit derrière les barriques à l'instant où les mercenaires levaient une torche sur la terrasse.

***

Ils poussaient Joachim devant eux. Quatre soldats, le glaive au poing, la poitrine recouverte de cuir. Les plumets de leurs casques frémissaient à chacun de leurs mouvements.

Ils agitaient leurs flambeaux pour mieux discerner le fatras qui recouvrait le lieu. Du pommeau de son glaive, l'un d'eux frappa Joachim dans le dos, l'obligeant à se courber. Un geste inutile, plus humiliant que douloureux. Mais les mercenaires aimaient à se montrer cruels.

Leur chef s'exclama dans un mauvais hébreu :

– Un bon endroit pour se cacher, ça ! Facile !

Surpris, Joachim ne protesta pas et parut embarrassé. Le décurion scrutait sa réaction. Il se mit à rire.

– Oui, bien sûr ! Quelqu'un se cache ici !

Il aboya des ordres. Ses sbires entreprirent de tout fouiller, de tout renverser, alors que Joachim, une fois de plus, assurait que personne ne se cachait là.

L'officier riait et répétait :

– Si, quelqu'un est entré chez toi ! Tu mens, mais pour un Juif, tu mens mal.

Un double cri retentit. Celui de surprise du soldat et celui de douleur de Miryem, qu'une poigne agrippait par les cheveux.

Joachim cria à son tour, voulut avancer pour protéger sa fille. L'officier saisit sa tunique et le tira en arrière.

– C'est ma fille ! protesta Joachim. Ma fille Miryem !

Les torches éclairèrent Miryem au point de l'éblouir. Son menton tremblait de peur. Tous les regards pesaient sur elle, y compris celui de son père, furieux qu'elle ne soit pas dans la cachette. Elle serra les mâchoires, repoussa la main qui la maintenait par la chevelure. À son étonnement, l'homme dénoua ses doigts avec une certaine douceur.

– C'est ma fille, supplia encore Joachim.

– Tais-toi ! hurla l'officier.

À Miryem il demanda :

– Qu'est-ce que tu faisais là ?

– Je me cachais.

La voix de Miryem tremblait plus qu'elle ne l'aurait souhaité. Sa peur plut à l'officier.

– Pourquoi te caches-tu ? demanda-t-il.

Le regard de Miryem se dirigea brièvement vers l'endroit où l'on retenait son père.

– Mes parents m'y obligent. Ils ont peur de vous.

Les soldats ricanèrent.

– Tu croyais qu'on ne te trouverait pas derrière ces tonneaux ? se moqua l'officier.

Miryem se contenta de hausser les épaules. Joachim, d'une voix déjà plus ferme, lança :

– C'est une enfant, décurion. Elle n'a rien fait.

– Alors, pourquoi as-tu peur qu'on découvre ta fille dans ta maison, si elle n'a rien fait ?

Il y eut un silence gêné. Miryem répliqua aussitôt :

– Mon père a peur parce qu'on raconte que les soldats du roi Hérode tuent même les femmes et les enfants. On raconte aussi que vous les emportez dans le palais du roi et qu'on ne les revoit plus.

Le rire du décurion éclata, faisant sursauter Miryem, avant que les mercenaires, autour d'elle, imitent leur chef. L'homme redevint sérieux. Il saisit Miryem par l'épaule, la fixa intensément.

– Tu as peut-être raison, gamine. Mais on ne s'en prend qu'à ceux qui n'obéissent pas à la volonté du roi. Es-tu bien sûre que tu n'as rien fait de mal ?

Miryem soutint son regard, les traits immobiles, les sourcils levés par l'incompréhension, comme si le mercenaire avait proféré une insanité.

– Comment pourrais-je faire quelque chose contre le roi ? Je ne suis qu'une enfant et il ne sait même pas que j'existe.

De nouveau les soldats s'esclaffèrent. L'officier poussa Miryem contre son père. Joachim referma les bras sur elle et la serra si fort qu'elle en eut le souffle coupé.

– Ta fille est une maligne, charpentier, déclara l'officier. Tu devrais mieux la surveiller. La cacher sur ta terrasse n'est pas une bonne idée. Les garçons que nous pourchassons sont dangereux. Ils tuent même les vôtres quand ils ont peur.

***

À leur retour dans la maison, Hannah, elle aussi surveillée par des mercenaires, les attendait au pied de l'escalier. Elle enlaça sa fille en balbutiant une prière au Tout-Puissant.

L'officier menaça encore : des jeunes brigands avaient voulu s'emparer de la villa du percepteur. Ils avaient cherché, une fois de plus, à voler le roi. Ils seraient pris et punis. On savait comment. Et tous ceux qui leur viendraient en aide subiraient leur sort. Sans la moindre clémence.

Lorsque les soldats quittèrent enfin la pièce, Joachim s'empressa de rabattre la barre de la porte. Un grésillement vif attisait les braises du foyer. Les mercenaires ne s'étaient pas contentés de renverser les quelques sièges, de retourner les couches et les coffres, ils avaient jeté dans le feu les pièces de bois délicatement travaillées par Joachim. Maintenant, elles brûlaient avec des flammes claires, ajoutant à la chiche lumière des lampes à huile.

Miryem se précipita, s'accroupit devant le foyer, voulut retirer les morceaux ouvragés à l'aide d'une pointe de fer. Il était trop tard. La main de son père se posa sur son épaule.

– Il n'y a plus rien à sauver, marmonna-t-il. Ce n'est rien. Ce que j'ai su faire, je saurai le refaire.

Les larmes brouillaient le regard de Miryem.

– Au moins ne s'en sont-ils pas pris à l'atelier. Je ne sais pas ce qui les a retenus, soupira Joachim.

Alors que Miryem se relevait, sa mère demanda :

– Comment ont-ils réussi à te trouver? Dieu Tout-Puissant, ils ont découvert la cache?

Joachim répondit :

– Non. Elle s'était simplement glissée derrière les barriques.

– Et pourquoi?

Miryem contempla leurs visages encore gris de peur, leurs yeux trop brillants, leurs traits tendus à l'idée de ce qui aurait pu advenir. Elle songea au garçon enfermé là-haut, à sa place. À son père, elle aurait pu confier ce secret. Pas à sa mère.

Elle murmura :

– J'avais peur qu'ils vous fassent du mal. J'avais peur de rester toute seule pendant qu'ils vous faisaient du mal.

Ce n'était qu'un demi-mensonge. Hannah la serra contre sa poitrine, lui mouillant les tempes de ses larmes et de ses baisers.

– Oh! ma pauvre petite! tu es folle.

Joachim redressa un tabouret, esquissa un sourire.

– Elle s'est parfaitement débrouillée avec l'officier. Notre fille est courageuse, c'est bien.

Miryem s'écarta de sa mère, les joues rosies de fierté sous le compliment. Le regard de Joachim était empli d'orgueil, presque heureux.

– Aide-nous à ranger, dit-il, et va dormir. À présent, la nuit sera tranquille.

***

En effet, les braillements des mercenaires cessèrent. Ils n'avaient pas trouvé ce qu'ils cherchaient.

Comme souvent. Le plus souvent, en vérité. Cette impuissance les rendait parfois aussi fous que des bêtes sauvages. Alors, ils massacraient et détruisaient sans discernement ni pitié. Cette nuit-là, pourtant, ils se contentèrent de s'éloigner du village, fourbus et ensommeillés, pour regagner le camp de la légion à deux milles de Nazareth.

Quand il en allait ainsi, chaque maison se refermait sur elle-même. Chacun pansait ses plaies, séchait ses larmes, calmait ses peurs. À l'aube, il serait assez tôt pour se souvenir, pour que de voisin à voisin on se raconte ses frayeurs.

Miryem dut attendre longtemps avant de pouvoir se glisser hors de sa couche. Hannah et Joachim, encore frémissants d'angoisse, furent longs à s'endormir.

Quand enfin elle perçut leurs respirations régulières à travers la mince cloison de bois qui séparait sa chambre de la leur, elle se leva. Enveloppée dans un châle épais, elle grimpa l'escalier de la terrasse, prenant soin, cette fois, qu'aucune marche ne craque.

Un croissant de lune, voilé de brume, laquait toute chose d'une lueur livide. Miryem progressait d'un pas assuré. Elle aurait pu se diriger dans le noir absolu.

Ses doigts trouvèrent aisément la planchette verrouillant la cache. Elle eut à peine le temps de s'écarter pour éviter que la trappe de rondins, repoussée violemment de l'intérieur, ne la frappe. Le garçon était déjà debout.

– C'est moi ! N'aie pas peur, chuchota-t-elle.

Il n'avait pas peur. Il pestait en se secouant comme un fauve pour débarrasser ses cheveux de la paille et des mèches de laine qui tapissaient le fond de la tanière.

– Pas si fort ! protesta Miryem dans un murmure. Tu vas réveiller mes parents...

– Tu ne pouvais pas venir plus tôt ? On étouffe, là-dedans, et pas moyen d'ouvrir cette foutue boîte !

Miryem gloussa.

– Tu m'as enfermé, hein ! gronda le garçon. Tu l'as fait exprès !

– Je me suis dépêchée, c'est tout.

Le jeune homme se contenta d'un grommellement. Pour l'adoucir, Miryem lui montra le mécanisme d'ouverture intérieur. Une pièce de bois qu'il suffisait d'enfoncer.

– Ce n'est pas compliqué.

– Si on sait comment ça marche.

– Ne te plains pas. Les soldats ne t'ont pas trouvé. Derrière les barriques, tu n'aurais pas eu une chance.

Le garçon se calmait. Dans la pénombre, Miryem devina son regard brillant. Peut-être souriait-il.

– Comment t'appelles-tu ? demanda-t-il.

– Miryem. Mon père, c'est Joachim, le charpentier.

– Pour une fille de ton âge, tu es courageuse, admit-il. J'ai entendu, tu t'es bien débrouillée avec les soldats.

À nouveau, le garçon se frotta énergiquement les joues et la nuque, là où les brins de paille l'irritaient.

– Je suppose que je dois te remercier. Mon nom à moi, c'est Barabbas.

Miryem ne put retenir un petit rire. À cause de ce nom qui n'en était pas tout à fait un, puisqu'il ne signifiait rien de plus que « fils du père ». Et aussi à cause du ton si sérieux du garçon et du plaisir que lui procuraient ses compliments.

Barabbas s'assit sur les rondins.

– Il y a pas de quoi rire, maugréa-t-il.

– C'est à cause de ton nom.

– Tu es peut-être courageuse, mais tu es quand même sotte comme une gamine.

La pique déplut à Miryem plus qu'elle ne la peina. Elle connaissait l'esprit des garçons. Celui-là voulait se rendre intéressant. C'était inutile. Il l'était sans effort. Le fort et le doux, le violent et le juste s'entremêlaient en lui dans un alliage plaisant et sans qu'il en ait trop conscience. Hélas, les garçons de son espèce croyaient toujours que les filles étaient des enfants, tandis qu'eux étaient déjà des hommes.

Cependant, aussi intrigant qu'il fût, il n'en avait pas moins attiré les soldats dans leur maison et dans tout le village.

– Pourquoi les Romains te cherchaient-ils ? demanda-t-elle.

– C'est pas des Romains ! C'est des Barbares. On ne sait même pas où Hérode les achète ! En Gaule ou en Thrace. Peut-être chez les Goths. Hérode n'est pas capable d'entretenir de vraies légions. Il lui faut des esclaves et des mercenaires.

Il cracha de dégoût par-dessus la murette. Miryem se tut, attendant qu'il réponde pour de bon à sa question.

Barabbas mesura l'ombre épaisse des demeures alentour, comme pour s'assurer que nul ne pouvait les voir ni les entendre. À la faible lumière de la lune, sa bouche était belle, son profil fin. Une barbe bouclée duvetait ses joues et son menton. Une barbe d'adolescent qui ne devait pas, en plein jour, le vieillir beaucoup.

Brusquement, sa main s'ouvrit. Dans sa paume, l'or d'un écusson brilla sous l'éclat de la lune. Une forme bien reconnaissable : un aigle aux ailes déployées, la tête de biais, le bec puissant et menaçant. L'aigle des Romains. L'aigle d'or fixé aux hampes des enseignes qu'arboraient les légions.

– Je l'ai pris dans un de leurs entrepôts. On a mis le feu au reste avant que ces andouilles de mercenaires se réveillent, chuchota Barabbas avec un ricanement de fierté. On a aussi eu le temps de récupérer deux ou trois boisseaux de grains. Ce n'est que justice.

Miryem contemplait l'écusson avec curiosité. Elle n'en avait jamais vu de si près. Elle n'avait même jamais eu autant d'or sous les yeux.

Barabbas referma la main, glissa l'écusson dans la poche intérieure de sa tunique.

– Ça vaut cher, grogna-t-il.

– Que vas-tu en faire ?

– Je connais quelqu'un qui saura le fondre et le transformer en bon or. Ça sera utile, déclara-t-il, mystérieux.

Miryem s'écarta d'un pas. Elle était partagée entre des sentiments inconciliables. Ce garçon lui plaisait. Elle discernait en lui une simplicité, une franchise et une rage qui la séduisaient. Du courage, aussi, car il en fallait pour affronter les mercenaires d'Hérode. Mais elle ignorait si tout cela était juste. Elle ne connaissait pas assez les vérités du monde, de la justice et de l'injustice pour trancher.

Ses émotions et son affection la portaient naturellement vers l'enthousiasme de Barabbas, vers sa colère contre les horreurs et les humiliations que subissaient quotidiennement, dans le royaume d'Hérode, même les plus jeunes enfants. Mais elle entendait aussi la voix sage et patiente de son père, et son irrévocable condamnation de la violence.

Avec un peu de provocation, elle déclara :

– Tu es un voleur, alors.

Barabbas, offusqué, se leva.

– Sûrement non ! Ce sont ceux d'Hérode qui prétendent que nous sommes des voleurs. Mais tout ce qu'on prend aux Romains, aux mercenaires ou à ceux qui se vautrent dans les draps de roi, tout, on le redistribue aux plus pauvres d'entre nous. Au peuple !

La colère assourdissait sa voix. Soulignant ses mots d'un geste, il ajouta :

– On n'est pas des voleurs, on est de la révolte. Et je ne suis pas seul. Tu peux me croire. Je suis de la révolte. Ce soir, les soldats ne couraient pas qu'après moi. Pour l'attaque des entrepôts, nous étions au moins trente ou quarante.

Elle s'en doutait avant même qu'il l'avoue.

« Ceux de la révolte » ! Oui, ainsi les appelait-on. Et, le plus souvent, pas pour en dire du bien. Son père et ses compagnons charpentiers de Nazareth grondaient souvent contre eux. C'étaient des inconscients, des dangereux que leurs parents auraient dû garder enfermés à double tour. À force d'exciter les mercenaires d'Hérode – et pour quel gain ? –, un jour, ils seraient la cause du massacre de tous les villages de la région. Une révolte ! Une révolte de faibles, d'impuissants, que le roi et Rome materaient pour de bon quand cela leur chanterait.

Oh ! il y avait de quoi se révolter. Le royaume d'Israël suait le sang, les larmes et la honte. Hérode était le plus cruel, le plus injuste des rois. Vieux, à l'approche de la mort, il ajoutait la folie à la cruauté. Il se montrait parfois plus mauvais que les Romains eux-mêmes, pourtant des païens sans âme.

Quant aux pharisiens et aux sadducéens qui tenaient le temple de Jérusalem et ses richesses, ils ne valaient guère mieux. Ils courbaient honteusement l'échine devant les caprices du roi. Ils ne songeaient qu'à conserver l'apparence du pouvoir et à édicter des lois qui leur permettaient d'augmenter leurs richesses, à défaut de promouvoir la justice.

La Galilée, loin au nord de Jérusalem, était rompue et ruinée par les impôts qui enrichissaient Hérode, ses fils et tous ceux qui buvaient la honte dans leurs mains.

Oui, Yhwh, comme Il l'avait fait plus d'une fois depuis l'alliance passée avec Abraham, se détournait de Son peuple et de Son royaume. Mais fallait-il pour autant ajouter la violence à la violence ? Était-il sage, quand on est faible, de peiner à égratigner le fort, au risque de provoquer une tuerie ?

– Mon père dit que vous êtes stupides. Vous allez nous faire tous tuer, déclara Miryem en mettant ce qu'elle pouvait de reproche dans sa voix.

Barabbas ricana.

– Je sais. Ils sont nombreux à le croire. Ils grognent et se lamentent comme si nous étions la cause de leurs malheurs. Ils ont la trouille, c'est tout. Ils préfèrent attendre le cul sur leur tabouret. Attendre quoi ? Ça, on ne sait pas. Le Messie ?

Barabbas balaya le mot d'un geste de la main, comme pour en disperser les syllabes dans la nuit.

– Le royaume est rempli de messies qui sont autant de fous et d'impuissants. Il n'est pas besoin d'avoir étudié avec les rabbis pour comprendre qu'on ne peut rien espérer de bon d'Hérode et des Romains. Ton père se trompe. Hérode ne nous a pas attendus pour massacrer et violer et voler. Lui et ses fils ne vivent que de ça. Ils ne sont riches et puissants que grâce à notre pauvreté ! Moi, je ne suis pas de ceux qui attendent. On ne viendra pas me chercher dans mon trou.

Il se tut, le souffle court, la colère dans la gorge. Comme Miryem ne pipait mot, il ajouta d'une voix plus dure :

– Si on ne se révolte pas, qui le fera ? Ton père et tous les vieux comme lui ont tort. Ils mourront, quoi qu'il en soit. Et ils mourront en esclaves. Moi, je mourrai en Juif du grand peuple d'Israël. Ma mort sera meilleure que la leur.

– Mon père n'est ni un esclave ni un lâche. Il a autant de courage que toi...

– À quoi lui sert-il, son courage ? À supplier comme un miséreux quand les mercenaires trouvent sa fille cachée sur la terrasse ?

– J'y étais parce qu'il fallait te sauver ! Ils ont tout cassé dans notre maison et dans celles de nos voisins, les pièces de bois que mon père a fabriquées et nos meubles. Tout ça pour que tu fasses le malin !

– Ah ! tais-toi ! Tu parles comme une gamine, je te l'ai déjà dit. Ces choses-là, ce n'est pas pour les gosses !

Ils avaient tenté de discuter en sourdine, mais la dispute les avait emportés. Miryem se soucia peu de l'insulte. Elle se tourna vers l'escalier, l'oreille aux aguets, afin de s'assurer qu'aucun bruit ne filtrait depuis l'intérieur. Quand son père se levait du lit, sa couche émettait un couinement qu'elle reconnaissait entre mille.

Rassurée, elle fit à nouveau face à Barabbas. Il avait quitté les rondins. Incliné sur la murette, il cherchait une voie pour descendre de la terrasse.

– Qu'est-ce que tu fais ? demanda-t-elle.

– Je m'en vais. Je suppose que tu ne souhaites pas que je traverse la précieuse maison de ton père. Je vais plutôt repartir comme je suis venu.

– Barabbas, attends !

Ils avaient tous les deux tort et tous les deux raison, Miryem le savait. Barabbas aussi. Voilà ce qui le mettait en colère.

Elle s'approcha assez près pour poser la main sur son bras. Il tressaillit comme si elle l'avait piqué.

– Tu habites où ? demanda-t-elle.

– Pas ici.

Ce que c'était agaçant, cette manie de ne jamais répondre directement aux questions qu'on lui posait ! Une habitude de voleur, sans doute.

– Je sais que tu n'habites pas ici, sinon, je te connaîtrais.

– À Sepphoris...

Un gros bourg, à une heure et demie de marche, au nord. Il fallait traverser une forêt épaisse pour s'y rendre et, la nuit, nul ne s'y aventurait.

– Ne sois pas bête. Tu ne peux pas rentrer maintenant, dit-elle avec douceur.

Elle ôta son châle de laine et le lui glissa entre les mains.

– Tu peux dormir dans la cache... Laisse la trappe ouverte, comme ça, tu n'étoufferas pas. Avec ce châle, tu n'auras pas trop froid.

Pour toute réponse, il haussa les épaules et évita son regard. Mais il ne refusa pas le châle et ne chercha plus le moyen de sauter par-dessus le muret de la terrasse.

– Demain, répéta Miryem avec un sourire dans la voix, dès que je pourrai, je t'apporterai un peu de lait et de pain. Mais quand il fera jour, il vaut mieux que tu refermes la trappe. Parfois, mon père vient ici aussitôt levé.

***

À l'aube, une pluie fine et froide gorgeait les maisons d'humidité. Miryem s'arrangea de son mieux pour détourner des réserves de sa mère un petit pot de lait et un quignon de pain. Elle grimpa sur la terrasse sans que nul dans la maison ne s'en soucie.

La trappe de la cache était refermée. Le bois luisait, ruisselant de pluie. Elle s'assura qu'on ne pouvait la voir et tira sur la planchette. Le panneau bascula juste assez pour révéler que le lieu était vide. Barabbas était parti.

Pas depuis longtemps, car sa chaleur était encore présente dans la laine. Le châle était là aussi. Soigneusement plié. Si soigneusement que Miryem sourit. Comme si cela était un signe. Un merci, peut-être.

Miryem n'était pas surprise que Barabbas eût disparu ainsi, sans l'attendre. Cela s'accordait avec l'image qu'elle se faisait de lui. Incapable de tenir en place, téméraire, ignorant la paix. Et puis il y avait la pluie, la crainte d'être vu par les gens de Nazareth. En le découvrant dans le village, chacun effectuerait le rapprochement avec les garçons que poursuivaient les mercenaires d'Hérode. Qui sait si certains n'auraient pas eu le désir de se venger de la peur qu'ils avaient éprouvée ?

Pourtant, en refermant la trappe, Miryem ressentit une sorte de dépit. Elle aurait aimé revoir Barabbas. Lui parler encore. Voir son visage en plein jour.

Il existait peu de chances que leurs routes se croisent de nouveau. Sans doute Barabbas éviterait-il soigneusement Nazareth, à l'avenir.

Elle se détourna pour rentrer dans la maison et tressaillit. Le froid, la pluie, la peur, la rage, tout s'embrasa en elle au même instant. Ses yeux, pourtant accoutumés à cette horreur, venaient de glisser sur trois croix de bois dressées en surplomb du village.

Six mois plus tôt, les mercenaires d'Hérode y avaient attaché des « voleurs » capturés dans les alentours. Aujourd'hui, les cadavres des suppliciés n'étaient que des masses racornies, putréfiées, séchées, à demi dévorées par les oiseaux.

Voilà ce qui attendait Barabbas s'il se faisait prendre. Et voilà aussi ce qui justifiait sa révolte.

Première partie

An 6 avant Jésus-Christ

1.

Des cris d'enfants percèrent la torpeur du premier matin.

– Ils sont là ! Ils sont là !

Dans son atelier, Joachim était déjà au travail. Il échangea un regard avec son aide, Lysanias. Sans se laisser distraire par ces braillements, d'un seul élan ils soulevèrent la poutre de cèdre et la déposèrent sur l'établi.

Lysanias se massa les reins en gémissant. Il était trop vieux pour ces gros efforts. Si vieux que nul, pas même lui, ne se rappelait le jour de sa naissance dans un village lointain de Samarie. Mais Joachim travaillait en sa compagnie depuis toujours. Il ne pouvait imaginer le remplacer par un jeune apprenti inconnu. Lysanias lui avait enseigné le métier de la charpente autant que son père. À tous deux, ils avaient confectionné plus d'une centaine de toits dans les villages autour de Nazareth. Plusieurs fois, on avait réclamé leur savoir-faire jusqu'à Sepphoris.

Ils entendirent des pas dans la cour alors que les clameurs des enfants rebondissaient encore sur les murs du village. Hannah s'immobilisa sur le seuil de l'atelier. Projetée par le soleil rasant du matin, son ombre glissa jusqu'à leurs pieds. À son tour elle annonça :

– Ils sont arrivés.

Ces mots étaient inutiles, elle ne l'ignorait pas, mais il fallait qu'ils sortent de sa bouche, telle une plainte de rage et d'inquiétude.

– J'ai entendu, soupira Joachim.

Il n'était pas besoin d'en dire plus. Chacun, dans le village, savait de quoi il retournait : les percepteurs du sanhédrin entraient dans Nazareth.

Depuis des jours, ils parcouraient la Galilée, allant de village en village, précédés par l'annonce de leur venue comme par la rumeur d'une peste. Et chaque fois qu'ils quittaient une bourgade, la rumeur enflait. On eût cru qu'ils dévoraient tout sur leur passage, ainsi que les sauterelles lancées sur l'Égypte de Pharaon par la colère de Yhwh.

Le vieux Lysanias s'assit sur un plot en secouant la tête.

– Il ne faut plus céder devant ces charognes ! Il faut laisser Dieu décider qui Il veut châtier : eux ou nous.

Joachim se passa la main sur le menton, grattant sa barbe courte. La veille au soir, les hommes du village s'étaient réunis. Chacun avait donné libre cours à sa fureur. Comme Lysanias, ils avaient été plusieurs à vouloir qu'on ne livre plus rien aux percepteurs. Ni grain, ni argent, ni objet. Que chacun s'avance les mains vides et crie : « Allez-vous-en ! » Mais Joachim savait qu'il s'agissait des mots et des rêves d'hommes en proie à la rage. Les rêves s'évanouiraient et le courage s'effondrerait aussitôt qu'ils devraient affronter la réalité.

Les percepteurs ne venaient pas piller les villages sans l'aide des mercenaires d'Hérode. Si devant les premiers on pouvait se présenter les mains vides, devant les lances et les épées, la colère constituerait une faiblesse supplémentaire. Elle ne servirait qu'à provoquer un massacre. Ou à palper un peu plus son impuissance et son humiliation.

Des enfants du voisinage s'arrêtèrent devant l'atelier, entourant Hannah, les yeux brillants d'excitation.

– Ils sont chez la vieille Houlda ! annoncèrent-ils.

Lysanias se releva, la bouche frémissante.

– Et qu'est-ce qu'ils vont trouver chez Houlda ? Elle n'a rien de rien !

Chacun, dans Nazareth, savait qu'Houlda était la bonne amie de Lysanias. N'eût été la tradition, qui interdisait à ceux de Samarie d'épouser des femmes de Galilée, et même de vivre sous le même toit qu'elles, ils seraient devenus mari et femme depuis des lustres.

Joachim se redressa, serrant soigneusement les pans de sa tunique dans sa ceinture.

– J'y vais, reste ici avec Hannah, dit-il à Lysanias.

Hannah et les enfants s'écartèrent pour le laisser passer. À peine fut-il dehors que la voix claire de Miryem le surprit.

– Je vais avec toi, père.

Hannah protesta aussitôt. Telle n'était pas la place d'une jeune fille. Joachim faillit lui donner raison. La mine décidée de Miryem l'en dissuada. Sa fille n'était pas comme les autres. Il y avait en elle quelque chose de plus fort et de plus mûr. Du courage et de la rébellion, aussi.

En vérité, sa présence le rendait toujours heureux, et cela se voyait tant qu'Hannah ne manquait pas de se moquer de lui. Était-il de ces pères dévots de leur fille ? Il se pouvait. Et si cela était, où serait le mal ?

Il sourit à Miryem et lui fit signe de marcher à son côté.

***

La maison d'Houlda était l'une des premières lorsque l'on entrait dans Nazareth par la route de Sepphoris. Déjà, la moitié des hommes du village s'y pressaient lorsque Miryem et Joachim y parvinrent.

Une vingtaine de mercenaires en tunique de cuir surveillaient les montures des percepteurs et les charrettes attelées à des mules, un peu plus bas sur la route. Joachim compta quatre charrettes. Les charognes du sanhédrin avaient vu grand, s'ils espéraient les remplir.

Un autre groupe de mercenaires, sous le regard d'un officier romain, formait le rang devant la maison de la vieille Houlda. Le poing serré sur une lance ou sur la poignée d'une épée, tous manifestaient la même indifférence.

Les percepteurs, Joachim et Miryem ne les aperçurent pas sur-le-champ. Ils étaient à l'intérieur de la minuscule maison.

Brusquement, on entendit la voix d'Houlda. Une plainte éraillée qui stria l'air. Une courte bousculade eut lieu sur le seuil de la maisonnette, et on les vit.

Ils étaient trois. La bouche dure avec, dans les yeux, cette expression hautaine que confère le pouvoir sur les choses et sur les êtres. Leurs tuniques noires balayaient le sol. Noir aussi était le voile de lin enroulé sur leurs calottes et qui, sur les côtés, ne laissait apparaître que les barbes sombres.

Joachim serra les mâchoires à s'en faire mal. À leur simple vue, il bouillonnait de fureur. De honte et de désir de meurtre. Que Dieu pardonne à tous ! Des charognards, vraiment, pareils à ces corbeaux qui se nourrissaient des suppliciés.

Devinant ses pensées, Miryem chercha son poignet et le serra fort. Elle y mettait toute sa tendresse, mais partageait trop la douleur de son père pour vraiment l'apaiser.

À nouveau, Houlda poussa un cri. Elle supplia, ses mains aux doigts tordus jetées en avant. Son chignon se dénoua. Des mèches de cheveux blancs lui voilèrent à demi le visage. Elle chercha à agripper la tunique d'un des percepteurs en balbutiant :

– Vous ne pouvez pas ! Vous ne pouvez pas !

L'homme se dégagea. Il la repoussa en grimaçant de dégoût. Les deux autres vinrent à son secours. Ils saisirent la vieille Houlda par les épaules sans aucun égard pour son âge et sa faiblesse.

Ni Miryem ni Joachim n'avaient encore compris la raison des cris d'Houlda. Puis l'un des percepteurs s'avança. Chacun découvrit alors, entre les pans de sa tunique corbeau, le chandelier qu'il serrait contre sa poitrine.

Un chandelier de bronze, plus vieux qu'Houlda elle-même, décoré de fleurs d'amandier. Il lui venait des aïeux de ses aïeux. Un chandelier de Hanoukka, si ancien qu'elle racontait que les fils de Yehuda Maccabée l'avaient possédé et, les premiers, y avaient allumé les chandelles fêtant le miracle de la lumière éternelle. C'était certainement la seule chose d'un peu de valeur qu'elle possédât encore. Tous, dans le village, connaissaient les sacrifices qu'Houlda avait consentis pour ne jamais s'en séparer. Plus d'une fois, elle avait préféré la privation aux quelques pièces d'or qu'elle aurait pu en obtenir.

À la vue de ce chandelier dans les bras du percepteur, une protestation monta de la gorge de ceux qui se trouvaient là. Dans tous les foyers de Galilée et d'Israël, le chandelier de Hanoukka n'était-il pas aussi sacré que la pensée de Yhwh ? Comment des servants du temple de Jérusalem pouvaient-ils oser voler la lumière d'une maison ?

Aux premiers grognements, l'officier romain brailla un ordre. Les mercenaires, abaissant leurs lances, resserrèrent les rangs.

Houlda cria encore quelques phrases que l'on ne comprit pas. L'un des charognards se retourna, le poing levé. Sans hésitation, il la frappa au visage. Le coup projeta le corps chétif de la vieille femme contre le mur de la maison. Avant de s'effondrer dans la poussière du seuil, elle rebondit comme si elle ne pesait pas plus qu'une plume.

Des cris de fureur jaillirent. Les soldats reculèrent d'un pas, mais les lances et les épées piquèrent les poitrines de ceux qui se tenaient aux premiers rangs.

Miryem avait lâché le bras de son père. Tout près de lui, elle cria le nom d'Houlda. Le fer d'une lance jaillit à moins d'un doigt de sa gorge. Joachim vit les yeux apeurés du mercenaire qui en tenait la hampe.

Il devina que ce fou allait frapper Miryem. Il comprit que lui, malgré les exhortations à la sagesse et à la patience qu'il s'infligeait depuis la veille, ne supportait plus l'humiliation que les canailles du sanhédrin infligeaient à la vieille Houlda. Et que Dieu Tout-Puissant lui pardonne, jamais il n'accepterait qu'un Barbare à la solde d'Hérode tue sa fille. Il sut que le courage de la colère l'emportait, quoi qu'il lui en coûtât.

Le mercenaire recula le bras pour frapper. Joachim se jeta en avant. Du bout des doigts, il détourna la lance avant qu'elle n'achève sa course dans la poitrine de Miryem. Le plat du fer cogna l'épaule d'un jeune homme à son côté, avec assez de force pour le jeter à terre. Mais déjà Joachim avait arraché l'arme des mains du mercenaire. De son poing libre, aussi dur que le bois qu'il travaillait quotidiennement, il frappa l'homme à la gorge.

Quelque chose se brisa dans le cou du mercenaire, lui coupant la respiration. Ses yeux s'agrandirent de stupeur.

Joachim le repoussa, devina du coin de l'œil Miryem qui relevait le voisin, entourée par des gens du village qui, n'ayant pas compris que l'un de leurs ennemis était mort, insultaient les mercenaires.

Sans hésiter, la lance au poing, il bondit vers les percepteurs. Alors qu'on braillait toujours derrière lui, il pointa le fer sur le ventre du charognard qui tenait le chandelier.

– Rends ce chandelier ! hurla-t-il.

L'autre, stupéfait, ne fit pas un geste. Peut-être même ne comprit-il pas les paroles de Joachim. Il recula, blême. Tenant toujours le chandelier, mais bavant de peur, il se tassa contre les autres percepteurs derrière lui, comme pour disparaître dans leur masse sombre.

À leurs pieds, la vieille Houlda ne bougeait plus. Un peu de sang coulait sur l'une de ses tempes, noircissant ses mèches grises. À travers les cris et les vociférations de la bousculade, Joachim perçut la voix de Miryem qui criait :

– Père, attention !

Les mercenaires qui, un instant plus tôt, gardaient les charrettes accouraient à la rescousse, l'épée brandie. Joachim comprit qu'il commettait une folie et que son châtiment serait terrible.

Il eut une pensée pour Yhwh. Si le Dieu Tout-Puissant était le dieu de Justice que l'on enseignait, alors Il lui pardonnerait.

Il poussa la lance d'un coup sec. Il fut surpris de sentir le fer entrer si facilement dans l'épaule du gros percepteur. Celui-ci hurla de douleur. Il lâcha enfin le chandelier, qui heurta le sol avec un léger tintement de cloche.

Avant que les mercenaires ne se jettent sur lui, Joachim se débarrassa de sa lance, ramassa le chandelier et s'agenouilla près d'Houlda. Avec soulagement, il se rendit compte qu'elle était seulement évanouie. Il glissa un bras sous les épaules de la vieille femme, posa le chandelier sur son ventre et referma les doigts déformés sur le bronze.

Alors seulement il eut conscience du silence.

Plus un cri, plus un braillement ou une insulte. Tout au plus les gémissements du gros charognard blessé.

Il leva les yeux. Une dizaine de pointes de lance, autant de lames d'épée, étaient pointées sur lui. L'indifférence avait quitté le visage des mercenaires. On y lisait une vieille haine arrogante.

Là-bas, à dix pas sur la route, tous ceux de Nazareth, ainsi que Miryem, sa fille, sous la menace des lances, n'osaient plus bouger.

Le silence et la stupeur se prolongèrent le temps d'un souffle, puis se brisèrent. Alors vint la confusion.

Joachim fut agrippé, jeté au sol et frappé. Miryem et les habitants du village s'agitèrent. Les mercenaires les repoussèrent, tranchant sans hésiter dans les bras, les cuisses ou les épaules des plus courageux. L'officier qui commandait la garde brailla des ordres de repli.

Des mercenaires portèrent le percepteur blessé jusqu'à sa monture, tandis qu'on passait des liens de cuir aux poignets et aux chevilles de Joachim. Il fut jeté sans ménagement sur les planches d'une charrette qui manœuvrait déjà pour s'éloigner du village. À côté de lui, on chargea le corps du soldat qu'il avait tué. Sous les claquements des fouets et les beuglements, les autres charrettes suivirent avec précipitation.

Alors que les chevaux et les soldats disparaissaient dans l'ombre de la forêt, le silence se déposa sur Nazareth.

Un froid glacial s'empara de Miryem. La pensée de son père lié et livré aux soldats du Temple lui noua la gorge. Malgré la présence de tout le village qui se pressait autour d'elle, elle sentit une immense peur la saisir. Elle songea aux paroles qu'elle allait devoir dire à sa mère.

***

– J'aurais dû aller avec lui, murmurait Lysanias sans cesser de se balancer sur son tabouret. Je suis resté dans l'atelier comme une poule peureuse. Ce n'était pas à Joachim de défendre Houlda. C'était à moi.

Les voisins et voisines qui se tenaient dans la pièce, et jusque sur le seuil, écoutaient en silence les gémissements du vieux Samaritain. Vingt fois, les uns et les autres lui avaient répété qu'il n'y était pour rien et qu'il n'aurait rien pu faire. Lysanias était incapable de se sortir cette pensée de la cervelle. Comme Miryem, il redoutait l'absence de Joachim à son côté, maintenant, ce soir, demain.

Hannah, elle, se taisait, assise, toute raide, les doigts chiffonnant nerveusement les pans de sa tunique.

Miryem, les yeux secs, le cœur battant lourdement, l'observait à la dérobée. La tristesse muette et solitaire de sa mère l'intimidait. Elle n'osait faire un geste de tendresse vers elle. Les voisines non plus n'avaient pas pris Hannah dans leurs bras. L'épouse de Joachim n'était pas femme à se laisser approcher facilement.

À présent, le temps des mots violents et vengeurs était passé. Ne restaient plus que la douleur et la conscience de l'impuissance.

Fermant les paupières, Miryem revoyait le drame. Le corps de son père recroquevillé, lié et jeté tel un sac dans la charrette.

Elle se demandait sans relâche : « Et maintenant, que lui arrive-t-il ? Que lui font-ils ? »

Lysanias n'était en rien responsable du drame. Joachim l'avait défendue, elle. C'était à cause d'elle qu'il était désormais livré à la cruauté des percepteurs du Temple.

– On ne le reverra plus. C'est comme s'il était mort.

Retentissant dans le silence, la voix claire d'Hannah les fit sursauter. Personne ne protesta. Tous pensaient la même chose.

Joachim avait tué un soldat, blessé un percepteur. On connaissait par avance son châtiment. Si les mercenaires ne l'avaient pas tué ou crucifié sur place, c'était uniquement parce qu'ils étaient pressés de soigner le charognard du sanhédrin.

Sans doute allaient-ils le supplicier pour l'exemple. Une sentence que chacun connaissait par avance : la croix jusqu'à ce que la faim, la soif, le froid et le soleil tuent. Une agonie qui durerait des jours.

Miryem se mordit les lèvres pour retenir le sanglot qui l'étouffait. D'une voix sans timbre elle énonça :

– Au moins, il faudrait apprendre où ils le conduisent.

– À Sepphoris, dit un voisin. Sûrement à Sepphoris.

– Non ! protesta un autre. Ils n'emprisonnent plus personne à Sepphoris. Ils ont trop peur des bandes de Barabbas, ces jeunes qu'ils ont poursuivis tout l'hiver sans parvenir à les attraper. On raconte que, deux fois déjà, Barabbas a osé piller des charrettes de percepteurs. Non, c'est à Tarichée qu'ils vont le conduire. De là-bas, aucun prisonnier ne s'est jamais échappé.

– Ils pourraient aussi l'emmener à Jérusalem, intervint un troisième. Le crucifier devant le Temple pour dénoncer une fois de plus à ceux de Judée les barbares que nous sommes, nous autres, de Galilée !

– Le mieux, pour le savoir, c'est de les suivre, fit Lysanias en se levant de son tabouret. J'y vais.

Des objections s'élevèrent. Il était trop vieux, trop fatigué pour courir derrière les mercenaires ! Lysanias insista, assurant qu'on ne se méfierait pas d'un vieillard et qu'il était encore assez ingambe pour revenir vite à Nazareth.

– Et après ? demanda Hannah d'une voix retenue. Quand vous découvrirez où se trouve mon époux, à quoi cela vous servira-t-il ? À aller le voir sur sa croix ? Moi, je n'irai pas. Non, je n'irai pas voir Joachim se faire dévorer par les oiseaux alors qu'il devrait être ici et prendre soin de nous !

Quelques voix protestèrent. Pas bien fort, car nul ne savait ce qu'il était désormais bon ou mal de faire. Mais Lysanias gronda :

– Si ce n'est moi, quelques autres doivent les suivre. Il faut que nous sachions où ils l'emmènent.

On tint conciliabule et, finalement, deux jeunes bergers furent désignés, qui partirent aussitôt, évitant la route de Sepphoris et coupant à travers la forêt.

***

La journée n'apporta aucun réconfort. Au contraire, elle divisa Nazareth comme un vase qui se brise.

La synagogue ne désemplit pas. Hommes et femmes s'y retrouvèrent, plus fervents qu'à l'ordinaire, bavardant après de longues prières et surtout attentifs aux exhortations du rabbin.

Dieu avait décidé du sort de Joachim, affirmait-il. On ne tue pas un homme, même un mercenaire d'Hérode. Il faut accepter son chemin car seul le Tout-Puissant sait et nous conduit jusqu'à la venue du Messie.

Il ne fallait pas se montrer trop indulgent envers Joachim, assurait-il. Car son acte, outre qu'il mettait sa vie en danger, désignait désormais le village de Nazareth dans son entier à la vindicte de Rome et du sanhédrin. Ils seraient nombreux à réclamer un châtiment. Et les mercenaires d'Hérode, des païens sans foi ni loi, ne rêveraient que de vengeance.

Il fallait s'attendre à des heures sombres, prévint le rabbin. Dès lors, accepter le châtiment de Joachim était le plus sage, ainsi que prier longuement afin que l'Éternel lui pardonne.

Ces conseils achevèrent de jeter le trouble. Certains les trouvèrent emplis de bon sens. D'autres se rappelèrent que, la veille de la venue des percepteurs, la rage avait soufflé un vent de révolte sur eux. Joachim les avait pris au mot. À présent, ils ne savaient plus s'ils devaient suivre son exemple et manifester, eux aussi, le courage de leur colère. La plupart avaient l'âme désorientée par les paroles entendues à la synagogue. Comment distinguer le bien du mal ?

En les écoutant, Lysanias s'enflamma et déclara bien haut qu'il était content, finalement, d'être un Samaritain plutôt qu'un Galiléen.

– Vous êtes beaux à voir, jeta-t-il à ceux qui entouraient le rabbin, incapables que vous êtes de porter dans votre cœur celui qui défend une vieille femme contre les percepteurs.

Et, assurant que désormais plus aucune règle ne l'en empêcherait, il alla s'installer chez la vieille Houlda, qui souffrait d'un mal de hanche et ne pouvait plus quitter sa couche.

Miryem écouta et se tut. Elle admettait qu'il y avait une part de vérité dans les paroles du rabbin. Pourtant, celles-ci étaient inacceptables. Non seulement elles justifiaient toutes les souffrances que les mercenaires d'Hérode pourraient infliger à son père, mais en outre elles acceptaient que le Tout-Puissant ne fût pas juste avec les justes. Comment cela était-il possible ?

***

Avant le crépuscule, les bergers revinrent, hors d'haleine. La colonne des charognards du Temple ne s'était attardée dans Sepphoris que le temps de soigner la blessure du percepteur.

– Avez-vous vu mon père ? demanda Miryem.

– On ne pouvait pas. On est restés à l'écart. Les mercenaires étaient mauvais. Mais ce qui est sûr, c'est qu'il est resté dans la charrette. Comme le soleil tapait dur, il devait avoir une soif terrible. Les gens de Sepphoris non plus ne pouvaient pas approcher. Pas question de lui tendre une gourde, je vous jure.

Hannah gémit. Elle murmura le nom de Joachim plusieurs fois, tandis que chacun baissait la tête.

– Après, ils ont allongé le percepteur blessé dans une autre charrette et ils ont filé bon train hors de la ville. Dans la direction de Cana, assurèrent les bergers.

– Ils vont à Tarichée ! s'exclama un voisin. S'ils s'en étaient retournés à Jérusalem, ils auraient pris la route de Tabor.

Ce que nul n'ignorait.

Un silence pesant s'installa.

Maintenant, les mots d'Hannah leur tournaient dans la tête. Oui, à quoi cela leur servait-il de savoir Joachim en route pour la forteresse de Tarichée ?

– Au moins, soupira une voisine, répondant aux préoccupations de tous, cela signifie qu'ils ne vont pas le lier tout de suite sur une croix.

– Demain ou après demain, qu'est-ce que cela change ? grommela Lysanias. Joachim endurera ses douleurs plus longtemps, c'est tout.

Chacun s'imaginait la forteresse. Un monstre de pierre datant du temps béni du roi David, mais qu'Hérode avait fait agrandir et renforcer, prétendument pour défendre Israël contre les Nabatéens, les ennemis du désert de l'est.

En vérité, depuis des lustres la forteresse servait à emprisonner des centaines d'innocents, riches et pauvres, savants et illettrés. Tous ceux qui déplaisaient au roi. Une rumeur, un ragot malveillant, les manœuvres d'une vile vengeance suffisaient pour que l'on y croupisse. Le plus souvent pour n'en plus jamais ressortir ou pour finir sur la forêt de pieux qui l'entourait.

Désormais, visiter Tarichée était une douleur, malgré la grande beauté des rives du lac Génézareth. Nul ne pouvait échapper au spectacle des suppliciés. Certains assuraient que, la nuit, leurs gémissements résonnaient à la surface des eaux tels des cris montés de l'enfer. À vous dresser les cheveux sur la tête. Les pêcheurs eux-mêmes, bien que la rive proche de la forteresse fût plus poissonneuse que les autres, n'osaient plus s'en approcher.

Mais alors que l'effroi rendait chacun muet, Miryem prononça d'une voix nette, sans hésitation :

– Je pars pour Tarichée. Je ne laisserai pas mon père pourrir dans la forteresse.

Les fronts se relevèrent. Le brouhaha des protestions fut aussi bruyant que le silence avait été profond l'instant d'avant.

Miryem déraisonnait. Elle ne devait pas se laisser abuser par la douleur. Comment pourrait-elle tirer son père des geôles de Tarichée ? Oubliait-elle qu'elle n'était qu'une fille ? Quinze ans à peine, encore si jeune qu'on ne l'avait pas mariée. Même si elle en paraissait davantage et que son père avait l'habitude, peut-être pas si bonne, de la considérer comme une femme de raison et de sagesse. Elle n'était qu'une fille, pas une faiseuse de miracles.

– Je ne songe pas à aller seule à Tarichée, annonça-t-elle quand le calme fut revenu. Je vais réclamer l'aide de Barabbas.

– Barabbas le voleur ?

À nouveau s'éleva un concert de protestations.

Cette fois, après avoir échangé un regard avec Miryem, Halva, la jeune épouse de Yossef, un charpentier ami de Joachim, déclara, en surmontant le vacarme :

– À Sepphoris, on dit qu'il ne vole pas pour lui mais pour donner à ceux qui sont dans le besoin. On raconte qu'il fait plus de bien que de mal et que ceux qu'ils volent l'ont bien mérité.

Des hommes l'interrompirent sèchement. Comment pouvait-on parler ainsi ? Un voleur était un voleur.

– La vérité, c'est que ces méchants larrons attirent les mercenaires d'Hérode dans nos villages comme les mouches sur une plaie !

Miryem haussa les épaules.

– Comme vous prétendez que mon père va attirer la vengeance des mercenaires sur Nazareth ! lança-t-elle durement. Ce qui compte, c'est qu'ils ont beau faire la chasse à Barabbas, ils ne l'attrapent jamais. Si quelqu'un est capable de sauver mon père, c'est lui.

Lysanias secoua la tête.

– Et pourquoi le ferait-il ? On n'a pas d'or pour sa récompense !

– Il le fera parce qu'il me le doit.

Les yeux ronds, tous la dévisagèrent.

– Il nous doit la vie, à mon père et à moi. Il m'écoutera, j'en suis sûre.

***

D'interminables palabres se prolongèrent jusque tard dans la nuit.

Hannah gémit qu'elle ne voulait pas laisser partir sa fille. Miryem voulait-elle la laisser absolument seule ? Sans plus d'enfant ni d'époux ? Car aussi sûrement que Joachim était déjà comme crucifié et mort, Miryem serait prise par les voleurs ou par les mercenaires. Elle serait souillée puis assassinée. Voilà ce qui l'attendait.

Le rabbin la soutint. Miryem parlait avec l'inconscience de la jeunesse autant que l'oubli de son sexe. Qu'une jeune fille aille ainsi se jeter dans la gueule d'un fauve, un rebelle, un voleur comme ce Barabbas, était inconcevable. Et pour arriver à quoi ? À se faire tuer à la première occasion ? À attiser la hargne des Romains et des mercenaires du roi, qui ne manqueraient pas de se retourner contre eux tous ?

Ils se saoulaient des mots de la peur, de l'imagination du pire. Ils se complaisaient dans l'impuissance. Bien qu'elle sût que tous parlaient par affection et se croyant sages, Miryem en vint à ressentir un immense dégoût.

Elle s'éclipsa sur la terrasse. Gorgée de toute la tristesse de ce jour, elle s'allongea sur les billots de bois dissimulant la cache désormais inutile que son père avait confectionnée pour elle quand elle n'était qu'une petite fille. Elle ferma les yeux et laissa les larmes glisser sous ses paupières.

Elle devait pleurer maintenant, car dans un moment, sans que nul ne s'en aperçoive, elle accomplirait ce qu'elle avait dit. Elle quitterait Nazareth pour aller sauver son père. Alors, il ne serait plus temps de larmoyer.

Dans l'obscurité, le visage de Joachim lui revint. Doux, accueillant, et terrible, aussi, comme elle l'avait entrevu lorsqu'il avait frappé le mercenaire.

Il avait eu ce courage. Pour elle. Pour la vieille Houlda, pour eux tous, les habitants de Nazareth. Lui, le plus doux des hommes. Lui que l'on venait chercher afin d'apaiser les querelles entre voisins. Il avait eu ce courage. Elle devait l'avoir aussi. À quoi bon attendre l'aube si le jour qui venait ne devait pas être celui de la lutte contre qui vous humilie et vous anéantit ?

Elle rouvrit les yeux, s'obligea à scruter les étoiles pour y deviner la présence du Tout-Puissant. Ah, si au moins elle pouvait Lui demander s'Il voulait, ou ne voulait pas, la vie de Joachim, son père !

Elle sursauta en entendant un frôlement.

– C'est moi, chuchota la voix d'Halva. Je me doutais que tu étais là.

Elle saisit la main de Miryem, la serra en posant ses lèvres sur la pointe des doigts.

– Ils ont peur, ils sont tristes, alors ils ne peuvent plus s'arrêter de parler, dit-elle simplement en désignant le brouhaha qui venait d'en bas.

Et comme Miryem se taisait, elle ajouta :

– Tu vas partir avant le jour, n'est-ce pas ?

– Oui, il le faut.

– Tu as raison. Si tu veux, je t'accompagnerai un bout de chemin avec notre mule.

– Que dira ton époux ?

– J'ai parlé avec Yossef. En vérité, sans les enfants, il partirait avec toi.

Elle n'avait pas besoin d'en dire davantage. Miryem savait que Yossef aimait Joachim comme un fils. Il lui devait tout ce qu'il savait de son métier de charpentier et même sa maison, à deux lieues de Nazareth, où il était né.

Poursuivant sa pensée, Halva rit avec tendresse.

– Sauf que Yossef est bien le dernier homme que j'imagine en train de se battre contre des mercenaires ! Il est si timide qu'il n'ose pas dire tout haut ce qu'il pense !

Elle attira Miryem contre elle, l'entraîna vers l'escalier.

– Je vais passer devant pour qu'ils ne te voient pas sortir. Nous irons chez moi. Je te donnerai un manteau, comme ça, ta mère ne devinera rien. Et tu pourras te reposer au calme quelques heures avant que nous prenions la route.

2.

Le soleil se levait au-dessus des collines lorsqu'elles quittèrent la forêt. Loin dans le creux de la vallée, au pied du chemin qu'elles empruntaient, s'étalant entre les vergers en fleurs et les champs de lin, apparurent les toits serrés de Sepphoris. Halva immobilisa la charrette.

– Je vais te laisser ici. Il ne faut pas que je rentre trop tard à Nazareth.

Elle attira Miryem contre elle.

– Sois prudente avec ce Barabbas ! Après tout, c'est quand même un peu un bandit...

– Si jamais je parviens à le rencontrer, soupira Miryem.

– Tu le verras ! Je le sais. Comme je sais que tu vas sauver ton père de la croix.

Halva l'embrassa à nouveau. Cette fois, sans plus de malice, mais avec tendresse et sérieux.

– Je le sens dans le fond de mon cœur, Miryem : il me suffit de te voir pour le sentir. Tu vas sauver Joachim. Tu peux me faire confiance : mes intuitions ne me trompent jamais !

Tout au long du chemin, elles n'avaient cessé de réfléchir au moyen de trouver Barabbas. À Halva, Miryem n'avait pas caché son souci : elle ignorait tout simplement où il se cachait. Devant ceux de Nazareth, elle avait montré beaucoup d'assurance en affirmant qu'il l'écouterait. Peut-être était-ce vrai. Mais, d'abord, il fallait parvenir jusqu'à lui.

– Si les Romains et les mercenaires d'Hérode ne le trouvent pas, comment y arriverai-je, moi ?

Halva, toujours pratique et confiante, ne s'était pas laissé impressionner par la difficulté.

– Tu le trouveras justement parce que tu n'es ni romaine ni mercenaire. Tu sais bien comment vont les choses. Il doit y en avoir plus d'un, dans Sepphoris, qui sait où Barabbas se cache. Il a des partisans et des débiteurs. Ils te renseigneront.

– Si je pose trop de questions, on va se méfier. Il me suffira de marcher dans les rues de Sepphoris pour qu'on se demande qui je suis, où je vais.

– Bah ! Les gens sont curieux, comme chez nous, mais qui irait courir chez les mercenaires d'Hérode pour te dénoncer ? Tu n'auras qu'à expliquer que tu vas rejoindre une tante. Raconte que tu vas aider ta tante Judith qui va avoir un nouvel enfant. Ce n'est pas un bien gros mensonge. C'est même presque vrai, puisqu'il lui en est né un à l'automne dernier. Et quand tu vois une personne de bonne mine, dis la vérité. Il y en a bien une qui saura te répondre.

– Et comment les reconnaîtrai-je, celles de « bonne mine » ?

Halva s'exclama, espiègle :

– Tu peux déjà éliminer les riches et les artisans trop sérieux ! Allons, aie confiance. Tu es parfaitement capable de distinguer un fourbe d'un honnête homme et une mégère vicieuse d'une bonne mère.

Halva avait peut-être raison. Dans sa bouche, les choses paraissaient faciles, évidentes. Mais maintenant qu'elle approchait des portes de la ville, Miryem doutait plus que jamais de pouvoir extirper Barabbas de sa cachette pour lui demander son aide.

Pourtant, le temps pressait. Dans deux jours, trois, quatre tout au plus, il serait trop tard. Son père mourrait sur la croix, calciné par la soif et le soleil, dévoré par les corbeaux, sous les quolibets des mercenaires.

***

Dans la lumière légère du matin, Sepphoris s'éveillait. Les boutiques ouvraient, les tentures et les portières des maisons s'écartaient. Les femmes se hélaient avec des cris aigus, s'assurant que la nuit des uns et des autres avait été bonne. Les enfants, par grappes, allaient chercher de l'eau aux puits en se chamaillant. Des hommes, le visage encore chiffonné de sommeil, bousculant leurs ânes et leurs mulets, partaient pour les champs.

Comme Miryem l'avait prévu, des œillades curieuses glissèrent vers elle, cette étrangère qui entrait si tôt dans la ville. Peut-être devinait-on, à son pas un peu trop sec, un peu trop lent, qu'elle ignorait son chemin, mais qu'elle n'osait pas pour autant le demander. Cependant, la curiosité qu'elle suscitait était moins vive qu'elle ne l'avait craint. Les regards se détournaient après avoir jaugé son allure et la bonne qualité de son manteau.

Quand elle eut croisé plusieurs rues, songeant aux conseils d'Halva, elle marcha plus fermement. Elle prit ici à gauche, là à droite, comme si elle connaissait la ville et savait parfaitement où la menaient ses pas. Elle cherchait un visage qui lui inspirât confiance.

Elle traversa ainsi un quartier après l'autre, passant devant les échoppes puantes des pelletiers, celles des tisserands qui étendaient, sur de longues perches, draperies, tapis et tentures, éblouissant la rue d'une fête de couleurs. Puis vint le quartier des vanniers, des tisseurs de tentes, des changeurs...

Brièvement, elle quêtait sur les visages un signe qui lui eût donné le courage de prononcer le nom de Barabbas. Mais, chaque fois, elle trouvait une raison pour baisser les paupières et ne pas s'attarder. Outre qu'elle n'osait les dévisager, afin de ne pas paraître effrontée, les uns et les autres lui semblaient bien loin de savoir où se trouvait un bandit recherché par Rome et par les mercenaires du roi.

Sans autre choix que de s'en remettre à la bonne volonté du Tout-Puissant, elle s'enfonça dans des ruelles de plus en plus bruyantes et populeuses.

Après s'être écartée d'un groupe d'hommes sortant d'une petite synagogue élevée entre deux grands figuiers, elle s'aventura dans une venelle juste assez large pour que l'on puisse s'y croiser. En contrebas du chemin de terre battue, pareille à une gueule béante surgit l'antre d'un savetier. Elle sursauta lorsqu'un apprenti agita soudain vers elle de longues lianes de cordes. Des rires la poursuivirent tandis qu'elle courait presque jusqu'à l'extrémité du boyau, qui allait en se rétrécissant et paraissait vouloir se refermer sur elle.

Il débouchait sur un terrain vague, souillé de détritus et recouvert de mauvaises herbes. Des flaques d'eau croupies stagnaient ici et là. Des poules et des dindons s'écartèrent à peine quand elle s'avança. Les murs clôturant la place n'avaient plus été chaulés depuis longtemps. Sur les façades des masures, rares étaient les ouvertures comportant des volets. Attaché au tronc d'un arbre mort transformé en pieu, un âne au poil crasseux tourna sa grosse tête vers elle. Son braiment résonna, inquiétant comme une trompe d'alarme.

Miryem jeta un regard derrière elle, hésitant à rebrousser chemin, à s'enfoncer dans la ruelle et à subir une nouvelle fois les quolibets des apprentis. De l'autre côté du terrain vague, en face d'elle, se devinaient deux rues qui pouvaient peut-être la reconduire vers le cœur de la ville. Elle progressa, scrutant le sol devant elle pour éviter les flaques et les ordures. Elle ne les vit pas apparaître. Seul le soudain caquetage de poules dérangées lui fit relever la tête.

Elle eut l'impression qu'ils sortaient du sol fangeux. Une dizaine de gosses dépenaillés, les cheveux hirsutes, la morve au nez et l'œil rusé. Le plus âgé ne devait pas avoir plus de onze ou douze ans. Ils étaient tous pieds nus, avec des joues creuses aussi noires de crasse que leurs mains. Des garçons si mal nourris que des dents leur manquaient déjà. Des *am-ha-aretz*, comme les qualifiaient avec mépris ceux de Judée. Des ignorants, des culs-terreux, des bouseux, des damnés de la terre. Des fils d'esclaves, des fils de personne qui ne seraient jamais eux-mêmes, dans le grand royaume d'Israël, que des esclaves. Des am-ha-aretz, des pauvres parmi les pauvres.

Miryem s'immobilisa, le visage en feu. Le cœur battant et la tête pleine des histoires monstrueuses que l'on racontait sur ces gamins. Comment ils vous attaquaient, petits fauves en meute. Comment ils vous dépouillaient, vous violentaient. Et même, disait-on avec les délices de la peur et de la haine, comment ils vous mangeaient.

L'endroit, elle devait en convenir, était parfait pour qu'ils puissent accomplir ces horreurs sans crainte d'être dérangés.

Ils marquèrent le pas à leur tour. Dans leurs grimaces, la prudence se mêlait au plaisir de deviner sa peur.

Ayant vite jugé qu'ils ne risquaient rien, ils bondirent vers elle. Pareils à des chiens sournois, ils l'entourèrent, sautillants, goguenards, grognant des moqueries, la bouche ouverte sur des petits crocs affamés, se poussant du coude en pointant de leurs doigts dégoûtants la belle étoffe de son manteau.

Miryem eut honte. Elle s'en voulut de sa crainte, de son cœur qui battait la chamade, de ses paumes moites. Elle se souvint de ce que Joachim, son père, lui avait dit une fois : « Rien de ce que l'on colporte sur les am-ha-aretz n'est vrai. On se moque d'eux parce qu'ils sont plus pauvres que les pauvres. C'est là leur seul vice et leur unique méchanceté. » Elle s'efforça de leur sourire.

Ils répondirent par les pires grimaces. Ils agitèrent leurs mains crasseuses en des gestes obscènes.

Peut-être son père avait-il raison. Mais Joachim était bon et voulait voir le bien partout. Et, bien sûr, il n'avait jamais été à la place d'une jeune fille entourée par une meute de ces démons.

Elle ne devait pas rester immobile. Peut-être pouvait-elle atteindre la rue la plus proche, où il y aurait des maisons ?

Elle fit quelques pas en direction de l'âne, qui les observait en agitant ses grandes oreilles. Les gamins la suivirent, redoublant leurs grognements stupides et leurs bonds menaçants.

L'âne retroussa les babines, découvrit ses dents jaunes dans un braiment mauvais qui n'impressionna pas les gosses. Ils lui claquèrent aussitôt les flancs en l'imitant. En un instant, ils furent là, serrés autour Miryem, riant de leurs singeries comme les enfants qu'ils étaient, la contraignant à s'immobiliser de nouveau.

Leurs rires anéantirent sa crainte. Oui, c'étaient des gosses, et qui s'amusaient avec ce qu'ils pouvaient : la peur de l'âne et la peur d'une fille trop sotte !

Les mots d'Halva lui traversèrent l'esprit : « Trouve des personnes de bonne mine. » Elle les avait devant elle, ces personnes de « bonne mine ». Le Tout-Puissant lui offrait l'occasion dont elle désespérait, et si Barabbas était celui que l'on disait, alors, elle avait trouvé les messagers dont elle avait besoin.

Elle pivota sur elle-même, brusquement. Les enfants s'écartèrent d'un bond, telle une meute craignant les coups.

– Je ne vous veux pas de mal ! s'exclama Miryem. Au contraire, j'ai besoin de vous.

Une dizaine de paires d'yeux la scrutèrent, soupçonneuses. Elle chercha un visage qui paraisse plus raisonnable que les autres. Mais la crasse et la défiance les maquillaient tous d'un même masque.

– Je cherche un homme qui s'appelle Barabbas, lança-t-elle. Celui que les mercenaires d'Hérode traitent comme un bandit.

Ce fut comme si elle les avait menacés d'un brandon. Ils s'agitèrent, marmonnèrent des mots inaudibles, la bouche mauvaise, le regard querelleur. Quelques-uns, les poings serrés, prirent des poses comiques de petits hommes.

Miryem ajouta :

– Je suis son amie. J'ai besoin de lui. Lui seul peut m'aider. Je viens de Nazareth et je ne sais pas où il se cache. Je suis sûre que vous pouvez me conduire jusqu'à lui.

Cette fois, la curiosité tendit leurs visages et les rendit silencieux. Elle ne s'était pas trompée. Ces gamins sauraient trouver Barabbas.

– Vous le pouvez, et c'est important. Très important.

L'embarras succéda à la curiosité. La méfiance réapparut. L'un d'eux, d'une voix criarde, lança :

– On ne sait même pas qui c'est, ce Barabbas !

– Il faut lui répéter que Miryem de Nazareth est ici, dans Sepphoris, insista Miryem comme si elle n'avait pas entendu. Les soldats du sanhédrin ont enfermé mon père dans la forteresse de Tarichée.

Ces derniers mots brisèrent ce qui leur restait de résistance. L'un des gamins, ni le plus costaud ni le plus violent de la bande, se rapprocha. Sur son corps malingre, son visage sale semblait vieilli prématurément.

– Si on le fait, qu'est-ce que tu nous donnes ?

Miryem fouilla dans la poche de cuir qui doublait son manteau. Elle en tira des piécettes de laiton : à peine un quart de talent, le prix d'une matinée de labeur dans les champs.

– C'est tout ce que j'ai.

Les yeux des enfants brillèrent. Leur petit chef surmonta son plaisir et parvint à afficher un dédain convaincant.

– C'est rien du tout. Et ce que tu demandes, c'est beaucoup. On raconte que ce Barabbas, il est très méchant. Il peut nous tuer s'il n'est pas content qu'on lui coure après.

Miryem secoua la tête.

– Non. Je le connais bien. Il n'est pas méchant, ni dangereux avec ceux qu'il aime bien. Moi, je n'ai plus rien, mais si vous me conduisez à lui, il vous récompensera.

– Pourquoi ?

– Je te l'ai dit : c'est mon ami. Il sera content de me voir.

Un sourire rusé s'esquissa sur les lèvres du garçon. Ses compagnons se serraient maintenant autour de lui. Miryem tendit la main, offrant les piécettes.

– Prends.

Aussi légers que les pattes d'une souris, sous les regards vigilants de ses camarades, les doigts de l'enfant cueillirent les pièces dans sa paume.

– Toi, ne bouge pas d'ici, ordonna-t-il en refermant son poing contre sa poitrine. Je vais voir si je peux te conduire. Mais avant qu'on revienne, ne bouge pas d'ici, sinon, tant pis pour toi.

Miryem opina.

– Dis bien mon nom à Barabbas : Miryem de Nazareth ! Et que mon père va mourir dans la forteresse de Tarichée.

Sans un mot, il lui tourna le dos, entraînant sa troupe. Avant de quitter le terrain vague, quelques gosses poursuivirent par jeu les dindes et les poules, qui s'éparpillèrent, affolées. Puis tous les enfants disparurent aussi soudainement qu'ils avaient surgi.

***

Elle n'eut pas à attendre longtemps.

De temps à autre, quelques passants traversaient les ruelles. Leur apparence était à peine moins miséreuse que celle des enfants. Une vague curiosité animait leurs visages las. Ils la dévisageaient avant de poursuivre leur chemin, indifférents.

Les poules revinrent picorer au pied de l'âne, qui ne se souciait plus de Miryem. Le soleil montait dans le ciel constellé de petits nuages. Il chauffait la terre jonchée de détritus, soulevant une odeur de plus en plus nauséabonde.

Tentant d'y demeurer insensible, Miryem se contraignit à la patience. Elle voulait se convaincre que les enfants ne la trompaient pas et savaient véritablement où se trouvait Barabbas. Elle ne pourrait demeurer en ce lieu sans que sa présence incongrue n'éveille quelque soupçon.

Puis, sans crier gare, ils furent là. Ils ne couraient plus. Au contraire, ils s'approchèrent d'elle d'un pas mesuré. Leur petit chef ordonna à voix basse :

– Suis-nous. Il veut te voir.

Sa voix demeurait rude. Sans doute l'était-elle en toutes circonstances. Chez ses compagnons, Miryem devina un changement.

Avant qu'ils ne quittent le terrain vague, le gosse ajouta :

– Y en a parfois qui veulent nous suivre. On les voit pas, mais moi, je les sens. Si je te dis : « Fiche le camp », tu fiches le camp. Tu discutes pas. On se retrouvera plus tard.

Miryem approuva d'un signe. Ils s'enfoncèrent dans une venelle fangeuse, bordée de murs borgnes. Les gosses avançaient en silence, mais sans aucune crainte. Elle demanda au petit chef :

– Quel est ton nom ?

Il ne répondit pas. Les autres lui lancèrent des coups d'œil où Miryem devina un zeste de raillerie. L'un d'eux se frappa fièrement la poitrine.

– Moi, je m'appelle David. Comme le roi qui a aimé cette fille très belle...

Il buta sur le nom, qui ne lui revenait pas. Les autres lui soufflèrent des prénoms, mais Bethsabée ne leur remonta pas à la mémoire.

Miryem sourit en les écoutant. Cependant son regard ne quittait pas son guide.

Lorsque les autres se turent, il eut un haussement d'épaule désinvolte et marmonna :

– Abdias.

– Oh ! s'étonna Miryem. C'est un très beau prénom. Et pas si fréquent. Sais-tu d'où il vient ?

L'enfant leva le visage vers elle. Ses yeux très noirs mangeaient son curieux visage. Ils brillaient d'intelligence et de ruse.

– Un prophète. Un qui aimait pas les Romains, comme moi.

– Et qui était tout petit, se moqua aussitôt celui qui s'appelait David. Et paresseux. Les savants disent qu'il a écrit le plus petit livre de tout le Livre !

Les autres gosses gloussèrent. Abdias les foudroya du regard, les réduisant au silence.

Combien de fois s'étaient-ils battus à cause de ce prénom ? se demanda Miryem. Et combien de fois Abdias avait-il dû les vaincre à coups de poing et de pied pour s'imposer ?

– Tu en sais, des choses, lança-t-elle à l'adresse de David. Et tu as raison. Le Livre ne contient qu'une vingtaine de versets d'Abdias. Mais ils sont forts et beaux. Je me souviens de celui qui dit : *Proche est le jour de Yhwh contre nos ennemis. Le mal qu'ils font, il leur retombera sur la tête. Et de même que vous, ceux d'Israël, vous avez bu sur la montagne sainte, tous les peuples sans répit y boiront jusqu'à plus soif. Et ce sera comme s'il n'y avait plus qu'un seul peuple !*

Elle se garda d'ajouter qu'Abdias s'était battu contre les Perses, bien avant que les Romains ne deviennent la peste du monde. Mais elle ne doutait pas que le prophète Abdias ait été comme son petit guide : sauvage, rusé, plein de courage.

Les enfants avaient ralenti. Ils la considéraient avec stupéfaction. Abdias demanda :

– Tu sais par cœur tout ce qu'ont dit les Prophètes ? Tu l'as lu dans le Livre ?

Miryem ne put retenir son rire.

– Non ! Je suis comme vous. Je ne sais pas lire. Mais mon père, lui, a lu le Livre au Temple. Souvent, il m'en raconte les histoires.

L'admiration illumina et embellit leurs faces crasseuses. Quel prodige ce devait être, qu'un père raconte à sa fille les belles histoires du Livre ! Ils peinaient à l'imaginer. Le désir les démangea de la questionner encore. Miryem protesta, sérieuse de nouveau :

– Ne perdons pas de temps en bavardages. Chaque heure qui passe, les mercenaires d'Hérode font souffrir mon père. Plus tard, je vous le promets, je vous raconterai.

– Et ton père aussi, répliqua Abdias d'un ton assuré. Quand Barabbas l'aura délivré, il faudra qu'il nous raconte.

***

Tournant à gauche et à droite, en un zigzag qui ne semblait pas les mener bien loin, ils parvinrent dans une rue plus large. Les maisons qui la bordaient, moins délabrées, étaient ornées de jardins. Quelques femmes y travaillaient. Elles jetèrent des regards intrigués vers leur groupe. Reconnaissant les enfants, elles se remirent aussitôt à l'ouvrage.

Abdias, bifurquant encore à droite, s'enfonça dans une venelle encaissée entre d'épais murs de briques nues : une vieille construction romaine. Çà et là, des grenadiers sauvages et des tamaris avaient poussé entre les fissures, les masquant autant que les élargissant. Certains étaient si grands et si forts que leurs masses enlacées dépassaient les murs d'une hauteur d'homme.

Miryem s'aperçut qu'une partie des enfants était demeurée en arrière, à l'entrée de la ruelle. Sur un signe d'Abdias, des gamins coururent en avant.

– Ils vont faire le guet, expliqua le petit chef.

Et, aussitôt, il l'attira sans ménagement vers un gros buisson de tamaris. Le tronc s'était démultiplié en branches rêches, mais assez souples pour que l'on puisse les écarter afin de passer au travers.

– Dépêche-toi, souffla Abdias.

Son manteau la gêna. Elle le dégrafa maladroitement. Abdias le lui prit des mains tout en la poussant en avant.

De l'autre côté, à sa surprise, elle se retrouva dans un champ de fèves à peine levées, ponctué de quelques amandiers aux troncs rabougris. Abdias sauta à son côté, suivi de deux de ses compagnons.

– Cours ! ordonna-t-il en lui fourrant le manteau entre les mains.

Ils longèrent le champ de fèves et parvinrent à une tour à demi en ruine. Abdias, la précédant, grimpa un escalier jonché de briques cassées. Ils pénétrèrent dans une pièce carrée dont le mur du fond avait été largement abattu. Au travers de la brèche, Miryem devina le dos d'une autre construction. Elle aussi romaine et très ancienne. Le toit de tuiles rondes était partiellement écroulé.

Abdias désigna un pont de bois branlant qui, depuis la faille du mur, pénétrait dans une lucarne de la bâtisse romaine.

– On passe là-dessus. Tu risques rien, c'est solide. Et de l'autre côté, il y a une échelle.

Miryem s'y aventura, retenant son souffle. C'était solide, peut-être, mais terriblement branlant. Elle se glissa dans la lucarne, se laissa doucement tomber sur un plancher de bois. La pièce où elle se redressa ressemblait à un petit grenier. De vieux couffins servant à transporter des jarres, mangés par l'humidité et les insectes, s'entassaient dans un coin. De la paille, du tressage rompu et délité crissèrent sous ses pas. Elle devina le volet rabattu d'une trappe alors que, derrière elle, Abdias sautait à son tour sur le plancher.

– Vas-y, descends, l'encouragea-t-il.

La pièce au-dessous était à peine éclairée par une porte étroite. Cependant le peu de lumière suffisait pour s'apercevoir que le sol de dalle était loin du plancher où Miryem se trouvait. Au moins quatre ou cinq fois sa hauteur.

À tâtons, de la pointe des pieds, elle chercha les barreaux de l'échelle. Abdias, un sourire moqueur aux lèvres, s'inclina vers elle, lui tenant complaisamment le poignet.

– C'est pas si haut, s'amusa-t-il. Moi, des fois, je prends même pas l'échelle. Je saute.

Miryem devina les échelons qui vacillaient sous son poids et, s'abstenant de répondre, les descendit en serrant les dents. Puis, avant qu'elle touche le sol, deux mains puissantes lui enlacèrent la taille. Elle poussa un cri pendant qu'on la soulevait pour la déposer sur le sol.

– J'étais sûr qu'on se reverrait, déclara Barabbas, un sourire dans la voix.

***

Une lumière chiche l'éclairait à contre-jour. Elle distinguait vaguement son visage.

Dans son dos, Abdias se laissa glisser comme une plume le long de l'échelle. Barabbas lui ébouriffa tendrement la tignasse.

– Je vois que tu es toujours aussi courageuse, dit-il à Miryem. Tu n'as pas eu peur de confier ta vie à ces démons. Dans Sepphoris, il n'y en a pas beaucoup qui l'auraient osé.

Abdias rayonnait de fierté.

– J'ai fait comme tu m'as demandé, Barabbas. Et elle a obéi.

– C'est bien. Va manger, maintenant.

– Pas possible. Les autres m'attendent de l'autre côté.

Barabbas le poussa vers la porte d'une petite tape.

– Ils t'attendront. Tu manges d'abord.

Le gosse grommela une vague protestation. Avant de disparaître, il décocha un grand sourire inattendu à l'adresse de Miryem. Pour la première fois, son visage fut vraiment celui d'un enfant.

– Je vois que tu t'en es déjà fait un ami, s'amusa Barabbas en approuvant d'un signe. Une drôle de tête, n'est-ce pas ? Il va avoir quinze ans et en paraît à peine dix. C'est toute une histoire pour le faire manger. Quand je l'ai trouvé, il était capable de se nourrir une fois tous les deux ou trois jours. À croire que sa mère l'a enfanté avec un chameau.

À son tour il franchit le seuil du grenier, pénétra dans la lumière. Elle le découvrit changé, bien plus qu'elle ne s'y attendait.

Cela ne venait pas seulement de la barbe, maintenant épaisse et bouclée, qui lui couvrait les joues. Il paraissait plus grand que dans son souvenir. Ses épaules s'étaient élargies et son cou était puissant. Une curieuse tunique blanche en poil de chèvre, serrée à la taille par une ceinture de cuir aussi large que la main, lui couvrait le buste et les cuisses. Une dague pendait à son flanc. Les lanières de ses sandales, des demi-bottines romaines de belle qualité, montaient haut sur ses mollets. Une longue bande de lin ocre, retenue par des bandelettes vertes et rouges, lui couvrait la tête.

Une tenue qui ne devait pas passer inaperçue, et inattendue chez un homme qui se cachait. Des effets que Barabbas n'avait certainement pas acquis chez les artisans de Sepphoris contre de l'argent sonnant et trébuchant.

Il devina sa pensée. La malice éclaira à nouveau ses traits.

– Je me suis fait beau pour te recevoir. Ne va pas croire que je suis toujours vêtu ainsi !

Miryem songea qu'il disait la vérité. Elle pensa également qu'il dégageait une assurance dont elle ne se souvenait pas. Et aussi une douceur que la curiosité et l'ironie, tandis qu'il la détaillait des pieds à la tête, ne masquaient pas en entier.

Il acheva son examen par une mimique provocante.

– Miryem de Nazareth ! Heureusement que tu as donné ton nom à Abdias. Je ne t'aurais pas reconnue, mentit-il. Je me rappelais une gamine, te voilà une femme. Et belle.

Elle fut sur le point de se moquer en retour. Cependant, ce n'était pas le moment de perdre son temps. Barabbas semblait oublier pourquoi elle était devant lui.

– Je suis venue parce que j'ai besoin de ton aide, déclara-t-elle sèchement, la voix plus anxieuse qu'elle ne l'aurait souhaité.

Barabbas approuva d'un signe, sérieux à son tour.

– Je sais. Abdias m'a dit, pour ton père. C'est une mauvaise nouvelle.

Et comme Miryem allait encore parler, il leva la main.

– Attends un instant. Ne discutons pas de ça ici. Nous ne sommes pas encore chez moi.

Ils avancèrent vers une sorte de cour étrangement pavée de grandes dalles brisées qui laissaient entrevoir un labyrinthe de couloirs étroits, de cuves, de foyers, et même une canalisation en brique et poterie, qui parurent autant d'énigmes à Miryem. Les murs étaient noircis de suie, écaillés ici ou là, comme si les briques et la chaux n'étaient qu'une peau fragile.

– Suis-moi, intima Barabbas en la précédant entre les dalles éclatées et les béances du sol.

Ils s'approchèrent d'un porche délabré, mais dont la porte était aussi solide que neuve. Elle s'ouvrit devant lui sans qu'il la poussât. Miryem fit un pas à son tour. Et s'immobilisa, sidérée.

Elle n'avait jamais rien vu de pareil. La salle était immense, le centre un long bassin, et le toit ne recouvrait que les pourtours. Des colonnades élégantes le soutenaient. De gigantesques personnages peints, des animaux inconnus, des paysages gorgés de fleurs couvraient les murs et jusqu'aux madriers du toit. Le sol était composé de pierres aux reflets verts dessinant des géométries entre les plaques de marbre.

Néanmoins, il ne s'agissait plus que d'un souvenir de splendeur. L'eau du bassin était si glauque que les nuages s'y reflétaient à peine. Des algues vacillaient dans son ombre, tandis que les araignées d'eau couraient à sa surface. Les marbres étaient à demi brisés, les peintures parfois gommées par une lèpre blanche, des taches d'humidité maculaient le bas des murs. Une partie du toit s'était rompue comme sous l'effet d'un incendie, mais si lointain que les pluies avaient lavé ce qui restait de la charpente calcinée. Dans la partie la plus saine, des monceaux de sacs et de paniers gonflés de grains, de cuir, de tissus s'amoncelaient. Des selles de chameaux, des armes, des outres étaient entassées entre des colonnades et atteignaient le toit.

Entre ce fatras, des hommes et des femmes, une cinquantaine peut-être, debout ou couchés sur des couvertures et des ballots de laine, la dévisagèrent sans aménité.

– Entre, lança Barabbas. Tu ne risques rien. Ici, chacun a déjà ce qu'il veut.

Se tournant vers ses compagnons, avec une curieuse fierté il annonça, d'une voix assez forte pour que tous l'entendent :

– Voici Miryem de Nazareth. Une fille courageuse qui m'a caché un soir où les mercenaires d'Hérode croyaient pouvoir me mettre la main dessus.

Ces mots suffirent. Les regards se détournèrent. Impressionnée par le lieu, malgré le désordre et la crasse, Miryem hésitait encore à avancer. L'étrangeté de ces hommes et de ces femmes presque nus, à demi vivants, qui s'offraient sur les peintures murales la mettait mal à l'aise. Parfois n'apparaissaient que des parties de corps, un visage, un buste, des membres, le flou d'une robe transparente. Ainsi, ils n'en paraissaient que plus vrais et plus fascinants.

– C'est la première fois que tu vois une maison de Romain, n'est-ce pas ? s'amusa Barabbas.

Miryem opina.

– Les rabbins disent qu'il est contre nos Lois de vivre dans une maison où sont peints des hommes et des femmes...

– Et même des animaux ! Des chèvres et aussi des fleurs.

Il acquiesça, plus narquois que jamais.

– Voilà longtemps que je n'écoute plus les rabâchages hypocrites des rabbins, Miryem de Nazareth. Quant à cet endroit, moi, il me convient parfaitement.

D'un geste théâtral, faisant comiquement danser sa tunique en poil de chèvre, il désigna tout ce qui les entourait.

– Quand Hérode avait vingt ans, tout ça était pour lui. Lui qui n'était que le fils de son père et le petit seigneur de la Galilée. Il venait se baigner ici. Il s'y saoulait, sûrement. Et avec des femmes plus réelles que celles qui ornent ces murs. Les Romains lui apprenaient à les imiter, à être un gentil Juif à l'échine souple, comme ils les aiment. Il s'y est si bien appliqué, il leur a tant léché le cul qu'ils l'ont couronné. Roi d'Israël et roi des rabbins du sanhédrin. Sepphoris et la Galilée sont devenues bien trop pauvres pour lui. Juste assez bonnes pour y voler les impôts.

Les compagnons de Barabbas écoutaient en approuvant de la tête ce récit qu'ils connaissaient par cœur, mais dont ils ne se lassaient pas. Barabbas désigna l'étrange cour qu'ils venaient de traverser.

– Ce que tu as vu là-bas dessous sont les foyers qui leur servaient à chauffer l'eau du bassin en hiver. Il y a des années, les esclaves qui en avaient la garde y ont mis le feu. Ils se sont enfuis pendant que les voisins éteignaient l'incendie, et tout a été abandonné. Personne n'osait y entrer. C'était toujours la piscine d'Hérode, hein ? Et ainsi jusqu'à aujourd'hui. Jusqu'à ce que j'en fasse ma maison. Et la meilleure cache de Sepphoris !

Des rires et des plaisanteries jaillirent. Barabbas opina, fier de sa ruse.

– Hérode et ses Romains nous cherchent partout. Crois-tu qu'ils nous imagineront ici ? Jamais de la vie ! Ils sont bien trop stupides.

Miryem n'en doutait pas. Mais elle n'était pas ici pour l'applaudir, ce dont Barabbas ne semblait guère se soucier.

– Je sais que tu es malin, dit-elle froidement. C'est pourquoi je suis venue jusqu'à toi, bien que tout le monde, à Nazareth, pense que tu n'es qu'un bandit comme les autres.

Les rires s'estompèrent. Barabbas lissa sa barbe et secoua la tête comme pour repousser une mauvaise humeur naissante.

– Les gens de Nazareth sont des trouillards, marmonna-t-il. Tous, à l'exception de ton père, à ce qu'il paraît.

– Justement, mon père est dans les geôles d'Hérode, Barabbas. Nous perdons du temps en bavardages inutiles.

Elle craignit que la dureté de son ton ne le mette en colère, alors que ses compagnons baissaient les paupières. Derrière le groupe des femmes, Abdias s'était levé, un pain fourré dans une main, les sourcils froncés.

Barabbas hésita. Il les toisa tous. Puis il déclara, avec un calme inattendu :

– Si ton père possède ton caractère, je commence à comprendre ce qui lui est arrivé !

Il désigna l'un des recoins sous les murs peints entourant la piscine. L'endroit était meublé comme une chambre : une paillasse recouverte de peaux de mouton, deux coffres, une lampe. Deux tabourets aux bois rehaussés de bronze encadraient un grand plateau de cuivre chargé de gobelets et d'une cruche d'argent. Des meubles et des objets de luxe sans doute volés à de riches marchands du désert étaient disposés çà et là.

Malgré son impatience et sa tension, Miryem remarqua la fierté de Barabbas tandis qu'il lui remplissait un gobelet de lait fermenté mêlé de miel.

– Raconte, dit-il en s'installant confortablement sur des balles de coton.

***

Miryem parla longtemps. Elle voulait que Barabbas comprenne pourquoi son père, qui était la douceur et la bonté incarnées, en était venu à tuer un soldat et à blesser un percepteur.

Lorsqu'elle se tut, Barabbas laissa échapper un petit sifflement entre ses dents.

– C'est sûr, ton père est bon pour la croix. Tuer un soldat et percer la panse d'un percepteur... Ils ne vont pas lui faire de cadeau.

À nouveau, ses doigts fourragèrent dans sa barbe, en un geste machinal qui le vieillissait.

– Et, bien entendu, tu veux que j'attaque la forteresse de Tarichée ?

– Mon père ne doit pas mourir sur la croix. Il faut l'empêcher.

– Plus facile à dire qu'à faire, ma fille. Tu as plus de chances de mourir avec lui que de le sauver.

Sa moue avouait plus d'embarras que d'ironie.

– Tant pis. Qu'ils me tuent avec lui. Au moins, je n'aurai pas baissé le front devant l'injustice.

Elle n'avait encore jamais prononcé de telles paroles, si violentes et si définitives. Mais elle comprit qu'elle disait la vérité. Si elle devait prendre le risque de mourir pour défendre son père, elle ne tremblerait pas.

Barabbas s'en rendit compte. Sa gêne n'en fut que plus intense.

– Le courage ne suffit pas. La forteresse n'est pas bâtie pour que l'on y entre et que l'on en sorte comme d'un champ de fèves ! Tu te fais des illusions. Tu n'arriveras pas à l'en arracher.

Miryem se raidit, la bouche pincée. Barabbas secoua la tête.

– Personne n'y arrivera, insista-t-il en se frappant la poitrine. Personne, pas même moi.

Il avait martelé cette dernières phrase en la toisant de toute sa morgue de jeune rebelle. Le visage glacé, elle soutint son regard.

Barabbas fut le premier à détourner les yeux. Il grommela, quitta nerveusement son tabouret, s'avança jusqu'au rebord du bassin. Quelques-uns de ses compagnons avaient dû entendre Miryem, et tous l'observaient. Il se retourna, la voix dure, les poings serrés, tendu par cette force qui faisait de lui un chef de bande redouté.

– Ce que tu demandes est impossible ! lança-t-il avec hargne. Que crois-tu ? Qu'on se bat contre les mercenaires d'Hérode comme on brode une robe ? Qu'on attaque ses forteresses comme on pille une caravane de marchands arabes ? Tu rêves, Miryem de Nazareth. Tu ne sais pas de quoi tu parles !

Un frisson d'effroi secoua Miryem. Pas un instant elle n'avait songé que Barabbas puisse lui refuser son aide. Pas un instant elle n'avait pensé que ceux de Nazareth puissent avoir raison.

Barabbas n'était-il donc qu'un voleur ? Avait-il oublié les grandes déclarations qui autrefois justifiaient ses rapines ? Le mépris gagna sur la déception. Barabbas le rebelle n'était plus. Il avait pris goût au luxe, se corrompant au contact des objets qu'il volait et devenant comme leurs propriétaires : hypocrite, plus excité par l'or et l'argent que par la justice. Son courage se réduisait à des victoires faciles.

Elle se leva de son tabouret. Elle n'allait pas s'humilier devant Barabbas, le supplier. Elle plaqua un sourire hautain sur ses lèvres, prête à le remercier pour son accueil.

Il fut devant elle d'un bond, la main levée.

– Tais-toi ! je sais ce que tu penses. Tes yeux sont éloquents. Tu crois que j'ai oublié ce que je te dois, que je ne suis qu'un voleur de caravanes. Tu penses ces âneries parce que tu ne réfléchis pas plus loin que ton cœur.

La colère faisait vibrer sa voix, crispait ses poings. Quelques-uns de ses compagnons s'approchèrent tandis qu'il parlait de plus en plus fort.

– Barabbas n'a pas changé. Je vole pour vivre et faire vivre ceux qui me suivent. Comme ces gamins que tu as vus tout à l'heure.

Du doigt, il pointa ceux qui s'approchaient.

– Sais-tu qui ils sont ? Des am-ha-aretz. Des gens qui ont tout perdu par la faute d'Hérode et des rapiats du sanhédrin. Ils n'attendent plus rien de personne. Surtout pas des Juifs trop soumis de Galilée ! Rien des rabbins, qui ne savent que marmonner des paroles inutiles et nous abrutir de leçons. « Que le peuple de la boue retourne à la boue ! », voilà ce qu'ils pensent. Si nous ne volions pas les riches, nous crèverions la gueule ouverte, c'est ça la vérité. Ce n'est pas dans ton village de Nazareth qu'on s'en soucierait.

Il criait, les veines du front gonflées, les joues rouges. Tous se serraient derrière lui, face à Miryem. Abdias les bouscula sans ménagement pour parvenir au premier rang.

– Jamais je n'oublie mon but, Miryem de Nazareth ! clama Barabbas en se frappant la poitrine. Jamais. Pas même quand je dors. Abattre Hérode, repousser les Romains hors d'Israël, voilà ce que je veux. Et botter le cul de ceux du sanhédrin qui s'engraissent de la pauvreté du peuple.

Sans se laisser impressionner par la violence de ces propos, Miryem secoua la tête.

– Et comment comptes-tu abattre Hérode, si tu n'es pas même capable de tirer mon père de la forteresse de Tarichée ?

Barabbas claqua les paumes sur ses cuisses, les paupières plissées de rage.

– Tu n'es qu'une fille, tu ne comprends rien à la guerre ! Que je meure, moi, je m'en fous. Mais eux, là, ils me suivent parce qu'ils savent que jamais je ne les entraînerais dans une aventure perdue d'avance. À Tarichée, deux cohortes romaines gardent la forteresse. Cinq cents légionnaires. Plus une centaine de mercenaires. Compte-nous ! Jamais nous ne pourrons atteindre ton père. À quoi servira notre mort ? À réjouir Hérode !

Livide, les doigts tremblants, Miryem hocha la tête.

– Oui. Tu as certainement raison. Je me suis trompée. Je te croyais plus fort que tu ne l'es.

– Ah !

Le cri de Barabbas rebondit sur l'eau du bassin, vibra entre les colonnes. Il agrippa le bras de Miryem, qui déjà se dirigeait vers la sortie.

– Tu es folle, folle à lier... As-tu seulement pensé à une chose : même s'il pouvait s'échapper de la forteresse, ton père sera comme nous pour le restant de ses jours. Un fuyard. Il n'ira plus dans son atelier. Les mercenaires détruiront votre maison. Ta mère et toi devrez vous cacher en Galilée toute votre vie...

Miryem se dégagea sèchement.

– Ce que tu ne comprends pas, toi, c'est qu'il vaut mieux mourir en se battant ! Mourir en affrontant les mercenaires que d'être humilié sur la croix ! Hérode gagne, Hérode est plus fort que le peuple d'Israël, car nous baissons la nuque quand il supplicie sous nos yeux ceux qui nous sont chers.

La réplique creusa un silence étonné.

Abdias fut le premier à le rompre. Il approcha tout près de Miryem et de Barabbas.

– Elle a raison. Moi, je vais avec elle. Je me cacherai et, la nuit, j'irai décrocher son père de la croix.

– Toi, tu te tais ou je te botte les fesses ! commença Barabbas avec humeur.

Il s'interrompit, se retourna soudainement vers ses compagnons, l'œil excité.

– Hé, ce petit singe a raison ! Il est stupide de se faire massacrer en cherchant à entrer dans la forteresse. Mais une fois Joachim sur la croix, c'est une autre histoire !

***

– Ils ne vont pas laisser longtemps ton père croupir dans les geôles, expliqua Barabbas avec enthousiasme. Les prisonniers les encombrent. Ceux qui sont condamnés, ils s'empressent de les mettre sur les pieux. C'est là que nous pourrons le sauver. En le décrochant de ces saloperies de croix. Abdias a raison. De nuit. En douce, si c'est possible. Un coup auquel je rêve depuis longtemps. Avec un peu de chance, on pourra même en sauver quelques autres avec lui. Mais il faudra agir comme des renards : par surprise, vite, et en fuyant plus vite encore !

Toute colère passée, il riait tel un enfant, enchanté d'imaginer le tour qu'il allait jouer aux mercenaires de la garnison de Tarichée.

– Décrocher les suppliciés de Tarichée ! Par le Tout-Puissant, si jamais Il existe, cela va faire du bruit. Hérode bouffera sa barbe et ça bardera chez les mercenaires !

Ils riaient tous, imaginant déjà ce succès.

Miryem s'inquiéta. Ne sera-t-il pas trop tard ? Avant d'être lié sur la croix, son père avait tout le temps d'être battu, blessé, et même tué. Il arrivait souvent que les suppliciés soient suspendus déjà morts sur la croix.

– Ça n'arrive qu'aux plus chanceux. À ceux à qui on a fait une grâce afin qu'ils ne souffrent pas trop longtemps, assura Barabbas. Ton père, ils voudront le voir souffrir le plus longtemps possible. Mais il tiendra bon. Ils le frapperont, l'insulteront, le laisseront crever de soif et de faim, c'est sûr. Mais il saura serrer les dents. Et nous, nous le descendrons de sa croix dès la première nuit.

Barabbas se tourna vers ses compagnons et les prévint de ce qui les attendait :

– Délivrer des crucifiés, ils ne vont pas aimer. Les mercenaires ne nous laisseront plus en paix. Nous ne pourrons pas revenir ici, la cache ne sera plus assez sûre et, de toute façon, nous ne pourrons plus entrer dans la ville. Après le coup, il faudra nous séparer pendant quelques mois. Il faudra vivre sur nos richesses...

L'un des plus âgés l'interrompit en levant son poignard.

– Ne gâche pas ta salive, Barabbas ! On sait ce qui nous attend. Et c'est du bien : tout ce qui fait du mal à Hérode nous fait du bien !

Des vivats retentirent. En un instant l'ancienne piscine d'Hérode s'anima d'une intense activité, tandis que Barabbas lançait encore des ordres et que chacun se préparait au départ.

Abdias tira Barabbas par la manche, impatient.

– Faut que j'aille prévenir les autres. On fiche le camp sans vous attendre, comme d'habitude, pas vrai ?

– Pas avant de nous avoir amené les mules et les ânes. Nous aurons besoin des charrettes.

Abdias approuva de la tête. Il s'éloigna, pivota sur lui-même après quelques pas et désigna Miryem. Souriant de toutes ses mauvaises dents, il déclara :

– Je disais vrai tout à l'heure, tu sais. Même si t'avais pas voulu, moi, je serais allé avec elle.

– Tu m'aurais obéi ou je t'aurais salé les côtes, rigola Barabbas en le menaçant du doigt.

– Eh ! tu oublies que celui qui a eu l'idée pour sauver son père, c'est moi, pas toi. Maintenant, t'es plus mon chef. On est associés.

La fierté éclaira son étrange visage, lui donnant une fugace beauté d'homme-enfant. D'une voix pleine de gouaille, il ajouta :

– Et tu verras, c'est pas toi qu'elle va aimer, Miryem de Nazareth, c'est moi !

Alors qu'il filait, son rire résonnant entre les murs ruinés des thermes, Miryem, du coin de l'œil, remarqua que Barabbas rougissait.

***

À la nuit tombée, une caravane, aussi banale que celles qui circulaient sur les routes de Galilée les jours des grands marchés de Capharnaüm, Tarichée, Jérusalem ou Césarée, quitta Sepphoris.

Tirées par des bêtes d'apparence aussi miséreuse que leurs propriétaires, une dizaine de charrettes transportaient des ballots de laine, de chanvre, des peaux de mouton et des sacs de grain. Chacune possédait un astucieux double fond où Barabbas et ses compagnons avaient dissimulé une belle collection d'épées, de dagues, de haches de combat, et même quelques lances romaines subtilisées dans des entrepôts.

3.

Entouré d'une douzaine de ses semblables, le petit bateau de pêche se balançait sur la houle ténue du lac de Génézareth. Les voiles rouges et bleues avaient été affalées. Depuis le matin, à deux lieues du rivage, les pêcheurs lançaient leurs filets, comme en un jour ordinaire. Chaque barque cependant emportait quatre des compagnons de Barabbas, prêts au combat. Pour l'heure, ils prenaient plaisir à aider les pêcheurs.

Recroquevillée sur les planches grossières d'un fond de poupe, Miryem mesurait avec impatience la lente descente du soleil au-dessus de Tarichée. Là-bas, au-delà de l'horrible forêt de pieux qui jouxtait la forteresse, son père souffrait, ignorant qu'elle était si près de lui. Ignorant que, la nuit venue et si Dieu Tout-Puissant le permettait, elle le délivrerait.

Assis derrière elle sur la lisse du bateau, Barabbas perçut son appréhension. Il posa la main sur son épaule.

– Il n'y a plus longtemps à attendre, dit-il lorsqu'elle leva la tête vers lui. Encore un peu de patience.

Son visage était tiré par la fatigue, mais sa voix demeurait gentiment malicieuse.

Miryem aurait voulu lui sourire, à son tour lui effleurer la main pour dire son amitié et sa confiance. Mais elle en était incapable. Ses muscles étaient si tendus qu'elle peinait à s'empêcher de trembler. Sa gorge nouée l'autorisait à peine à respirer. La nuit précédente, brisée d'angoisse et de fatigue, elle avait à peine dormi. Barabbas, lui, ne s'accordant que des moments épars de sommeil, n'avait guère pris de repos.

En vérité, Miryem avait été sidérée par son habileté et son efficacité.

***

Après leur départ de Sepphoris, marchant toute la nuit et ne s'arrêtant que pour laisser reposer les ânes et les mules, la bande de Barabbas s'était retrouvée au petit matin dans les collines surplombant les rives du lac de Génézareth. Tarichée était à leurs pieds. La forteresse, avec ses murailles de pierres taillées, ses tours et ses remparts crénelés, apparut plus imprenable que jamais.

Malgré la distance, Miryem repéra immédiatement le champ terrible des supplices. À la droite de la forteresse, il s'étendait sur la rive du lac sur près d'un quart de lieue. De loin, on devinait les centaines de gibets, comme si, en cet endroit, avait poussé une herbe monstrueuse.

Tout autour, aucune culture. Les vergers et les jardins entouraient uniquement les murs blancs de la ville et l'entrelacs des ruelles prudemment serrées de l'autre côté de la forteresse. Vu de haut, le champ des suppliciés dessinait une longue bande brune bordée d'une palissade menaçante, monstrueusement hachurée de noir et souillant la splendeur naturelle des berges.

Miryem se mordit les lèvres. Elle aurait voulu se précipiter, s'assurer que Joachim n'était pas déjà parmi les formes noires que l'on percevait aux extrémités des croix irrégulières, même si ne pas l'y voir n'eût été d'aucun réconfort. Peut-être l'avait-on déjà assassiné dans la forteresse ?

Sans perdre de temps, Barabbas ordonna sa troupe. Ils devaient demeurer à l'abri de la forêt tandis que lui-même, Abdias et des compagnons de confiance iraient en reconnaissance dans Tarichée.

Ils en revinrent la mine sombre. Abdias s'approcha aussitôt de Miryem. Du menton, il désigna le champ des supplices.

– Ton père n'y est pas. Je suis sûr qu'il y est pas.

Miryem ferma les yeux, respirant profondément pour calmer les battements de son cœur. Abdias se laissa choir sur le sol. Ses joues creuses et sales semblaient plus tendues, ses traits plus anormalement vieillis que jamais. Dans leur dos, les autres s'étaient approchés pour l'entendre.

– Je suis allé tout près, comme m'a demandé Barabbas. C'est plein de gardes, mais ils se méfient pas trop des gosses. La palissade de pieux qui entoure le champ des croix est cloutée sur le haut. Celui qui veut la passer, il se retrouve en charpie. Il y a deux endroits où on peut voir à l'intérieur. Et ce qu'on voit, c'est pas drôle, je peux vous dire.

Abdias marqua un temps d'arrêt, comme si ces horreurs s'étalaient encore sous son regard.

– Des dizaines et des dizaines. On peut pas les compter. Il y en a qui sont là depuis tant de temps que c'est plus que des os dans des bouts de tissu. D'autres, ça fait pas assez longtemps pour qu'ils soient morts. On les entend marmonner. Parfois, il y en a qui crient d'une drôle de voix. Comme s'ils étaient déjà avec les anges.

Un long frisson, irrépressible, secoua les épaules de Miryem.

– S'ils sont si nombreux, demanda-t-elle d'une voix enrouée, à peine audible, comment sais-tu que mon père n'y est pas ?

La ruse revint dans les yeux d'Abdias. Il eut presque un sourire.

– J'ai causé avec un vieux mercenaire. Les vieux comme ça, quand ils voient un gosse comme moi, ils deviennent plus mou qu'une épouse de rabbin. Je lui ai raconté que mon grand frère allait être mis sur la croix. Il a commencé par ricaner que ça l'étonnait pas et que j'allais sûrement aller lui tenir compagnie. J'ai fait semblant de pleurer. Alors, il m'a dit de pas m'en faire, qu'on n'allait pas m'accrocher tout de suite. Après, il m'a demandé depuis quand mon « frère » était dans la forteresse, parce qu'on n'avait pas attaché un homme sur les croix depuis quatre jours.

Abdias leva la main, les doigts écartés.

– Fais le compte : ton père est arrivé dans la forteresse avant-hier...

Miryem opina, prenant, sous les regards de tous, la main du garçon dans la sienne. Elle sentit les doigts d'Abdias trembler entre les siens et ne les garda pas longtemps.

Barabbas, d'une voix rogue, ajouta à l'attention de tous qu'il ne fallait pas compter entrer dans le champ des supplices par la porte principale.

– Elle est tout juste assez large pour une mule. Une dizaine de mercenaires la gardent en permanence, prêts à donner l'alarme et à la refermer avec un vantail bardé de fer.

– Qui est fermé toute la nuit, pour ce que j'ai appris, ajouta un de ses compagnons.

Par ailleurs, la ville grouillait de légionnaires et sans doute d'espions. Il était hors de question d'y trouver refuge. La traverser en groupe attirerait bien trop l'attention, même sous leur apparence de pauvres marchands. Les gardes étaient vigilants, et ce n'était pas un risque à prendre.

Les mines étaient préoccupées. Barabbas se moqua :

– Faites pas ces têtes, ça va être plus facile qu'on le pensait. Leur palissade s'arrête au lac. Sur la berge, il n'y a rien, pas même des gardes.

Des protestations retentirent. Qui savait nager dans la bande ? Pas plus de trois ou quatre. Et même, nager avec des pauvres gens qu'on venait de descendre de la croix, sous le tir des archers romains, c'était du suicide... Il fallait des bateaux. Et des bateaux, ils n'en avaient pas.

– On en aurait qu'on ne saurait même pas s'en servir !

Barabbas railla leur pessimisme.

– Vous ne pensez pas plus loin que votre nez crasseux. Nous n'avons pas de bateaux. Mais sur les rives du lac on croise tout ce qu'il faut de pêcheurs et de barques. Nous, nous avons du grain, de la laine, des peaux. Et même quelques beaux objets d'argent. De quoi les convaincre de nous aider.

***

Avant la nuit, l'affaire était conclue. Les pêcheurs des villages voisins de Tarichée détestaient vivre si près de la forteresse et de son champ de douleur. La réputation de la bande de Barabbas et le chargement des charrettes avaient fait le reste.

Discrètement, la nuit suivante, les maisons sur les rives du lac étaient restées ouvertes. Le lendemain, pendant qu'Abdias et ses camarades rôdaient encore près de la forteresse, Barabbas avait mis au point sa stratégie, avec l'accord des pêcheurs.

Miryem, elle, avait enduré des heures de cauchemar avant qu'Abdias ne la tire d'un mauvais sommeil, deux heures après le lever du jour.

– J'ai vu ton père. Tu peux te rassurer : il marchait. C'était pas le cas de tous les autres. Quinze d'un coup, ils ont mis en croix. Il en était.

Un peu plus tard, à l'attention de Barabbas, il avait ajouté :

– Le vieux mercenaire est mon copain. Il m'a laissé regarder autant que je voulais. J'ai repéré tout de suite Joachim à cause de son crâne chauve et de sa tunique de charpentier. Je l'ai pas quitté des yeux. Je sais exactement où il est. Même dans la nuit noire je le retrouverai.

Maintenant, ils attendaient l'obscurité. La tension effaçait leur épuisement. Avant de quitter la rive, Barabbas avait répété minutieusement son plan et s'était assuré que chacun savait ce qu'il avait à faire. Miryem, malgré son angoisse, ne doutait pas de leur détermination.

Le soleil ne paraissait plus qu'à quelques mains des collines surplombant Tarichée. Dans le contre-jour, la forteresse dessinait une masse noire aux contours tourmentés. Le crépuscule avalait un à un les verts des prés et des vergers. Dans l'air immobile se diffusait une étrange lumière, sourde et bleutée, pareille à une nuée. Bientôt, le champ des supplices lui-même allait disparaître. Des bruits résonnaient à la surface du lac, venus de Tarichée et comme projetés par les milliers d'étincelles où se dispersaient les reflets du soleil.

Miryem enfonçait ses ongles dans ses paumes, songeant si fort au désespoir que devait ressentir son père qu'elle crut le voir, priant Yhwh avec sa douceur habituelle, alors qu'après la brûlure du jour fondait sur lui l'onde froide des ténèbres.

Aidé de Barabbas, le pêcheur qui menait leur barque replia son filet au pied du mât. Il désigna la rive.

– Dès que le soleil touchera la crête des collines, la brise se lèvera, annonça-t-il. Il deviendra facile de manœuvrer.

Barabbas approuva d'un signe.

– Il y aura un peu de lune. Juste ce qu'il nous faut.

Barabbas revint s'asseoir près de Miryem, tandis que le pêcheur tirait sur un cordage pour lever sa voile.

– Prends-le, ordonna-t-il avec douceur. Tu peux en avoir besoin.

Dans sa paume ouverte, il tenait un court poignard, au manche de cuir rouge et à la lame très effilée. Miryem le contempla, stupéfaite.

– Prends, insista Barabbas. Et surtout sers-t'en s'il le faut. Sans hésiter. Je veux délivrer ton père, mais je veux aussi te ramener vivante et heureuse.

Il lui décocha un clin d'œil et se détourna aussitôt pour aider le pêcheur qui tirait sur un cordage afin de monter la voile le long du mât.

Tout autour d'eux, sur les autres bateaux, la même animation silencieuse agitait les hommes. Une à une, avec une lenteur solennelle, les voiles triangulaires s'élevaient, éclatantes dans les dernières lueurs du jour.

Le soleil se posa sur les forêts déjà sombres. Une huile rouge sang se répandit sur la surface du lac, si éblouissante qu'il leur fallut se protéger les yeux.

Comme le pêcheur l'avait annoncé, la brise agita la voile. Il empoigna l'aviron de gouvernail, le poussa d'un coup. La voile bascula, se gonfla comme sous l'effet d'un coup de poing. La barque grinça, l'étrave trancha l'eau dans un crissement. À leur tour les autres barques pivotèrent. Les voiles claquèrent les unes après les autres alors que le couinement des mâts et des membrures rebondissait à la surface du lac déchiré.

Barabbas était debout sous la voile, se tenant au mât. L'étrave du bateau pointait en direction d'une vaste crique à l'est de Tarichée. En souriant, le pêcheur déclara à Miryem :

– Tant qu'ils peuvent nous voir, on fait comme si on rentrait à la maison.

***

Jusqu'à l'obscurité complète, ils avaient vogué en direction du sud, réduisant progressivement la voile pour ne pas trop s'éloigner de la forteresse. Maintenant, le peu de lune permettait de distinguer les bateaux les plus proches, rien de plus. Sur la rive brillaient les lumières des palais de Tarichée et les torches sur les chemins de ronde de la forteresse.

Ils naviguaient en silence, mais les barques se côtoyaient de si près que le bruit de l'eau contre les coques, le claquement des voiles et le grincement des mâts paraissaient faire un vacarme du diable, audible jusqu'à la côte.

La brise était ferme, les pêcheurs connaissaient leurs bateaux comme un cavalier sa monture. Mais Miryem devinait la nervosité de Barabbas. Il ne cessait de lever les yeux pour vérifier le gonflement des voiles, parvenant mal à estimer leur vitesse, craignant d'atteindre la forteresse trop tôt ou trop tard.

Soudain, ils furent si près de l'énorme masse des tours que les silhouettes des mercenaires se dessinèrent nettement dans le halo des torches. Presque aussitôt, un sifflement fusa. Puis un autre en écho. Barabbas tendit le bras.

– Là ! s'exclama-t-il avec soulagement.

Miryem scruta la rive sans rien distinguer d'anormal. Tout à coup, au pied de la muraille, un embrasement éclata, si violent qu'il ne pouvait provenir que de lampes ou de torches. De seconde en seconde, les flammes grandirent, le foyer à leur base s'élargissant et courant d'ombre en ombre. Des cris, des appels retentirent sur le chemin de ronde. Les gardes s'agitèrent, quittant leurs postes.

– Ça y est, gronda Barabbas, ravi. Ils ont réussi !

« Ils », c'étaient une dizaine de membres de sa bande. Ceux-là avaient pour mission d'allumer un incendie dans les baraquements de la garde et les greniers du marché qui jouxtaient la forteresse, à l'opposé du champ des supplices. Les charrettes amenées depuis Sepphoris y avaient été abandonnées dans la journée, chargées de vieux bois et d'un fourrage en apparence anodin. Les doubles fonds, vidés de leurs armes, avaient été remplis de pots de bitume et de jarres d'essence de térébinthe, transformant les véhicules en redoutables mèches à incendie. Les hommes de Barabbas devaient y mettre le feu à une heure bien précise avant de s'enfuir de la ville.

À l'évidence, ils avaient réussi. Comme pour le confirmer, un bruit sourd roula sur le lac. À nouveau des flammes illuminèrent la muraille. Des éclairs dorés et des flammes jaillirent encore, loin des premières. Cet incendie allait semer la confusion parmi les mercenaires et provoquer la débandade des villageois.

De tous les bateaux fusèrent des cris de joie, tandis que le feu, gagnant en force, se reflétait dans le port de Tarichée. On entendit enfin le hululement des trompes qui appelait les légionnaires et les mercenaires à la rescousse. Barabbas se retourna vers le pêcheur.

– C'est le moment ! lança-t-il en tentant de maîtriser son excitation. Il faut foncer pendant qu'ils sont occupés à éteindre le feu !

****

Son plan marchait à merveille.

Grâce à la diversion opérée par l'incendie, la surveillance du champ des supplices et celle des chemins de ronde allaient être allégées, sinon abandonnées.

Les bateaux accostèrent en silence sur une plage de gravier, où chacun prit pied. Ici, l'obscurité demeurait profonde, tandis que l'on entendait les hurlements de ceux qui combattaient le feu rougissant désormais le ciel et le lac.

Barabbas et ses compagnons, ombres dans l'ombre, les lames nues des couteaux au poing, coururent en avant afin de s'assurer que nul garde ne traînait et n'allait donner l'alerte.

Une main se glissa dans celle de Miryem. Abdias l'entraîna.

– Par ici, ton père est en haut, près de la palissade.

Cependant Miryem comme les camarades d'Abdias qui les suivaient hésitèrent, pleins d'effroi. Leurs yeux étaient assez accoutumés à l'obscurité pour discerner l'horreur qui les entourait.

Les croix étaient dressées ainsi qu'une forêt de l'enfer. Certaines, pourries, s'étaient brisées sur des restes de cadavres. D'autres étaient si serrées que, par endroits, les courtes traverses retenant les bras écartelés des condamnés se chevauchaient.

Quelques croix étaient encore nues. Mais, à leur pied, des squelettes pendaient, silhouettes grotesques qui n'avaient plus rien d'humain depuis longtemps.

Alors seulement Miryem eut conscience de la pestilence qu'elle respirait, des os et des carcasses humaines qui jonchaient le sol sous ses pieds.

De petits feulements les firent sursauter. Des froissements d'air leur coupèrent le souffle. Des chats sauvages déguerpissaient, des oiseaux de nuit, charognards que leur présence soudaine dérangeait, s'envolaient avec une mollesse menaçante.

Miryem douta un instant de pouvoir avancer plus loin. Abdias bondit en avant sans lui lâcher la main.

– Vite ! On n'a pas de temps à perdre.

Ils coururent, et cela leur fit du bien. Comme promis, Abdias se dirigea sans hésitation entre les croix.

– Là, dit-il en pointant le doigt.

Miryem sut qu'il disait vrai. Malgré la nuit, elle reconnaissait le profil de Joachim.

– Père !

Joachim ne répondit pas.

– Il dort, assura Abdias. Toute une journée là-haut, ça doit vous foutre un sacré coup sur la tête !

Alors que Miryem appelait encore son père, des cris, un bruit de bagarre, s'élevèrent près de la palissade.

– Par la queue des démons ! gronda Abdias, ils ont quand même laissé des gardes ! Vite, vous autres, aidez-moi.

Il attira deux de ses camarades au pied de la croix et sauta lestement sur leurs épaules.

– Faites pareil avec les autres croix là autour, ordonna-t-il au reste de sa bande. Il y a en sûrement qui sont encore vivants.

Miryem le vit grimper, le couteau entre les dents, aussi agile qu'un singe. En un clin d'œil, il fut à la hauteur de Joachim.

Doucement, il lui agita la tête.

– Hé ! père Joachim, réveille-toi. Ta fille vient te sauver !

Joachim marmonna des paroles inintelligibles.

– Réveille-toi, père Joachim ! insista Abdias. C'est pas le moment de roupiller ! Je vais couper tes liens et, si tu ne m'aides pas, tu vas te casser la figure.

Miryem entendit des geignements de douleur sur les croix toutes proches où s'agitaient les autres gamins. Des vociférations et des cliquetis de métal résonnaient là où l'on se bagarrait toujours.

– Mon père doit être blessé, dit-elle à Abdias. Coupe ses liens et on le retiendra !

– Pas la peine, il se réveille enfin !

– Miryem ! Miryem, c'est toi que j'entends ?

La voix était rauque, épuisée.

– Oui, père, c'est moi...

– Mais comment ? Et toi, qui es-tu ?

– Plus tard, père Joachim, marmonna Abdias en s'affairant sur les épaisses cordes. Maintenant, il faut déguerpir, et vite, parce que ça va bientôt se gâter...

De fait, alors que Miryem et les camarades d'Abdias retenaient Joachim qui glissait le long de la croix, Barabbas accourut avec ses compagnons.

– Les salopards ! grinça-t-il.

La tunique déchirée, les yeux encore brillants du combat, il ne tenait plus un couteau, mais une spatha, la longue épée romaine tant redoutée.

– Il en restait quatre dans une tente de guerre. Ceux-là ne verront plus Jérusalem et nous ont fait cadeau de leurs armes. Mais je crois qu'un homme gardait une porte de la forteresse. Il faut filer avant qu'ils ne reviennent en force.

– Qui es-tu ? marmonna Joachim, éberlué.

Ses jambes ne le portaient plus et chaque mouvement de ses bras lui tirait un gémissement. Il était allongé dans les bras de Miryem, qui lui soutenait la tête. Barabbas sourit de toutes ses dents.

– Barabbas, pour te servir. Ta fille est venue me demander de te tirer des griffes des mercenaires d'Hérode. Mission accomplie.

– Pas encore, murmura Abdias en sautant sur le sol. Je viens de voir une torche au pied de la muraille.

Barabbas ordonna le silence, écouta les voix des mercenaires qui approchaient et conclut dans un chuchotement :

– Ils auront du mal à nous repérer dans le noir. Tout de même, il faut ficher le camp en vitesse.

– Mon père ne peut pas courir, souffla Miryem.

– On va le porter.

– Les copains en ont décroché quatre autres qu'il faut porter aussi, marmonna Abdias.

– Eh bien, alors, qu'est-ce que vous attendez ? gronda Barabbas en chargeant Joachim sur son épaule.

***

Ils eurent le temps de monter dans les barques aux voiles déjà tendues avant que les mercenaires aient l'idée de courir jusqu'à la berge.

Le claquement des voiles, le grincement des bateaux les alertèrent, mais trop tard. Il y eut quelques tirs hasardeux. Les flèches et les javelots se perdirent dans l'obscurité. De l'autre côté de la forteresse, l'incendie faisait rage plus que jamais. Il menaçait de dévorer une partie de la ville, et les mercenaires ne s'attardèrent pas à poursuivre ceux qu'ils tenaient pour des voleurs de cadavres.

Les barques disparurent dans la nuit. Comme convenu, les pêcheurs en incendièrent deux, les plus vieilles et les moins manœuvrables. Ils les abandonnèrent à la merci du courant, afin de faire croire aux Romains et aux mercenaires qu'elles avaient été volées.

Tandis que la barque remontait le lac vers le nord, Joachim, les doigts engourdis par les liens qui lui avaient emprisonné les poignets, ne se lassait pas de palper les mains de Miryem et de lui caresser le visage. L'esprit encore confus, à demi défaillant de soif et de faim, le corps tout entier douloureux, il balbutiait des remerciements. Il les mélangeait à des prières à Yhwh, pendant que Miryem lui racontait comment elle s'était refusée à l'abandonner à la mort, malgré l'opposition de leurs voisins nazaréens, à l'exception de Yossef le charpentier et d'Halva, son épouse.

– Mais c'est moi qui ai eu l'idée pour te sauver, père Joachim, intervint Abdias. Sinon, Barabbas tout seul, il l'aurait pas fait.

– Alors, toi aussi je te remercie du fond du cœur. Tu es très courageux.

– Bah, c'était pas si difficile et pas gratuit. Ta fille m'a fait une promesse si j'y arrivais.

Le rire de Joachim résonna contre la poitrine Miryem.

– Sauf si elle a promis de t'épouser, je la tiendrai moi aussi, cette promesse.

La surprise rendit silencieux Abdias pendant un instant. À nouveau Miryem sentit le rire de son père qu'elle serrait contre elle. Plus que tout, c'était la preuve qu'elle l'avait bel et bien sauvé de l'horreur du champ des supplices.

– Bah ! c'est beaucoup moins que ça, marmonna Abdias. Elle a promis que tu me raconterais les histoires du Livre.

4.

Barabbas avait prévu leur fuite avec autant de minutie que la délivrance de Joachim.

La bande se dispersa. Certains, accompagnant les suppliciés rescapés, à l'exception de Joachim, traversèrent le lac avec l'aide des pêcheurs. La plupart disparurent rapidement sur les chemins menant aux épaisses forêts du mont Tabor. Les jeunes compagnons d'Abdias se répandirent dans les villages de la rive avant de rejoindre Tarichée et Jotapata pour y reprendre leur vie de gamins errants, tandis que leur chef demeurait avec Barabbas, Miryem et Joachim. Eux naviguèrent toute la nuit en direction du nord.

Sans quitter la rame de gouvernail, usant de sa longue expérience du lac pour anticiper les courants et maintenir sa voile gonflée malgré les hésitations du vent, le pêcheur se repérait à l'ombre dense de la rive, dont il ne s'éloignait jamais. À l'aube, ils laissèrent derrière eux les jardins de Capharnaüm. Miryem découvrit un paysage de Galilée inconnu.

Un entrelacs de collines recouvertes de chênes yeuses enserrait entre ses pentes d'étroites et tortueuses vallées. Çà et là, rompant le moutonnement des arbres, des falaises tombaient à pic dans l'eau du lac. Elles laissaient entrevoir des criques tourmentées où s'agrippaient quelques mauvaises bâtisses de pêcheurs aux toits de branchages. Le plus souvent, la forêt tenait lieu de berge. Infranchissable, elle n'offrait aucune plage ni anse où tirer les bateaux. Quelques rares villages se lovaient sur les bords des rivières cascadant des collines. Leur pêcheur dirigea l'embarcation vers l'un de ces hameaux. L'embouchure du Jourdain, à quatre ou cinq lieues plus au nord, se dessinait dans un halo de brume lumineuse.

Durant la nuit, Barabbas avait assuré à Miryem qu'il n'existait pas de meilleur refuge. Les mercenaires d'Hérode venaient rarement visiter cette contrée, trop pauvre, même pour les charognards du sanhédrin, et trop difficile d'accès. On ne pouvait l'atteindre qu'en bateau, ce qui ôtait l'arme de la surprise aux visiteurs mal intentionnés.

Il était facile de disparaître dans la forêt. Les collines offraient quantité de grottes discrètes. Barabbas en connaissait un bon nombre. Plus d'une fois, il y avait trouvé refuge avec sa bande. Enfin, il avait une bourse suffisamment pleine pour que les pêcheurs les accueillent sans rechigner ni poser de questions. Miryem ne devait pas s'inquiéter : ils seraient à l'abri aussi longtemps que la colère des Romains, et peut-être même celle d'Hérode, mettrait à se calmer.

En vérité, le choix de leur cache souciait peu Miryem. Ce qui, au contraire, la remplit d'inquiétude, dès que la lumière du jour les révéla, ce furent les blessures de son père.

Après avoir échangé quelques mots avec sa fille dans l'émotion de leur fuite de Tarichée, Joachim s'était assoupi sans que nul ne s'en rende compte sur le bateau. Toute la nuit, Miryem avait surveillé sa respiration rauque, souvent irrégulière. Elle s'était interdit de la trouver trop douloureuse et anormale. Mais, alors qu'il demeurait encore englouti dans le sommeil sous une peau de mouton, c'est un visage effrayant qui apparut dans l'aube laiteuse du lac.

Il n'était pas une parcelle de sa face qui n'eût reçu des coups. Ses lèvres gonflées, les pommettes et une arcade sourcilière ouvertes rendaient Joachim méconnaissable. Une vilaine balafre, due à un coup de lance ou d'épée, lui avait tranché une oreille et ouvert la joue jusqu'au menton. Bien que Miryem trempât sans cesse son voile dans l'eau du lac pour laver la blessure, celle-ci suintait en permanence.

Soulevant la peau de mouton, elle découvrit la poitrine de son père. La tunique qu'il portait quand il avait attaqué les percepteurs n'était plus qu'un lambeau maculé de sang séché. Les taches violacées des coups le recouvraient du ventre à la gorge. Là aussi le sang suintait des plaies déchiquetées qui déchiraient ses épaules et son dos. Et, bien sûr, les cordes de la croix avaient laissé ses poignets et ses chevilles à vif.

De toute évidence, il avait été battu, et avec tant de violence que l'on pouvait craindre que des blessures invisibles, plus graves encore que les visibles, ne mettent sa vie en danger.

Miryem se mordit les lèvres pour ne pas céder aux larmes.

À ses côtés, dans le lent ballant du bateau, elle devina que Barabbas, Abdias et le pêcheur détournaient les yeux, effarés par ce qu'ils voyaient. Dans le jour, il devenait difficile de dire si Joachim dormait ou s'il avait perdu conscience.

– Il est fort, murmura enfin Barabbas. Il a tenu jusqu'à la croix, il sait que tu es à côté de lui, il vivra pour plaire à sa fille !

Sa voix, douce, ne contenait pas sa gouaille habituelle. Elle manquait de conviction. Abdias le perçut, qui approuva vivement de la tête.

– C'est sûr ! Il sait qu'on n'a pas fait tout ça pour le regarder mourir.

La voix du pêcheur les surprit, lui qui n'avait guère ouvert la bouche depuis Tarichée.

– Le gosse a raison, dit-il en cherchant le regard de Miryem. Même avec ses douleurs, ton père ne voudra pas t'abandonner. Un homme qui a une fille comme toi ne se laisse pas mourir. Le paradis de Dieu n'est pas assez beau pour lui.

Il se tut, le temps de tirer sur le cordage de la bôme pour retendre la voile, et ajouta avec une colère qui creusa ses rides :

– Puissent les rabbins et les prophètes ne pas se tromper et qu'un jour le Messie revienne parmi nous, qu'on en finisse une bonne fois avec nos vies de rien.

Par réflexe, Barabbas fut sur le point de se laisser aller au persiflage. Jusqu'à quand le peuple d'Israël allait-il croire à ces niaiseries que les rabbins leur serinaient ? Jusqu'à quand ces pauvres gens, qu'Hérode opprimait jusqu'à leur sortir le sang du ventre, allaient-ils attendre qu'un Messie vienne les délivrer, au lieu de se délivrer eux-mêmes ?

Cependant, le ton du pêcheur, le visage de Miryem autant que l'inconscience de Joachim le poussèrent au silence. Il n'était pas temps de se disputer. Bien lui en prit car, un peu plus tard, le pêcheur le surprit à nouveau.

Ils venaient enfin de tirer la barque sur la plage. Les habitants du village, curieux, s'étaient massés pour les accueillir. Découvrant l'état de Joachim, ils aidèrent à le transporter jusqu'à une maigre paillasse. Tandis que le cortège s'éloignait vers les maisons, Barabbas tendit au pêcheur la bourse qu'il lui avait promise. L'homme repoussa sa main.

– Non. Ce n'est pas la peine.

– Ne refuse pas. Sans toi, rien n'aurait été possible. Tu vas retourner à Tarichée, où tu auras peut-être des ennuis. Qui sait s'ils ne voudront pas brûler vos bateaux, pour contraindre tes camarades à raconter ce qu'ils savent de nous ?

Le pêcheur secoua la tête.

– Tu ne nous connais pas, mon garçon. Nous avons prévu notre coup. Je vais rentrer en faisant le tour du lac. Tous mes compères aussi. Nous arriverons à Tarichée tous ensemble, avec des bateaux pleins à craquer. La plus belle pêche qu'on n'ait jamais vue. Et je peux t'assurer que nous piquerons une belle rage en découvrant que le marché est réduit en cendres. Nous déciderons alors de donner nos poissons. Cela ameutera toutes les bonnes mères de la ville et fichera une pagaille monstre.

Barabbas, éclatant de rire, insista néanmoins.

– Prends quand même. Tu le mérites.

– Laisse, je te dis. Je ne veux pas de ton argent. Qu'ai-je besoin d'argent, moi, un Juif de Galilée, pour sauver de la croix un autre Juif de Galilée ? Ce sont les mercenaires d'Hérode qui se font payer pour leur vilaine besogne. Et ne t'en fais pas : on saura que Barabbas n'est pas un voleur, mais un honnête Galiléen.

***

Malgré la mise en garde de Barabbas, Abdias, trop excité pour se retenir, raconta dès le soir de leur arrivée, et avec force détails, l'enfer d'où revenait Joachim.

Ici, dans ce village hors de l'atteinte des mercenaires, on voyait pour la première fois un homme ayant réchappé au supplice de la croix. Toutes les femmes du village s'allièrent pour le sauver. Elles rivalisèrent de science, dénichant les secrets des herbes, poudres, potions et soupes susceptibles d'estomper les meurtrissures bistre laissées par les coups, de refermer les plaies visibles et invisibles et, enfin, de rendre ses forces à Joachim.

Miryem les assista. Elle apprit en quelques jours à distinguer des plantes auxquelles elle n'avait jamais prêté attention. On lui montra comment les broyer, mélanger leur poudre à de la graisse de chèvre, de la terre fine, des algues ou de la bile de poisson, selon qu'on les transformait en pâtes, emplâtres ou huiles de massage, qu'administraient des femmes larges et vigoureuses, depuis longtemps accoutumées aux hommes nus et dans le malheur de leurs corps.

Une toute jeune fille pleine de gaieté s'activa à la préparation des infusions et des tisanes nourrissantes. Dans son combat inconscient contre la douleur, Joachim maintenait les mâchoires serrées à se briser les dents. La jeune fille aida Miryem à les lui écarter grâce à un petit entonnoir de bois. Alors seulement il lui était possible, cuillerée après cuillerée, de nourrir le blessé. La tâche était difficile, lente et désespérante. Mais la jeune compagne de Miryem parvint à en alléger la dureté et à en faire un étrange instant de douceur maternelle de la fille envers le père.

Chaque nuit, Miryem veilla Joachim sans désemparer. Barabbas et Abdias cherchèrent en vain à l'en dissuader. Ils se contentèrent, tour à tour, de lui tenir compagnie, demeurant près d'elle dans l'ombre que trouait à peine la mèche d'une lampe à huile.

Enfin, un après-midi, il apparut avec évidence qu'Abdias et le pêcheur avaient eu raison. Quelques heures avant la nuit, Joachim ouvrit les yeux. Il avait préféré le paradis de sa fille à celui de Dieu.

***

Il découvrit le visage de Miryem au-dessus de lui et n'en parut pas étonné. Il esquissa un très pâle sourire. Ses mains maladroites, dont les poignets étaient encore recouverts d'emplâtres et de bandages, voulurent la toucher. Riant et pleurant tout à la fois, Miryem s'inclina. Elle baisa le visage de son père, offrit ses joues aux caresses de Joachim.

– Ma fille, ma fille !

Il marmonna de bonheur, voulut la serrer contre lui, mais ses épaules endolories lui tirèrent un gémissement.

Les femmes qui vaquaient alentour sortirent pour crier la bonne nouvelle. Tout le village accourut pour voir enfin les yeux du rescapé de la croix, entendre son rire et les mots doux qu'il ne cessait de murmurer.

– Miryem, mon ange. C'est comme si je ressuscitais ! Que l'Éternel soit remercié de m'avoir envoyé une fille pareille.

Miryem refusa ces louanges, expliqua à son père comment les uns et les autres, chacun à son tour, avaient fait en sorte qu'il vive.

Ému et balbutiant, Joachim considéra les visages rudes et joyeux qui l'entouraient.

– Vous le croirez si vous voudrez, dit-il, mais pendant que je dormais, Miryem était à mon côté.

Je m'en souviens très bien. Elle était là, debout, pas très loin de moi. Et moi, je me voyais aussi. C'était une vilaine histoire, car j'étais tombé de la croix et m'étais cassé en morceaux. Un bras par-ci, l'autre par-là. Les jambes hors d'atteinte. Seuls ma tête et mon cœur fonctionnaient comme ils le devaient. Et il me fallait sans cesse tenir mes morceaux afin de les empêcher de s'éloigner. Mais j'étais si épuisé que je n'avais qu'une envie : fermer les paupières et laisser mes bras et mes jambes partir à leur guise. Sauf que Miryem était là, dans mon dos, m'empêchant de céder à cette tentation.

Joachim reprit son souffle, tandis que les autres l'écoutaient, bouche bée. Il cligna une paupière et poursuivit :

– Elle disait : « Allons, allons, père ! Garde les yeux bien ouverts. » Vous savez, avec ce ton pas commode qu'elle peut prendre, sacrément autoritaire et assuré pour une fille de son âge.

Chacun éclata de rire, Barabbas approuvant bien fort et Miryem rougissant jusqu'à la racine des cheveux.

– Oui, elle n'a pas cessé de me houspiller, ajouta Joachim, la voix tremblante de tendresse. « Allons, père, un effort ! Ne fais pas ce plaisir aux percepteurs ! Tu dois retrouver tes bras et tes jambes pour rentrer à Nazareth. Allons, allons ! Je t'attends ! » Et maintenant, me voilà avec vous pour vous remercier.

***

Le lendemain à l'aube, quand Joachim se réveilla après une courte nuit de sommeil, il trouva Barabbas et Abdias à son côté. Miryem dormait dans la pièce des femmes.

– On croirait qu'elle va roupiller pendant un an, gloussa Abdias.

Joachim approuva d'une inclination de la tête tout en considérant le curieux visage du garçon.

– Es-tu celui qui m'a décroché de la croix ? Il me semble me souvenir, mais il faisait bien noir.

– C'est moi.

– Pour te dire la vérité, quand je t'ai vu, j'ai cru qu'un démon venait m'emporter en enfer.

– Tu ne me reconnais pas parce que les femmes d'ici ont voulu me laver et me donner des vêtements propres, grommela Abdias en haussant les épaules.

Barabbas rit de bon cœur.

– C'est la plus grande humiliation qu'Abdias ait subie jusqu'à ce jour. Sa crasse lui manque. Il va lui falloir des semaines et des mois pour se ressembler de nouveau.

Joachim déclara doucement :

– La propreté ne te va pas si mal, mon garçon. Tu pourrais t'en satisfaire.

– C'est ce que Miryem dit aussi, grimaça Abdias. Mais vous ne savez pas de quoi vous parlez. Dans les villes, si on est comme les autres garçons, les gens n'ont ni peur ni pitié. Demain, avant de partir à Tarichée, je remettrai mes frusques d'am-ha-aretz, c'est sûr.

Joachim fronça les sourcils.

– À Tarichée ? Que veux-tu aller faire là-bas ?

– Savoir ce que manigancent les mercenaires d'Hérode...

– Mais c'est bien trop tôt !

– Non, intervint Barabbas. Six jours se sont écoulés. Je veux savoir ce qui se trame à Tarichée. Abdias ira traîner l'oreille en ville. Il sait s'y prendre pour ce genre de choses. Il partira demain avec un pêcheur.

Joachim se retint de protester. La peur lui tenait encore les entrailles. La violence et la haine des mercenaires demeuraient ancrées dans son esprit autant qu'elles marquaient son corps. Mais Barabbas avait raison. Lui-même aurait donné beaucoup pour avoir des nouvelles d'Hannah, son épouse. Il aurait aussi voulu savoir si les percepteurs, pour se venger de sa fuite, avaient infligé à Nazareth la souffrance à laquelle il venait d'échapper.

Si tel était le cas, il lui faudrait se rendre et retourner dans les geôles de Tarichée. Une pensée et une décision qu'il ne pouvait confier à Barabbas, encore moins à Miryem.

– Reviens, murmura-t-il en serrant les petites mains d'Abdias. Je crois t'avoir promis quelque chose pendant que tu me tirais du champ des supplices. Je déteste ne pas tenir mes promesses.

***

Cinq jours plus tard, appuyé sur l'épaule de Miryem, Joachim s'essayait à l'usage de ses jambes quand Abdias apparut. Il bondit hors de la barque avant qu'elle touche la plage, le visage transfiguré d'excitation.

– On ne parle que de nous ! affirma-t-il avant même de prendre le temps de boire un gobelet de jus de raisin. Les gens n'ont que ça à la bouche : « Barabbas a délivré des suppliciés que les Romains venaient de pendre. » « Barabbas a humilié les mercenaires d'Hérode. » « Barabbas s'est moqué des Romains... » Hé ! on croirait que tu es devenu le Messie !

Le rire d'Abdias contenait plus d'amitié que de moquerie, mais Barabbas n'abandonna pas son sérieux.

– Et les pêcheurs ? Ont-ils eu des ennuis ?

– Tout le contraire. Ils ont fait comme ils avaient dit. Ils sont arrivés à Tarichée avec des bateaux si pleins que le vent les poussait avec peine. Une vraie pêche miraculeuse. Ils ont braillé très fort contre nous, qui avions brûlé leurs barques et leur marché. Les gens de Tarichée aussi. Tout le monde a protesté qu'on était des vauriens, des destructeurs, la honte de la Galilée... Rien que des douceurs de ce genre. Si bien que les mercenaires et les Romains ont cru pour de bon qu'on a fait le coup tout seuls. Aujourd'hui, les gens rigolent en douce. Tout le monde est trop content de les avoir bernés.

Cette fois, Barabbas se détendit et Miryem caressa la tignasse emmêlée d'Abdias.

– Et, bien sûr, tu as su te retenir ? Tu as clamé partout que tu étais le meilleur ami du grand Barabbas ? se moqua-t-elle gentiment.

– C'était pas la peine, gloussa fièrement Abdias. Ils ont tout deviné. Jamais on m'a autant donné de tout ce que je voulais. J'aurais pu rapporter une barque pleine.

– Et te faire dénoncer ! grommela Joachim.

– T'inquiète, père Joachim ! Les faux nez, je les repère vite. Personne ne savait où je dormais ni quand on me verrait. Mais tu sais que toi aussi, tu es célèbre ? Tout le monde connaît ton histoire. Joachim de Nazareth, celui qui a osé enfoncer une lance dans le ventre d'un percepteur et qui s'est sauvé d'une croix...

– Ce n'était pas le ventre, mais l'épaule, marmonna Joachim avec humeur. Et ce n'est pas une si bonne chose que l'on fasse tant de bruit autour de mon nom. Des nouvelles de Nazareth, tu en as ?

Abdias secoua la tête.

– Ça, non. J'avais pas le temps d'y aller...

Joachim croisa le regard de Barabbas, puis celui de Miryem.

– Je suis inquiet pour eux, murmura-t-il. Les mercenaires ne savent où nous trouver, mais ils savent où porter le malheur.

– Je pourrais y aller, voir au moins notre mère, la rassurer, fit Miryem.

– Non, pas toi, protesta Abdias. Moi. J'y vais quand tu veux.

– À moins que nous n'y allions tous ensemble, suggéra Barabbas, songeur. Maintenant que Joachim marche, on peut se déplacer comme bon nous semble.

Tous le dévisagèrent, stupéfaits.

– N'y a-t-il pas une maison sûre dans le village ? demanda-t-il à Joachim et à Miryem.

Joachim secoua la tête.

– Non, non, ce serait de la folie...

– Mais si, père ! s'exclama Miryem. Yossef et Halva nous ouvriront leur porte sans hésiter !

– Tu ne te rends pas compte du danger, ma fille.

– Je suis certaine que Yossef sera fier de t'aider. Il sait tout ce qu'il te doit et il t'aime. Leur maison est loin du village, tout au bout de la vallée. On ne peut nous y prendre par surprise.

– On fera le guet, père Joachim. En route, je rameuterai mes copains. On sera tous là. Tu verras, personne ne pourra approcher la maison de ce Yossef sans qu'on le sache. Demande à Miryem, c'est nous qui gardons les caches de Barabbas. On sait y faire.

Miryem sourit au souvenir de son accueil dans Sepphoris, mais Joachim ne se laissa pas convaincre. Son refus renfrogna Barabbas et gâcha la joie d'Abdias.

***

Ce n'est que le soir, après être restée longtemps silencieuse, que Miryem dit doucement à son père :

– Je sais que tu es très inquiet pour mère. Tu veux la serrer dans tes bras, et moi aussi. Allons chez Yossef et Halva, même pour peu de temps. Ensuite, nous déciderons.

– Décider quoi, ma fille ? Tu sais bien que jamais je ne pourrai retourner dans mon atelier et monter une charpente avec Lysanias. Si Dieu veut qu'il soit encore en vie !

– Ça, c'est vrai, grommela Barabbas. Maintenant, tu es dans le même bain que moi. Oublie ta charpente, Joachim. C'est la révolte de la Galilée contre Hérode que nous devons bâtir ensemble.

– Rien que ça ?

– Tu as entendu Abdias. Tout le monde est heureux que nous ayons damé le pion aux mercenaires d'Hérode et aux charognards du sanhédrin. Regarde autour de toi, Joachim. Les habitants de ce village se sont démenés pour te soigner parce que tu étais sur la croix et que c'était pure injustice. Le pêcheur qui a fait le coup avec nous a refusé une bourse d'or. Il était trop fier de s'être battu à nos côtés. Ce sont des signes. Nous avons montré à ceux de Galilée que les mercenaires n'étaient que des imbéciles. Il faut continuer. Et en grand, pour vaincre la peur d'Israël !

– Comme tu y vas. Tout ça avec tes cinquante compagnons et des gosses ?

– Non. Tout ça en entraînant ceux qui n'en peuvent plus. En leur donnant le goût du courage. Nous t'avons tiré de la croix, toi et d'autres malheureux. On peut le faire ailleurs, y compris à

Jérusalem. On peut harceler les mercenaires. On peut se battre et montrer que l'on gagne...

Joachim grimaça amèrement.

– Barabbas, tu parles d'une révolte comme d'un instant de mauvaise humeur. Crois-tu que moi, ou quantité d'autres qui pensent comme moi, n'y ont jamais réfléchi ?

Barabbas sourit de toutes ses dents.

– Tu vois, tu le dis : il y a quantité d'autres qui ne supportent plus Hérode.

– J'en connais, c'est vrai. Mais ne crois pas qu'ils te suivront. Ce sont des sages, pas des fous.

– C'est un fou que ta fille est allée chercher pour te sauver, Joachim, pas tes sages amis.

– Si une révolte n'emporte pas l'adhésion du pays entier, s'irrita Joachim, elle aboutit à un massacre. Hérode a le poing large et rapide. Le sanhédrin est à sa botte et tient les rabbins. Son poing est plus petit que celui d'Hérode, mais pas moins efficace.

– Toujours la même excuse, maugréa Barabbas. Une excuse de lâche.

– Ne prononce pas des mots pareils ! Il y a autant de courage à subir l'injustice qu'à se battre en vain. Et quand bien même tu arriverais à soulever la Galilée, cela ne te mènerait à rien. Il faudrait soulever Jérusalem, la Judée, Israël tout entier.

– Eh bien, allons-y, ne perdons pas de temps !

– Barabbas n'a pas tout à fait tort, père, intervint Miryem avec calme. À quoi bon attendre le prochain coup des mercenaires ? La prochaine visite des percepteurs ? Pourquoi toujours se laisser humilier ? Quel bienfait peut en découler ?

– Ah ! Voilà que tu penses comme lui ?

– Il dit juste : les gens sont las de se soumettre. Et fiers que tu n'aies pas laissé les percepteurs voler le candélabre de la vieille Houlda. Ton courage est un exemple.

– Un exemple inutile comme un coup de sang, tu devrais dire.

– Ne te fais pas plus mou que tu n'es, Joachim, grogna Barabbas. Invite tes sages chez ton ami Yossef. Abdias peut leur porter le message. Et laisse-moi leur parler. Que risques-tu ?

Joachim chercha le regard de Miryem, qui approuva.

– Pourquoi avoir failli mourir sur la croix, si cela ne sert à rien, père ? Simplement à se cacher en Galilée, toute notre vie, pour rien ! C'est nous qui décidons si nous sommes impuissants devant le roi. Croire que ses mercenaires sont toujours plus forts que nous, c'est lui donner raison de nous mépriser.

5.

Après avoir suivi, au pied du mont Tabor, une longue piste détournée qui leur évitait les voies trop fréquentées et la traversée de Nazareth, ils étaient convenus que Miryem irait en avant prévenir Halva et Yossef.

Sur le sentier bordé d'acacias et de caroubiers qui serpentait vers la crête de la colline, elle marchait si vite que ses pieds touchaient à peine le sol. À l'approche du sommet, l'opacité des haies s'atténua. Elle aperçut les vergers de cédrats, la petite vigne et les deux grands platanes qui entouraient la demeure de Yossef. Sans qu'elle en eût conscience, un grand sourire lui illumina le visage.

Un bêlement lui fit lever la tête. Un troupeau de brebis et d'agneaux déambulait dans le champ surplombant le chemin. Elle allait se détourner et courir jusqu'à la maison quand elle devina une forme qui se relevait entre les câpriers et les genêts. Elle reconnut la tunique claire joliment brodée de bleu et d'ocre. Elle reconnut l'opulente chevelure aux ondoiements pourpres et cria :

– Halva ! Halva !

Étonnée, Halva demeura immobile, se protégeant les yeux du soleil pour mieux distinguer celle qui volait vers elle.

– Miryem... Dieu Tout-Puissant ! Miryem !

Ce furent des rires et des larmes.

– Tu es vivante !

– Mon père aussi... Nous l'avons sauvé.

– Yossef me l'assurait ! Il l'a entendu raconter à la synagogue, mais je n'osais y croire !

– Quel bonheur de te voir !

Des cris retentirent à leurs pieds. Halva s'écarta de Miryem.

– Shimon, mon petit ange, serais-tu jaloux de Miryem ?

Le petit garçon de deux ans à peine se tut. La bouche ouverte, la mine terriblement sérieuse, il contempla Miryem. Ses grands yeux bruns s'écarquillèrent soudain, scintillants, et il tendit les bras avec un babillement impérieux.

– Hé, ne croirait-on pas qu'il me reconnaît ? s'exclama Miryem, ravie.

Rieuse, elle se pencha pour le prendre. Lorsqu'elle se redressa, elle découvrit Halva, une main sur la bouche, livide et chancelante.

– Halva ! Que t'arrive-t-il ?

Halva tenta de sourire, respirant un peu fort et s'appuyant finalement à l'épaule de Miryem.

– Ce n'est rien, murmura-t-elle d'une voix blanche. Un petit étourdissement. Cela va passer.

– Es-tu malade ?

– Non, non !

Halva reprit son souffle en se massant doucement les tempes.

– Cela m'arrive parfois depuis la naissance de Libna. Ne t'inquiète pas. Viens, allons vite prévenir Yossef ! Il va sauter de joie en te voyant.

***

Ce fut une belle journée de retrouvailles. Yossef n'eut pas la patience d'attendre Joachim. Il courut à sa rencontre, dévala le chemin dès qu'il vit la grande silhouette de son ami. Il l'embrassa, remerciant l'Éternel entre pleurs et rires.

Il salua Barabbas et Abdias avec à peine moins d'effusion. Bien sûr, bien sûr, ils pouvaient tous trouver refuge chez lui, s'écria-t-il lorsqu'ils pénétrèrent dans la cour de sa maison. Il y avait toute la place nécessaire. Et n'avait-il pas, sur les conseils de Joachim, construit une chambre discrète, quasi secrète, derrière son atelier ? On y déroulerait des nattes pour Joachim et ses compagnons, tandis que Miryem coucherait dans la pièce des enfants.

Ils s'assirent autour d'une table installée dans l'ombre douce des platanes qui protégeaient la demeure des grandes chaleurs.

– Ici, vous ne risquerez rien, ajouta-t-il. Personne ne se doutera que vous êtes chez moi. De toute façon, les mercenaires ne sont plus dans Nazareth.

Aidée de Miryem, qui protesta qu'elle n'était pas du tout fatiguée, Halva apporta à boire et de quoi rassasier une faim aiguisée par la marche. Abdias but avidement et grignota à peine. Sachant l'impatience de Joachim et de Miryem, il se proposa d'aller prévenir discrètement Hannah de leur arrivée. Joachim lui indiqua comment se rendre à l'atelier et à la maison sans se faire remarquer des voisins et, tandis que le garçon filait tel un renard, Yossef acheva de leur donner des nouvelles du village.

Comme on pouvait s'y attendre, les percepteurs étaient revenus à Nazareth après l'arrestation de Joachim.

– Le croiras-tu, Joachim ? Celui que tu avais blessé était là. Il avait le bras bandé, mais tout de même, quatre jours lui ont suffi pour se remettre !

– Ah ! Quel maladroit je suis ! s'amusa Joachim. Mon coup de lance n'était donc pas tellement bien placé !

Yossef et Barabbas s'esclaffèrent.

– C'est certain !

Cette fois, trois officiers romains et une cohorte de mercenaires accompagnaient les précepteurs. Ils s'étaient montrés violents, mais guère plus que d'ordinaire.

– Ils voulaient surtout étaler leur plaisir en nous annonçant que tu allais crever sur la croix, expliqua Yossef en serrant l'épaule de Joachim. Ils l'ont répété tant de fois que chacun a fini par le croire. Ta pauvre Hannah pleurait toutes les larmes de son corps, gémissant que le Tout-Puissant l'avait abandonnée, qu'elle avait perdu son époux et sa fille !

Il grimaça à ce souvenir. Le désespoir d'Hannah avait été si dévastateur qu'Halva resta auprès d'elle quelques jours. Cependant sans parvenir à la consoler ni à la rassurer. Si bien qu'on craignit qu'elle ne perde l'esprit.

– Moi, je me doutais bien que tu te débrouillerais pour faire mentir ces charognards, ajouta Yossef avec un clin d'œil à Miryem. Mais j'avais peur que les mercenaires finissent par comprendre que tu avais quitté le village pour voler au secours de ton père.

– Bah ! grogna Barabbas avec mépris. Les Romains et les mercenaires sont tellement sûrs de leur force qu'ils en ont perdu toute imagination. En plus, ils ne comprennent pas notre langue.

– Eux, peut-être, protesta Yossef, mais les percepteurs sont rusés. S'ils méprisent notre accent de

Galilée, ils ont l'oreille aussi fine que leurs doigts sont rapaces. Aussi, j'ai fait la leçon, à la synagogue, afin que chacun comprenne qu'il faut se taire. Mais tu sais comme vont les choses, Joachim. Il y en a toujours à qui on ne peut faire confiance.

Toutefois, un bien pouvant parfois surgir d'un mal, l'esprit de vengeance des percepteurs du sanhédrin n'avait fait qu'accroître la fureur des villageois et taire les dissensions.

– Ils nous ont saignés à blanc, soupira Yossef. Nous avons à peine de quoi survivre jusqu'à la prochaine récolte.

Les percepteurs avaient emporté tout ce qu'ils pouvaient, vidant les caves et les greniers de tous les sacs et les jarres qu'ils parvenaient à dénicher, et ordonnant aux mercenaires de charger si haut les charrettes que les mules peinaient à les tirer.

– Ici, ils ont retourné la maison de fond en comble, à la recherche de deniers que je ne possède pas. J'achevais d'assembler deux petits coffres pour les vêtements des enfants. Allez donc ! Ils les ont embarqués. Et aussi les figues qu'Halva venait de cueillir ! Elles ont dû pourrir avant d'arriver à Jérusalem, c'est certain, mais ils voulaient se saisir de tout. Pour le plaisir de nous humilier.

Yossef soupira tout en clignant de l'œil, goguenard.

– Seuls nos troupeaux leur ont échappé. Nous avions envoyé les bêtes dans les forêts avec quelques garçons.

– Et ces imbéciles n'ont pas été étonnés de leur absence ? s'enquit Barabbas.

– Oh que si ! Mais on a déclaré que c'était fini, que nous ne voulions plus de bétail, petit ou gros. Puisque chaque fois ils nous les prenaient, à quoi bon ? L'un des percepteurs a dit : « Vous mentez, comme toujours. Votre bétail court la forêt, j'en suis sûr. » Quelqu'un a répliqué : « Eh bien, allez donc dans la forêt voir s'il y est ou si le Tout-Puissant a transformé nos bêtes en lions ! »

Joachim et Barabbas approuvèrent en s'esclaffant. Yossef secoua la tête.

– Je peux vous jurer qu'on les a maudits. Notre bonheur fut d'autant plus grand d'apprendre que Miryem et Barabbas avaient réussi. De savoir que tu étais libre et bien vivant nous a lavé le cœur. Même ceux de la synagogue ont pensé que l'Éternel ne voulait pas de cette horreur. Même eux, qui, dès qu'un malheur nous touche, y voient la punition de l'Éternel !

Les yeux embués, emporté par l'exaltation, Yossef se leva soudain et agrippa Barabbas par les épaules.

– Ah ! Que l'Éternel te bénisse, mon garçon ! Tu nous as rendus joyeux et fiers. C'est ce qui nous manquait le plus

Il fut sur le point d'enlacer Miryem et de l'embrasser. Une timidité le retint. Il lui prit les mains et les baisa tendrement.

– Toi aussi, Miryem, toi aussi ! Comme nous sommes fiers de toi, Halva et moi !

Halva eut un grand rire moqueur et heureux. La saisissant par la taille, elle entraîna Miryem à l'intérieur. Les deux plus jeunes enfants, énervés par l'agitation inhabituelle, commençaient à geindre.

– Tu vois dans quel état se met mon Yossef ? chuchota-t-elle, ravie. Regarde-le : il est plus rouge qu'une fleur de caroube ! Quand l'émotion le saisit, c'est l'homme le plus tendre que Dieu ait créé. Aussi doux qu'une agnelle. Mais si timide ! Si timide !

Miryem posa sa joue contre celle de son amie.

– Tu ne peux savoir comme c'est bon de vous retrouver tous les deux. Et je suis impatiente de revoir ma mère. Je ne pensais pas lui infliger une telle douleur en quittant la maison.

Tandis que le petit Shimon attrapait sa tunique, Halva s'inclina sur le berceau pour soulever Libna, qui criait de faim et d'impatience.

– Bah ! Dès qu'elle vous verra, ton père et toi, elle oubliera sa...

Elle s'interrompit brutalement, les joues livides, les paupières closes et le souffle court. Miryem lui retira vivement la petite des bras.

– As-tu mal ? souffla-t-elle.

Halva prit le temps de respirer profondément avant de répondre :

– Non, ne t'inquiète pas. Ce ne sont que des étourdissements ! C'est chaque fois si soudain...

– Va te reposer un instant. Je m'occupe des enfants.

– Allons donc ! protesta Halva en s'efforçant de sourire. Tu dois être bien plus fatiguée de moi, toi qui as marché toute la journée.

Miryem berça doucement Libna, qui entremêlait ses doigts minuscules aux longues boucles de ses cheveux dénoués. Attirant Shimon contre elle d'une caresse, elle insista, soucieuse :

– Laisse-moi donc t'aider. Va prendre du repos. Tu es pâle à faire peur.

Halva céda de mauvaise grâce. Elle s'allongea sur une couche d'alcôve au fond de la pièce, observant son amie. En un instant, Miryem prépara la bouillie de froment de Libna et les galettes de Shimon et de Yossef, de deux ans plus âgé, tandis que l'aîné, le tranquille Yakov, aidait comme il pouvait. Puis elle joua avec eux avec tant de simplicité, de tendresse, que les enfants, aussi confiants que s'ils avaient été avec leur mère, oubliaient leurs caprices et leurs inquiétudes.

***

Dehors, de sa voix monocorde et doucement passionnée, Yossef racontait encore et encore à Barabbas et à Joachim comment la nouvelle de leur exploit était parvenue à la synagogue, colportée par un marchand d'encre.

D'abord, les uns et les autres avaient douté que l'information fût véridique. Les rumeurs rapportaient souvent tant de choses que l'on désirait vraies et qui se révélaient fausses. Pourtant, le lendemain, puis le surlendemain, d'autres marchands, venus de Cana et de Sepphoris, l'avaient confirmé : le brigand Barabbas avait mis le feu à Tarichée pour délivrer des suppliciés du champ de douleur. Et parmi eux, il y avait Joachim.

Chacun avait alors poussé un soupir de soulagement, même ceux qui avaient déjà fait leur deuil de Joachim. La joie s'était vite muée en un sentiment de victoire.

– Entrerais-tu ce soir à Nazareth que tout le village t'acclamerait, conclut Yossef. Ils ont oublié les cris qu'ils poussaient lorsque Miryem a annoncé qu'elle partait réclamer l'aide de Barabbas pour te sauver !

– Attention, marmonna Joachim en fronçant les sourcils, c'est maintenant que cela pourrait devenir dangereux pour Nazareth.

– C'est bien ce qui me paraît bizarre, opina Barabbas. Voilà des jours que nous avons botté les fesses des Romains à Tarichée. Aujourd'hui, les mercenaires devraient être ici, en train de brutaliser le village.

– Oh, pour ça, je crois qu'il existe une raison bien simple, répliqua Yossef. On raconte qu'Hérode est si malade qu'il n'a plus toute sa tête. Il paraît que son palais est pire qu'un nid de serpents. Ses fils, sa sœur... le frère, la belle-mère, les serviteurs... pas un qui n'ait envie de hâter sa mort pour prendre sa place. Ils ruissellent de haine, tous autant qu'ils sont, et le chaos règne au palais d'Antonia, à Jérusalem, ainsi qu'à Césarée. Les officiers romains ne sont pas prêts à soutenir les folies de cette famille dégénérée. Si ce fou d'Hérode survit à sa maladie et apprend qu'ils ont agi sans son consentement, ils sont bons pour la fosse. Notre roi est fou, mais il est le maître d'Israël depuis le premier grain de froment jusqu'aux lois impies qui sortent du sanhédrin. Nous, les pauvres de Galilée, nous craignons ses mercenaires et ses charognards. Mais eux le craignent autant que nous. Alors, tant qu'il est malade et qu'il ne donne pas d'ordre, nul ne s'aventure hors de son ombre.

– Voilà une nouvelle qui me réchauffe le cœur ! s'exclama Barabbas bruyamment. Et qui me souffle que j'ai raison de vouloir...

Il ne put continuer. Des cris, des appels, des pas les firent se lever des bancs. Hannah se précipitait dans l'ombre des platanes, les mains levées au-dessus de la tête.

– Joachim ! Dieu Tout-Puissant ! Béni soit l'Éternel ! Tu es là, je te vois ! Moi qui refusais de croire ce gamin...

Joachim accueillit son épouse contre lui. Hannah l'enlaça de toutes ses forces, balbutiant encore, la bouche mouillée de larmes :

– Oui, c'est bien toi ! Tu n'es pas un démon. Je reconnais ton odeur ! Oh, mon époux, t'ont-ils fait mal ?

Joachim allait répondre, quand Hannah s'écarta, les yeux grands ouverts, la bouche béante, les traits convulsés par la panique.

– Où est Miryem ? Elle n'est pas avec toi ? Elle est morte ?

– Non, mère ! Je suis ici.

Hannah pivota, la vit qui accourait depuis le seuil de la maison.

– Ma folle de fille ! Tu m'as fait une de ces peurs !

Sous l'effet de tant d'émotions accumulées, Hannah respirait péniblement, n'était plus capable de caresser leurs visages, leurs yeux bien-aimés. L'on crut, avant d'en rire un peu, qu'elle allait défaillir.

Abdias, qui l'avait suivie de loin, emmêla un peu plus son abondante tignasse en un geste perplexe.

– Bon sang ! Elle a failli ameuter tout le village quand je lui ai appris que Miryem était ici avec le père Joachim, confia-t-il à Barabbas. Pas moyen qu'elle me croie. Elle voulait que je sois un espion des mercenaires. Je l'attirais dans un piège, disait-elle, des craques dans ce genre. Impossible de lui fermer le clapet sans se fâcher. Encore heureux que Miryem ne lui ressemble pas !

***

Plus tard, une fois la nuit tombée, une fois tous serrés autour d'une lampe et alors que les femmes et les enfants dormaient, Barabbas, à voix basse, révéla à Yossef son grand projet. Le temps était venu de lancer une révolte qui embraserait la Galilée, puis Israël tout entier, renversant le pouvoir honni d'Hérode et libérant le pays du joug romain.

– Comme tu y vas ! souffla Yossef, les yeux écarquillés.

– Si ce que tu racontes sur Hérode est vrai, alors, il n'y a pas meilleur moment.

– Faible, Hérode l'est sans doute. Mais faible à ce point...

– Si tout le pays se lève contre lui, qui le soutiendra ? Pas même les mercenaires, qui auront peur pour leur solde.

– C'est une idée folle, intervint Joachim. Aussi folle que Barabbas lui-même. Mais c'est ainsi qu'il m'a sauvé de la croix. Cela mérite que nous en discutions avec ceux qui haïssent autant que nous Hérode et ces pourris de sadducéens du Temple : les zélotes, les esséniens et certains pharisiens. Parmi eux, il y a des sages qui prendront le temps de nous écouter. Si nous parvenions à les convaincre d'entraîner leurs fidèles dans notre révolte...

– Quand le peuple les verra s'allier à nous, il saura qu'il est temps pour lui de se battre, renchérit Barabbas avec fougue.

Yossef ne les contredit pas. Il ne doutait ni de leur volonté ni de leur courage. Comme Joachim et Barabbas, il était convaincu que subir passivement la folie d'Hérode ne menait qu'à davantage de souffrances.

– Si votre désir est de réunir des gens pour parler, cela peut se faire ici, dans ma maison, dit-il. Le risque n'est pas bien grand. Nous sommes à l'écart de Nazareth et, à ce jour, les Romains ne me suspectent pas. Ceux que vous inviterez pourront nous rejoindre sans crainte. Les chemins détournés qui conduisent jusqu'ici ne manquent pas. Ils n'auront pas même à passer par Nazareth.

Barabbas et Joachim le remercièrent avec gratitude. La vraie difficulté était de trouver des hommes auxquels l'on pouvait se fier. Des hommes de sagesse mais aussi de cœur et d'un peu de pouvoir. Des hommes capables de se battre, mais pas des têtes brûlées. Ce qui n'abondait pas.

Bien vite, les mêmes noms revinrent sur les lèvres de Joachim et de Yossef. Ils arrêtèrent leur choix sur deux esséniens dont la réputation d'indépendance et d'opposition au temple de Jérusalem était sûre : Joseph d'Arimathie, sans doute le plus sage, et Guiora de Gamala. Celui-ci menait une fronde dans le désert près de la mer Morte. Ensuite, Joachim évoqua le nom d'un zélote de Galilée qu'il connaissait et à qui il faisait confiance.

Barabbas grimaça. Sa défiance envers les hommes de religion était grande.

– Ils sont encore plus fous de Dieu que les esséniens.

– Mais ils se battent contre les Romains, dès qu'ils en ont l'occasion.

– Ils sont tellement intransigeants qu'ils effraient les villageois ! On dit même que parfois ils battent ceux qui ne prient pas à leur convenance. Ce n'est pas avec eux que l'on convaincra ceux qui doutent de nous et hésitent à nous suivre.

– Ce ne sera pas sans eux non plus. Et cette histoire de paysans battus, je n'y crois pas. Les zélotes sont durs et austères, c'est vrai, mais ils sont braves et ne reculent pas devant la mort quand ils affrontent les mercenaires et les Romains...

– Tout ce qu'ils veulent, c'est imposer leur idée de Dieu, insista Barabbas en élevant le ton. Jamais ils ne se battent parce que les gens ont faim ou pour leur épargner les humiliations d'Hérode.

– C'est bien pour cela qu'il faut les convaincre. J'en connais au moins deux qui sont des hommes de bien : Éléazar de Jotapata et Lévi le Sicaire, de Magdala. Ils se battent, mais ils savent aussi écouter et respecter d'autres opinions que la leur...

De mauvaise grâce Barabbas accepta les zélotes. Mais la dispute reprit, plus forte, au sujet de Nicodème. C'était le seul pharisien du sanhédrin qui, à ce jour, avait montré de l'humanité et de l'intérêt pour la Galilée. Joachim était favorable à sa venue, Barabbas furieusement contre, et Yossef hésitait.

– Comment peux-tu vouloir appeler à l'aide un pourri du sanhédrin ? Toi qui as donné un coup de lance à un percepteur ? s'insurgea Barabbas.

– Ne confonds pas tout ! protesta Joachim, agacé. Nicodème s'oppose aux sadducéens qui nous saignent à la moindre occasion. Il s'est toujours montré attentif à nos doléances. Il s'est rendu plus d'une fois dans les synagogues de Galilée pour nous entendre.

– La belle affaire ! Ça ne lui coûte pas cher ! Il vient, il bâille et il retourne à Jérusalem dans ses coussins...

– Je te dis qu'il est différent.

– Et pourquoi ? Ouvre les yeux, Joachim : ils sont tous pareils ! Des lâches et des vendus à Hérode. C'est tout. Si ton Nicodème ne l'était pas, il ne siégerait pas au sanhédrin. Dès qu'il saura que nous préparons une révolte, il nous dénoncera...

– Pas Nicodème. Il s'est dressé contre Ania, le grand prêtre, en pleine réunion du Temple. Hérode a voulu le jeter en prison...

– Justement, il a évité les fers ! Il ne s'est pas retrouvé comme toi sur la croix. Tu peux être sûr qu'il a courbé la nuque bien bas et demandé pardon... Je te dis qu'il va nous trahir ! Nous n'avons pas besoin de lui !

– Ah, c'est sûr ! Toi, tu n'as besoin de personne ! s'énerva Joachim pour de bon. Tu peux soulever le peuple partout dans le pays sans l'ombre d'un appui à Jérusalem ou au sanhédrin ! En ce cas, vas-y. Pourquoi attendre ? Vas-y donc...

– Ne suffirait-il pas d'un peu de prudence ? suggéra Yossef d'une voix apaisante. Nicodème, nous l'écouterions sans toujours livrer le fond de notre pensée.

– Et l'écouter pour quoi ? s'obstina Barabbas. Pour être bien certain qu'il est lâche, comme tous les pharisiens ?

– À quoi bon discuter ! explosa Joachim. Tu raisonnes comme un enfant.

La querelle dura encore un moment avant que Barabbas cède en s'enfermant dans une mauvaise humeur qui ne le quitta plus.

Restait à écrire et à expédier les messages conviant à la réunion. Joachim s'attela à la rédaction tandis qu'Abdias et sa bande d'am-ha-aretz se divisèrent en petits groupes de deux ou trois prêts à s'éparpiller à travers le pays.

– Ne leur confie-t-on pas une tâche trop lourde ? interrogea Yossef.

– Allons donc ! s'irrita encore Barabbas. On voit bien que tu ne les connais pas. Ils sont plus débrouillards que des singes. Ils pourraient porter des messages jusqu'au Néguev, s'il le fallait.

Yossef opina, préférant ne pas raviver inutilement la colère de Barabbas. Ce n'est que plus tard, dans la soirée et après le bien-être du repas, qu'il laissa, d'une voix circonspecte, transparaître ses doutes :

– Je nous vois ici, perdus sur ce flanc de colline de Galilée, et j'ai du mal à croire que nous puissions, à nous trois, lancer une insurrection qui soulèverait Israël.

– Voilà des mots que je suis bien heureux d'entendre ! s'exclama Joachim, railleur. J'aurais douté de ton intelligence si tu ne les avais pas prononcés. En vérité, voilà la question : devons-nous embrasser les folies de Barabbas pour contrer les folies d'Hérode ?

Barabbas leur adressa un regard lourd de reproches, refusant d'entrer dans la plaisanterie.

– Miryem est plus maligne et moins timorée que vous, les charpentiers, marmonna-t-il avec aigreur. Elle dit que j'ai raison. « C'est nous qui décidons si nous sommes impuissants devant le roi. Croire que ses mercenaires sont toujours plus forts que nous, c'est lui donner raison de nous mépriser. » Voilà ce qu'elle dit.

– Il est vrai que ma fille parle bien. Parfois, je pense qu'elle serait capable de convaincre une pierre de voler. Mais est-elle moins folle que toi, Barabbas ? Ça, Dieu seul le sait.

Joachim souriait et l'affection adoucissait ses traits. Barabbas se détendit.

– Tu es peut-être trop vieux pour la révolte, voilà tout ! fit-il en tapant l'épaule de Joachim.

– Recueillir l'avis de quelques sages ne peut faire de tort, intervint Yossef prudemment.

– Foutaise ! On n'a jamais vu une révolte se faire avec des « sages », comme tu dis. C'est des types comme moi que l'on devrait faire venir. Des larrons, des canailles qui n'ont pas froid aux yeux !

***

Le lendemain, dès l'aube, munis des lettres et de mille conseils scandés par Barabbas, Abdias et ses camarades quittèrent la demeure de Yossef.

Avant de partir, le jeune am-ha-aretz s'assura qu'à son retour Joachim achèverait de lui raconter l'histoire d'Abraham et de Sarah ou celle, encore plus magnifique, de Moïse et de Tsippora. Joachim promit, ému bien plus qu'il n'y paraissait.

Sa paume pesant affectueusement sur la nuque du garçon, il l'accompagna un bout de chemin. Ils se séparèrent à l'orée de la forêt. Abdias déclara qu'il allait couper au travers pour gagner du temps.

– Prends bien soin de toi, père Joachim ! lança-t-il avec une mimique moqueuse. Faut pas que je t'aie décroché de la croix pour rien. Prends soin de ta fille, aussi. Un de ces jours, peut-être bien que je te la demanderai pour épouse.

Joachim se sentit rougir. Abdias courait déjà dans les fougères. Son rire espiègle résonnait entre les troncs d'arbres. Après qu'il eut disparu, Joachim demeura un instant pensif.

Les paroles provocantes d'Abdias tournaient dans son esprit. Il se revit dans la synagogue de Nazareth, quelques années plus tôt, l'un de ces jours où le rabbin tonnait à pleine voix. Pour une raison bénigne, il était en colère contre les am-ha-aretz. Il fallait les fendre en deux, assurait-il, aussi fermement que des poissons. Il s'était emporté, dressant un doigt vers le ciel et criant dans sa barbe : « Un Juif ne doit pas épouser une am-ha-aretz. Et cette engeance doit moins encore toucher à nos filles ! Ils sont sans conscience, et prétendre que ce sont des hommes est ridicule ! »

Maintenant, dans le calme revenu du sous-bois, Joachim eut honte de ces mots qui lui revenaient à la mémoire. Il s'en sentit souillé.

Se pouvait-il que les am-ha-aretz, ces pauvres parmi les pauvres que méprisaient tant les docteurs de la Loi, ne soient que les victimes du dégoût vicieux des nantis ? Le mépris des riches pour l'indigent, l'Éternel Lui-même n'était pas parvenu à l'extirper du cœur des hommes.

Cependant, Abdias était la crème des garçons. Cela sautait aux yeux. Un petit gars valeureux, avide d'apprendre et affectueux dès qu'on ne le rejetait pas d'emblée. Combien de pères ne rêvaient-ils pas d'un pareil fils ?

Tout à coup, Joachim se demanda si l'envoyer comme ambassadeur près du sourcilleux essénien Guiora, qui prêchait tant la pureté, était une bonne idée. En vérité, ni Barabbas ni lui n'y avaient songé. Cela pourrait bien compromettre la rencontre avant même qu'elle ait lieu.

Néanmoins, réfléchissant sur le chemin du retour jusqu'à la maison de Yossef, Joachim décida de s'en remettre à la sagesse suprême du Tout-Puissant, de taire son inquiétude et de ne pas attiser l'impatience déjà bien assez ombrageuse de Barabbas.

6.

Durant quelques semaines, ils oublièrent le drame qui les réunissait et la bataille qui les attendait. Les journées s'écoulèrent, douces et calmes, émaillées de petits bonheurs trompeurs comme le silence avant l'orage.

Miryem se chargea du soin des enfants. Halva s'accorda enfin le repos qui lui était nécessaire. Ses joues reprirent des couleurs, ses vertiges s'espacèrent et, chaque jour, son rire retentissait à l'ombre des grands platanes.

Joachim ne quittait plus l'atelier de Yossef. Il effleurait de la paume les outils, portait des copeaux à ses narines, caressait le poli du bois comme il avait, dans l'émerveillement de sa jeunesse, esquissé ses premières caresses amoureuses.

Lysanias, discrètement prévenu par Hannah, accourut, balbutiant de bonheur, bénissant Miryem, lui baisant le front. Il apporta de bonnes nouvelles de la vieille Houlda. Elle ne se ressentait plus des coups qu'elle avait reçus, retrouvait son allant et même son sale caractère.

– Elle me traite en vieux mari, glousssa-t-il avec ravissement. Aussi mal que si nous avions toujours vécu ensemble.

Le travail en commun lui manquait si fort qu'il se mit aussitôt à l'ouvrage avec Yossef et Joachim. En quelques semaines, à eux trois, ils réalisèrent l'ouvrage de quatre mois.

Chaque soir, rangeant ses outils comme il en avait l'habitude depuis des lustres, Lysanias déclarait avec satisfaction :

– Eh bien ! Voilà qui te fait gagner un bout de chemin.

Yossef, qui d'ordinaire approuvait d'un sourire reconnaissant, avant d'inviter tout le monde au repas, déclara un jour :

– Ça ne peut pas continuer ainsi. Je paie son dû à Lysanias, mais toi, Joachim, tu travailles sans accepter de salaire. C'est d'autant plus injuste que l'on me passe des commandes du fait que ton atelier est fermé. Je me fais honte. Il nous faut trouver un arrangement.

Joachim rit de bon cœur.

– Allons donc ! Le gîte, le couvert, le plaisir de l'amitié et la paix, le voilà, notre arrangement, Yossef. Cela me suffit. Ne t'inquiète pas, mon bon ami. Le risque que tu prends en m'accueillant ici avec Miryem est bien assez grand.

– Ne parle pas de Miryem ! Elle travaille autant qu'une servante.

– Que non ! Elle soulage ton épouse. Paie Lysanias comme il se doit, Yossef. Pour ce qui est de moi, n'aie aucun scrupule. Le bonheur à travailler avec toi me suffit. Dieu seul sait quand je pourrai récupérer mon atelier, et rien ne me comble davantage que de pouvoir m'agiter dans le tien.

Yossef protesta sans se départir de son sérieux. Joachim n'était pas sage. Il devait songer au lendemain, penser à Miryem et à Hannah.

– Désormais, que tu le veuilles ou non, à chaque

commande payée je mettrai de côté de l'argent pour toi.

Lysanias interrompit la discussion.

– Surtout, Yossef, impose des délais à tes clients, et des retards, aussi. Sinon, ils vont croire que tu as pactisé avec les démons pour travailler aussi vite !

Seul Barabbas demeurait d'humeur sombre. Impatient, sur le qui-vive, il restait persuadé que les mercenaires allaient fondre sur Nazareth pour se venger de la disparition de Joachim. Qu'ils s'en abstiennent le troublait et il craignait un mauvais coup. Pour ne pas être pris par surprise, il décida de faire le berger.

Du matin au soir, enveloppé d'une vieille tunique de lin aussi brune que la terre, il s'aventurait sur les pentes d'herbe folle autour de la maison, au milieu des têtes de petit bétail que Yossef avait réussi à soustraire à la rapacité des percepteurs. Il s'éloignait assez pour surveiller les allées et venues autour du village. Il prit tant de plaisir à cette liberté, à ces longues marches dans les parfums des collines exaltés par la chaleur de fin de printemps, qu'il lui arriva plus d'une fois de dormir à la belle étoile.

Son impatience, sa rage d'en découdre avec les mercenaires atténuèrent sa vigilance. Si bien qu'il ne s'aperçut pas du retour d'Abdias, plus discret qu'une ombre.

***

La nuit n'allait pas tarder. Miryem venait d'embrasser les enfants après leur avoir raconté une dernière histoire. Halva dormait déjà. De l'atelier derrière la maison lui parvenaient de joyeux éclats de voix. Voilà que de nouveau Joachim, Lysanias et Yossef manifestaient leur joie à travailler ensemble, songea-t-elle. Et, comme d'habitude, ils s'installeraient autour de la table, aussi avides de nourriture que de paroles.

Leurs discussions pouvaient durer des heures quand Barabbas était présent. Pourtant, elle ne parvenait pas à les prendre réellement au sérieux.

– Ne croirait-on pas des enfants qui veulent refaire le monde que le Tout-Puissant a créé ? avait-elle confié à Halva.

Toutes les deux plaisantaient en cachette, complices, de ce spectacle offert par l'orgueil des mâles. S'amusant encore à cette pensée, Miryem passa dans la pièce principale de la maison. Il faisait déjà sombre. L'odeur d'un tilleul embaumait, poussée par la brise du soir.

Elle alla chercher les lampes et une jarre d'huile afin de les remplir. À son retour, elle crut percevoir un souffle, une présence derrière elle. Elle scruta la pénombre du crépuscule autour d'elle. Celle-ci ne recelait aucune surprise. Aucune silhouette ne se tenait sur le seuil, découpée sur le ciel rougeoyant.

Elle se remit à la tâche. Mais, quand elle battit le briquet, des doigts légers lui ôtèrent la pierre des mains. Miryem s'écarta en poussant un cri, lâchant la mèche d'amadou. Un murmure s'éleva :

– C'est moi, Abdias. Pas la peine d'avoir peur !

– Abdias ! Quel sot ! Tu m'as effrayée. En voilà des manières de voleur !

Elle rit, attirant le garçon contre elle. Abdias s'abandonna en frissonnant à son étreinte avant de s'écarter non sans rudesse.

– Je ne voulais pas te faire peur ! chuchota-t-il, ému, en enflammant l'amadou. C'était bien de te regarder, après tout ce temps. Je suis drôlement content de te voir.

Les flammes des mèches grandirent assez pour dissiper l'ombre. Miryem devina la gêne soudaine du garçon après cet aveu. Elle ébouriffa sa chevelure sauvage d'un geste maternel.

– Moi aussi, je suis contente de te voir, Abdias... Es-tu revenu seul ?

– Non.

Abdias désigna l'atelier de Yossef d'un pouce négligent.

– Ils sont là. Les deux grands sages esséniens, comme dit ton père. Celui de Damas, pas de problème. Peut-être bien que c'est un vrai sage. Mais l'autre, Guiora de Gamala, c'est un fou. Il ne voulait même pas me voir. Alors m'écouter et prendre la lettre de Joachim, tu penses ! Je suis arrivé à Gamala blanc de poussière et la langue pendante. Crois-tu qu'ils m'auraient donné quelques gouttes d'eau ? Rien du tout.

Abdias grogna de dégoût.

– Les copains voulaient repartir, parce qu'il y avait un grand marché où l'on pouvait trouver de quoi se nourrir et faire nos affaires.

Miryem leva un sourcil accusateur.

– Tu veux dire voler ?

Abdias eut une grimace magnanime.

– Après toute la route et un pareil accueil, fallait bien qu'ils s'amusent. Moi, j'y suis pas allé. Je me suis arrangé à ma manière pour faire passer le message de Joachim à ce vieux poilu.

La fierté illumina son visage, estompant la bizarrerie de ses traits. La braise obscure de ses pupilles scintillait.

– Pendant trois jours et trois nuits, j'ai pas bougé de devant l'espèce de ferme où il habite avec ceux qui le suivent, expliqua-t-il. Tous avec la même tunique blanche, une barbe si longue qu'ils pourraient marcher dessus. Toujours un air furieux comme s'ils allaient te couper en morceaux. Toujours en train de se laver et de prier. Ils prient, ils prient, ils prient ! J'ai jamais vu des gens prier autant. Mais, quand même, en trois jours, ils ont eu tout le temps de me voir. Et ça les agaçait. Le quatrième jour, surprise ! j'étais plus là. Plus de am-ha-aretz pour souiller leurs regards. Ils ont couru raconter la bonne nouvelle à Guiora. Mais le soir, nouvelle surprise ! Quand Guiora entre dans sa chambre, qu'est-ce qu'il voit ? Moi, assis sur sa couche ! Le bond qu'il a fait, le cri qu'il a poussé, le sage essénien...

Abdias s'esclaffa de bon cœur au souvenir de la scène.

– J'aurais voulu que tu l'entendes, ameutant toute sa clique. Et moi, calme alors qu'ils étaient tous autour de moi à me houspiller. Il a fallu attendre qu'ils se fatiguent et j'ai pu raconter. Ça lui a demandé encore deux ou trois jours pour se décider. Quand même, nous voilà. Le retour a pris du temps parce qu'on s'arrêtait vingt fois par jour pour les prières... Si on doit faire la révolte avec Guiora, ce sera pas drôle.

Lorsqu'elle découvrit Guiora à son tour, Miryem songea qu'Abdias n'avait pas tort. Elle aussi fut impressionnée par l'apparence et le caractère du sage de Gamala.

L'homme était si petit, si barbu, qu'on ne pouvait lui donner d'âge. Sa silhouette paraissait fragile. Pourtant, il possédait une formidable énergie. Il ponctuait chacune de ses phrases d'un mouvement sec des mains, tandis que sa voix modulait les mots avec une gravité frissonnante. Ses yeux, lorsqu'il captait votre regard, ne vous lâchaient plus, vous donnant envie de baisser les paupières comme on se protège d'un éclat coupant.

Le soir même de son arrivée, il exigea que ni elle, ni Halva, ni Abdias ne partagent son repas. Cela eût été impur, expliqua-t-il, car les femmes et les enfants portent par nature faiblesse et infidélité. Seul Yossef et Joachim purent rompre le pain à sa table ainsi que, bien sûr, l'autre nouveau venu qui se nommait Joseph d'Arimathie et avait fait tout le chemin depuis Damas. Il y dirigeait, lui aussi, une communauté d'esséniens. Pourtant, s'il portait la même tunique d'un blanc immaculé que Guiora, il en était tout le contraire.

Grand et large, la barbe courte, le crâne chauve, les traits empreints de gentillesse, des manières accueillantes et douces. Il n'eut aucun regard désagréable pour Abdias. Miryem se sentit portée vers lui par une sympathie immédiate, sans autre raison que la sérénité lumineuse qui émanait de sa personne. Sa présence paisible parut, comme par magie, modérer la virulence de Guiora.

Le repas fut cependant un moment insolite. Le sage de Gamala réclama le silence absolu. À Joseph d'Arimathie, qui suggérait qu'en voyage la parole pouvait être tolérée, il répliqua, la barbe frémissante :

– Souillerais-tu notre Loi ?

Joseph d'Arimathie céda sans s'offusquer. Un bizarre silence emplit la maison. On n'entendit plus que les bruits des cuillères de bois dans les écuelles et celui des mâchoires.

Dégoûté, peut-être effrayé, Abdias attrapa une boulette de sarrasin et des figues. Il alla les déguster sous les arbres de la cour, bercé par les stridulations nocturnes des grillons et le bruissement des feuillages.

Par bonheur, le dîner ne se prolongea pas. Guiora annonça qu'après ses ablutions Yossef et Joachim devaient le rejoindre pour une longue prière. Joseph d'Arimathie, fatigué par la route, sut habilement leur épargner cette corvée. Il convainquit le sage de Gamala que la solitude de sa prière serait plus plaisante à l'Éternel.

***

Le jour suivant ne fut pas moins riche en surprises. Dès la première lueur du jour, Barabbas arriva, poussant son troupeau. Trois hommes couverts de poussière l'accompagnaient.

– Je les ai trouvés à la nuit tombante qui se perdaient dans les chemins creux, annonça Barabbas, goguenard, à Joachim.

Joachim esquissa un sourire en s'empressant de se joindre à Yossef pour accueillir les nouveaux venus. L'un d'eux, trapu et le teint mat, avait un large poignard griffé dans la ceinture de sa tunique.

– C'est moi, Lévi le Sicaire, annonça-t-il d'une voix forte.

Derrière lui, Joachim reconnut Jonathan de Capharnaüm. Le jeune rabbin inclina timidement la tête. Le plus âgé des trois, Éléazar le zélote de Jotapata, se précipita pour serrer Joachim dans ses bras en balbutiant son bonheur de le voir bien vivant.

– Dieu est grand de ne pas t'avoir fait monter près de Lui trop tôt ! s'exclama-t-il avec ravissement. Béni soit-Il !

Les deux autres approuvèrent bruyamment tandis que Barabbas, railleur, racontait qu'il les avait découverts dans la forêt. Épuisés, ils se dirigeaient vers la Samarie, à l'opposé du village, par crainte de trouver des mercenaires dans Nazareth.

– Je les ai laissés dormir quelques heures avant de nous mettre en route en nous guidant sur les étoiles. Pour de futurs combattants, ce n'est pas une mauvaise expérience.

Joseph d'Arimathie, attiré par le bruit, apparut dans la cour. Sa réputation de sagesse et de grand savoir médical, associée à la renommée des esséniens de Damas, le précédait en tout lieu. Aucun des nouveaux venus, cependant, n'avait déjà eu l'occasion de le rencontrer.

Joachim les lui présenta. Joseph d'Arimathie enveloppa leurs mains des siennes avec une simplicité qui les mit aussitôt à l'aise.

– La paix soit avec toi, répéta-t-il tour à tour à Lévi, Éléazar et Jonathan. Béni soit Joachim d'avoir voulu cette rencontre.

Un instant plus tard, Yossef les convia à s'asseoir autour de la grande table sous les platanes. Commença un long bavardage où chacun narra les aventures de sa vie et les malheurs de sa région, malheurs dont Hérode, toujours, était le responsable.

Tout ce temps, Halva et Miryem s'affairaient, garnissant la table de gobelets de lait caillé, de fruits et de galettes qu'Abdias, les joues rouges, décollait habilement des pierres brûlantes du four.

– J'ai passé une demi-année chez un boulanger, confia-t-il fièrement à Halva qui s'étonnait de sa dextérité. J'aimais bien.

– Et pourquoi n'es-tu pas devenu boulanger à ton tour ?

Le rire d'Abdias fut plus moqueur qu'amer.

– As-tu déjà vu un am-ha-aretz boulanger ?

Miryem avait entendu l'échange. Elle croisa le regard d'Halva. L'une et l'autre ne purent s'empêcher de rougir. Halva allait adresser une parole amicale à Abdias, quand un brusque éclat de voix dans la cour la fit se retourner. Le sage Guiora était devant les nouveaux venus, si raide et si tendu qu'on en oubliait sa petite taille.

– Pourquoi un tel vacarme ? J'entends vos cris jusque derrière la maison et je ne peux plus étudier ! s'exclama-t-il en gesticulant.

Tous le contemplèrent, stupéfaits. Joseph d'Arimathie dressa sa taille robuste et s'approcha assez de Guiora pour que leur différence physique soit frappante. Il sourit. Un sourire aimable, amusé et curieusement glacial. Sur ses traits, Miryem devina une force difficile à ébranler.

– Nos cris expriment notre joie d'être réunis, cher Guiora. Ces compagnons sont arrivés ici après une dure marche dans la forêt. Dieu les a guidés jusqu'à notre ami, qui les a conduits jusqu'à nous en se fiant aux étoiles.

– Se fier aux étoiles !

La barbe de Guiora s'agita. Ses épaules tremblèrent de fureur.

– Quelle ineptie ! glapit-il. Toi, un fidèle des sages, tu oses répéter de pareilles sornettes ?

Le sourire de Joseph d'Arimathie s'accentua tout en restant glacial.

Abdias avait quitté son four et se tenait tout près de Miryem. Elle devina qu'il retenait un quolibet. Là-bas, les nouveaux venus s'étaient levés, embarrassés par la colère de Guiora. Si Joachim paraissait amusé par la situation, Yossef observait les deux esséniens avec inquiétude. Sans répondre à l'agression de Guiora, Joseph d'Arimathie indiqua une place libre sur le banc.

– Guiora, mon ami, dit-il paisiblement, joins-toi à nous. Prends place autour de la table et bois un verre de lait. Il est bon que nous fassions connaissance.

– C'est inutile. La seule connaissance que nous devons cultiver, c'est celle de Yhwh. Moi, je retourne à ma prière pour la parfaire.

Il pivota brusquement, lança un regard furieux vers Miryem, Abdias et Halva qui se trouvaient sur son chemin, puis il se retourna encore, tout aussi brusquement.

– À moins de commencer cette réunion pour laquelle nous sommes là et qu'on en finisse ?

Joachim secoua la tête.

– Nicodème n'est pas encore arrivé. Il vaudrait mieux l'attendre.

– Le Nicodème du sanhédrin ? grinça Guiora avec dégoût.

Joachim hocha la tête.

– Il vient de Jérusalem. La route est longue, il doit la suivre avec prudence.

– Ainsi sont ces pharisiens ! Ils feraient attendre Dieu Lui-même.

– Laissons-lui la journée pour nous rejoindre avant de lancer notre discussion, intervint Joseph d'Arimathie, ignorant comme à son habitude les invectives de Guiora. D'ailleurs, nos amis doivent prendre un peu de repos. La pensée n'est claire que dans un corps en paix.

– Du repos ! Un corps en paix ! ricana Guiora. Balivernes de Damas ! Priez et étudiez, si vous voulez avoir l'esprit clair. Voilà ce qui est utile. Le reste n'est que foutaise et faiblesse !

Cette fois, il disparut derrière la maison sans se retourner. Abdias eut un grognement satisfait. Il effleura la main de Miryem.

– Je l'ai peut-être mal jugé, ce Guiora. Pas besoin de bataille ni de révolte. Il suffirait de le mettre devant Hérode. En moins d'un jour, ce fou d'Hérode serait encore plus fou et plus malade qu'il ne l'est déjà. « Guiora, notre arme secrète », voilà comment on devrait l'appeler !

Il avait dit cela à haute voix et avec un sérieux si comique qu'Halva et Miryem éclatèrent de rire.

Là-bas, autour de la table, les hommes les observèrent en fronçant les sourcils, le reproche aux lèvres. Barabbas lui-même foudroya Abdias du regard. Mais Joseph d'Arimathie, qui avait entendu comme les autres, rit lui aussi, quoique avec mesure. Alors, tous furent saisis d'un fou rire qui leur fit grand bien.

***

Au cœur de l'après-midi, tandis que le soleil de fin de printemps chauffait déjà, les camarades d'Abdias, éparpillés à des postes de guet sur les chemins, déboulèrent dans la cour.

– Il y en a un qui arrive par le chemin de Tabor !

– Le sage du sanhédrin ?

– On dirait pas. Ou alors il est déguisé. On croirait plutôt une ombre.

En compagnie de Barabbas et des enfants de Yossev, Joachim se porta à la rencontre du nouvel arrivant. Dès qu'il en aperçut la silhouette, il comprit que ceux-ci avaient raison. Ce n'était pas Nicodème. Vêtu d'un manteau de lin brun, la capuche lui voilant le visage, l'homme avançait vite et son ombre paraissait courir derrière lui tel un fantôme.

– Qui peut être ce bougre ? grommela Joachim. Crois-tu que nous l'ayons invité ?

Barabbas se contenta de suivre l'inconnu du regard. À l'instant où ce dernier bascula son capuchon, il s'exclama :

– Matthias de Guinchala !

L'homme poussa un cri chevalin, agita des mains scintillantes de bagues d'argent. Barabbas lui agrippa les épaules, ils s'enlacèrent avec force démonstrations d'amitié.

– Joachim, je te présente mon ami, un frère, autant dire. Matthias a conduit la révolte de Guinchala l'an dernier. S'il en est un, en Galilée, qui peut faire montre de courage contre les mercenaires d'Hérode, le voilà.

En vérité, ce courage lui avait sculpté la face, songea Joachim en le saluant. Le front de Matthias était barré de deux larges cicatrices traçant un vide pâle et disgracieux dans sa chevelure. Sous sa barbe grisonnante, on devinait des lèvres couturées et des gencives aux dents rares. Pour l'ensemble, un visage terrible et qui expliquait pourquoi Matthias préférait le cacher sous une capuche.

– J'ai appris que tu te baladais par ici, dit-il à Barabbas. L'envie m'a pris de venir te féliciter pour ton exploit à Tarichée ! Et causer de votre révolte...

Barabbas rit avec une jovialité excessive qui dissimulait mal son embarras, alors que Joachim s'étonnait :

– Tu l'as su ? Et comment ?

– Je sais tout ce qui se passe en Galilée, rigola Matthias.

Il saisit le poignet de Barabbas de ses doigts bagués.

– Tu aurais pu m'inviter avec un beau message, comme les autres.

– Tu sais aussi pour les messages ? s'étonna froidement Joachim. En effet, on ne peut rien te cacher.

– Tu as attrapé un des gosses, c'est ça ? marmonna Barabbas, avec une grimace offusquée, mais peu convaincante.

– Celui qui allait porter ton message à Lévi le Sicaire, déclara Matthias avec un clin d'œil appuyé. Il ne faut pas lui en vouloir. Devant moi, le pauvre gamin a eu la trouille. Devant un autre, il aurait tenu sa langue. Mais bon, je lui ai donné une jolie bourse pour prix de son dévouement. Je voulais te faire la surprise.

Joachim les observait, entre ironie et colère. La comédie que lui jouaient les deux compères de brigandage ne le trompait pas. Pas un instant il ne douta que Barabbas se fût débrouillé pour prévenir Matthias... Et sans confier à quiconque cette invitation, de crainte que Joachim ne s'y opposât. Ce dont il se serait abstenu, car ce n'était pas une mauvaise idée.

– Une surprise qui devrait plaire à nos amis, approuva-t-il d'un ton narquois qui fit comprendre aux deux larrons qu'ils ne l'avaient pas abusé.

***

Assurément, l'entrée de Matthias dans la cour de la maison fit son effet. Abdias ne cacha pas enthousiasme.

– Voilà un vrai guerrier, souffla-t-il à Miryem, très excité. On dit qu'il s'est battu seul contre trente-deux mercenaires. Ils sont tous morts et lui... Tu as vu son visage ? Ça, c'en est une, de balafre !

Yossef, Éléazar et Lévi accueillirent Matthias sans préjugé. Joseph d'Arimathie se montra aimable et surtout curieux de ses cicatrices. Jonathan parut désemparé d'avoir en face de lui deux vrais brigands sur lesquels couraient des rumeurs peu flatteuses. Tous, cependant, guettèrent avec un peu d'anxiété la réaction de Guiora. Mais Matthias, à qui Joachim et Barabbas avaient dépeint le caractère sourcilleux du sage essénien, s'inclina devant lui avec un respect qui parut magnifiquement sincère.

Guiora le considéra un moment. Puis il haussa les épaules et se contenta d'exhaler un soupir d'impatience entre ses lèvres sèches.

– En voilà un de plus, grommela-t-il à l'adresse de Joachim et de Joseph d'Arimathie. Ce n'est toujours pas votre pharisien de Jérusalem. À quoi bon attendre encore ? Il ne viendra pas. Il ne faut jamais se fier aux serpents du sanhédrin, vous devriez le savoir.

Barabbas approuva avec une chaleur qui plut à Guiora. Néanmoins Joachim, soutenu par Joseph d'Arimathie, demanda que l'on patiente encore.

Finalement, alors que la lumière annonçait le crépuscule, les jeunes guetteurs am-ha-aretz prévinrent de l'approche d'un petit équipage.

– Un équipage ? s'étonna Barabbas.

– Un gros type sur une mule claire et un esclave perse qui trotte derrière lui. De l'or dans la tunique et des colliers qui suffiraient à nous payer une dizaine de beaux chevaux.

Assurément, Nicodème, le pharisien du sanhédrin, arrivait. Il y eut des sourires, mais personne n'émit de remarque.

Lorsque Nicodème entra dans la cour, tous, même Guiora, l'attendaient. C'était un homme que l'embonpoint rendait avenant et sans âge. Il portait sa tunique brodée de soie avec une aisance sans afféterie. Il avait aux doigts autant de bagues d'or que Matthias en possédait d'argent.

Toutefois, ses manières n'avaient rien d'arrogant et sa voix possédait un charme confortable qui le rendait agréable à écouter. Il accueillit avec simplicité le respect qui lui était dû. Couvrant Guiora d'éloges pour ses vertus et ses prières, avant même que ce dernier puisse prononcer un mot, il fit preuve d'autant d'habileté que de sagesse. Il poursuivit en racontant qu'il avait dû s'arrêter en chemin dans de nombreuses synagogues.

– Dans toutes je répète cette vérité : que nous autres du sanhédrin, à Jérusalem, nous ne nous rendons pas assez souvent dans les villages d'Israël afin d'y respirer l'air de notre peuple. Et ainsi, ajouta-t-il avec un sourire, chacun peut voir que seul un souci ordinaire me conduit jusqu'en Galilée. C'est aussi la raison, mes amis, pour laquelle il me faut voyager avec un esclave et une mule, sinon, cela paraîtrait suspect. D'ailleurs, je ne vais pas rester longtemps chez toi ce soir, Yossef. J'ai promis au rabbin de Nazareth de dormir chez lui. Je vous retrouverai ici demain matin et nous pourrons parler autant que vous le désirez.

Il prit à peine le temps de boire un gobelet avant de reprendre le chemin du village. Ce qui, au fond, soulagea chacun. En particulier Halva et Miryem, qui craignaient, outre le nombre croissant de bouches à nourrir, de devoir affronter des manières dont elles ignoraient tout.

Toutefois, lorsque Nicodème, sa mule et son esclave eurent quitté la cour, un silence embarrassé s'installa. Matthias le rompit avec un petit grognement amusé.

– Si demain les mercenaires sont là pour nous prendre, nous saurons pourquoi.

Les autres le dévisagèrent, alarmés.

– J'ai toujours été opposé à sa venue, intervint Barabbas avec un regard de reproche à Joachim.

Le jeune rabbin Jonathan protesta :

– Vous avez tort de dire cela. Je connais Nicodème. Il est honnête et plus courageux que son apparence ne le laisse supposer. En outre, il n'est pas mauvais d'entendre l'opinion d'un homme qui connaît les coulisses du sanhédrin.

– Si tu le penses... soupira Barabbas.

***

Au soir, alors que la nuit était bien avancée et qu'Halva et elle tombaient de fatigue après avoir rangé et lavé la maison dans la lumière chiche des lampes, Miryem, incapable de s'expliquer clairement son intuition, eut soudain la conviction que toutes les paroles qui seraient prononcées le lendemain n'aboutiraient à rien.

Allongée dans le noir près des enfants, dont le souffle régulier était comme une caresse, elle se reprocha durement cette pensée. Son père Joachim avait eu raison de convier ces hommes. Joseph d'Arimathie avait raison de soutenir la présence de Nicodème. Même la présence « du Guiora », comme le nommait Abdias, était une bonne chose. Barabbas se trompait. Plus les hommes étaient différents, plus ils devaient se parler.

Mais, de ces paroles, que feraient-ils ?

Ah ! Pourquoi toutes ces questions ? songeait-elle. Il était trop tôt pour se forger une opinion.

Elle se trouva bien prétentieuse de porter le moindre jugement sur des choses, pouvoir, politique ou justice, qui étaient depuis toujours l'affaire des hommes. D'où tenait-elle son assurance ? Certes, elle savait aussi bien réfléchir que son père ou que Barabbas. Mais de manière différente. Eux possédaient l'expérience. Elle n'avait que son intuition.

Elle devait se montrer modeste. D'ailleurs, douter en un pareil moment équivalait à trahir Barabbas et Joachim.

Elle s'endormit en se promettant de demeurer désormais à sa place, souriant dans le noir à la pensée que Guiora de Gamala saurait sans nul doute l'y contraindre.

7.

Les ablutions et les prières du matin achevées, Joachim considéra les visages levés vers lui.

– Loué soit l'Éternel Dieu, Roi du monde, qui nous a donné la vie, nous a maintenus en bonne santé et nous a permis d'atteindre ce temps-ci, déclara-t-il avec émotion.

– Amen ! répondirent les autres.

– Nous savons pourquoi nous sommes ici, reprit Joachim, mais Nicodème, levant sa main baguée d'or, l'interrompit.

– Je n'en suis pas certain, ami Joachim. Ta lettre ne disait rien de clair, sinon que tu voulais réunir quelques sages afin d'affronter l'avenir d'Israël. C'est bien vague. Il y a autour de cette table des visages que je découvre, d'autres qui me sont familiers. Pour ce qui est de mes frères esséniens, je connais un peu leurs pensées, et même leurs reproches à mon égard.

Il s'inclina avec un sourire amusé vers Guiora et Joseph d'Arimathie. Le charme de sa voix opérait. Chacun comprit que si Nicodème avait su se tailler une réputation face aux sadducéens de Jérusalem, c'était parce qu'il savait manier le langage.

Joachim eut du mal à cacher son embarras et, d'instinct, chercha l'aide de Joseph d'Arimathie. Barabbas, dont les yeux brillaient de colère, fut plus rapide.

– La raison de cette rencontre, je peux te la dire, car elle vient de ma volonté, annonça-t-il. Elle est simple. Nous autres, en Galilée, nous ne supportons plus la poigne d'Hérode sur nos vies. Nous ne supportons plus ses injustices ni la souillure que ses mercenaires infligent à Israël. Nous ne supportons plus que Rome soit son maître, et donc le nôtre. Cela dure depuis trop longtemps. Il faut y mettre fin. Dès maintenant.

Guiora émit un gloussement sarcastique, seul son troublant le parfait silence qui suivit les paroles de Barabbas. Maintenant, tous guettaient la réaction de Nicodème. Celui-ci hocha la tête, les doigts joints sous le menton.

– Et comment comptes-tu y mettre fin, cher Barabbas ?

– Par les armes. Par la mort d'Hérode. Par le soulèvement du peuple qui souffre. Par une révolte qui emporte tout. Voilà comment. Je n'étais pas favorable à ta venue. Mais, à présent, tu sais tout. Tu peux nous dénoncer ou te joindre à nous.

En prononçant cette dernière phrase Barabbas avait posé la main sur l'épaule de Joachim, qui s'en trouva gêné. Non pas à cause de cette manifestation d'amitié, mais parce que Barabbas lui semblait aller trop vite et trop loin. La brutalité est une mauvaise stratégie. Ce n'était sûrement pas ainsi qu'il fallait s'y prendre pour convaincre Nicodème, ni même peut-être les autres.

D'ailleurs, il en voyait déjà le résultat. Si Lévi le Sicaire et Matthias approuvaient Barabbas avec des grognements enthousiastes, les autres baissaient prudemment les yeux. À l'exception de Joseph d'Arimathie, qui demeurait calme et attentif.

Quant à Guiora et à Nicodème, ils s'accordaient dans une même moue dédaigneuse.

Joachim en craignit l'effet sur Barabbas et s'empressa d'intervenir.

– Barabbas dit cela à sa manière. Elle n'est pas fausse. Je lui dois beaucoup, à cette manière. Je lui dois la vie...

Un grincement aigu l'interrompit, faisant sursauter le jeune rabbin Jonathan.

– Ah, certainement pas !

Guiora pointa un doigt sec vers la poitrine de Joachim.

– Certainement pas ! Tu ne dois la vie qu'à la volonté de Yhwh. Je connais ton histoire de Tarichée. Ta violence, ici, à Nazareth, et ton séjour sur la croix. Tu es descendu de cette croix non parce qu'un gamin t'en a décroché, mais parce que Yhwh l'a voulu ! Sans Sa volonté, tu y pourrirais.

Le doigt pointé et le regard incendiaire de Guiora se posèrent sur Barabbas comme une menace.

– Pas de quoi être fier de tes exploits, brigand que tu es. Tu n'as été que l'instrument de l'Éternel ! Ainsi sont nos destins : la volonté de Dieu !

Écarlate, Barabbas se dressa.

– Veux-tu dire que Dieu souhaite la folie d'Hérode et son emprise sur la Galilée ? Sur Israël ? Qu'il souhaite que ses mercenaires nous humilient et nous tuent ? Qu'il souhaite que les précepteurs du Temple nous volent et nous traînent dans la boue ? Qu'il souhaite toutes ces croix où pourrissent des Juifs comme toi ? Si c'est le cas, Guiora, gronda Barabbas, je te le dis bien en face : ton Yhwh, tu peux te le garder. Et même : je le combattrai autant qu'Hérode et les Romains !

Les cris firent trembler les feuillages des platanes au-dessus de leurs têtes.

– Ne blasphème pas ! s'interposa Nicodème. Ou je devrais m'en aller. Guiora exagère. Ses mots dépassent sa pensée. Dieu n'est pour rien dans nos malheurs...

– Si ! glapit Guiora. Mes paroles sont justes, et tu m'as très bien compris, pharisien ! Vous gémissez tous : Hérode ! Hérode ! Tout est la faute d'Hérode ! Que non. Tout serait la faute du peuple à la nuque raide. C'est ce que disait Moïse, et il avait raison. Peuple à la nuque raide qui erre dans le désert car il ne mérite pas Canaan. Douleur et honte. Voilà où nous en sommes !

Les protestations enflèrent de nouveau, mais sans impressionner Guiora, dont la voix sèche s'imposa.

– Qui, en ce pays, suit les lois de Moïse, comme le réclame le Livre ? Qui prie et se purifie comme le prescrit la Loi ? Qui lit et apprend la parole du Livre pour bâtir le Temple dans son cœur, ainsi que l'a ordonné le prophète Ezra ? Personne. Les Juifs d'aujourd'hui singent leur amour de Dieu. Ce qui leur plaît, c'est d'assister à des courses de chevaux, comme des Romains, d'aller voir jouer des pièces de théâtre, comme des Grecs ! Ils couvrent d'images les murs de leurs maisons. Sacrilège des sacrilèges, ils s'activent désormais les jours de shabbat ! Et jusque dans le sein du sanhédrin, où le commerce surpasse la foi.

Guiora conclut avec fureur :

– Ce peuple est impie. Il mérite cent fois sa punition. Hérode n'est pas la cause de vos malheurs : il est la conséquence de vos fautes !

S'ensuivit un bref silence accablé, que rompit une voix profonde. Celle d'Éléazar, le zélote de Jotapata.

– Je te le dis du fond du cœur, sage de Gamala : tu te trompes. Dieu désire le bien de Son peuple. Il nous a élus dans Son cœur. Nous, et nul autre. Je respecte tes prières, mais je suis aussi pieux que n'importe quel essénien. S'il en est un qui blasphème, ici, je crains que ce ne soit toi.

– Tu n'es qu'un pharisien, comme l'autre ! s'obstina Guiora, la barbe hérissée de fureur. Vous, les zélotes, vous voulez qu'on vous estime supérieurs parce que vous assassinez des Romains. Mais par la pensée, vous n'êtes que des pharisiens...

– Serait-ce une insulte d'être pharisien ? s'offusqua Nicodème, perdant son calme.

Avant que Guiora ne réplique, Joseph d'Arimathie, qui n'avait encore rien dit, lui posa une main très ferme sur le bras et déclara avec une autorité qui surprit tout le monde :

– Cette dispute est vaine. Nous connaissons nos divergences. À quoi bon les creuser ? Essayons de parler avec amitié.

Le zélote le remercia d'un signe de tête.

– Nul plus qu'un zélote n'est soumis aux lois de Moïse. Pour nous aussi, le comportement d'Hérode est une souillure. L'aigle d'or des Romains qu'il a permis de dresser sur le temple de Jérusalem brûle nos yeux de honte. Nous aussi, nous reprochons au peuple de n'être ni sage ni pieux, comme le veut Yhwh. Mais je te le répète, Guiora, l'Éternel Tout-Puissant ne peut vouloir le malheur de Son peuple. Barabbas et Joachim ont raison : le peuple souffre et ne peut endurer plus. Voilà la vérité. Nos fils sont crucifiés, nos frères expédiés dans les arènes, et nos sœurs vendues comme esclaves. Jusqu'à quand allons-nous le supporter ?

– Je ne suis pas loin de ta pensée, ami Éléazar, fit Nicodème en ignorant les protestations de Guiora. Mais cela signifie-t-il qu'il nous faille répliquer par les armes et le sang ? Vous, les zélotes, combien de fois avez-vous affronté les Romains ou les mercenaires d'Hérode ?

– Un bon millier, tu peux en être sûr ! rigola Lévi

le Sicaire en soulevant son poignard. Et tu peux dire qu'il leur en cuit encore...

– Que vous croyez ! objecta froidement Nicodème. Moi, je ne m'en aperçois guère. Rome est toujours le maître d'Hérode. Allons, un peu de jugeote. Une révolte ne vous mènera à rien. Si jamais vous vous montrez capables de la mener !

Il secoua la tête en signe de doute.

– Et pourquoi es-tu si sûr de toi ? interrogea Matthias avec un soupçon de mépris. Ce n'est pas au sanhédrin qu'on peut juger de ce qui peut se faire avec des lances et des épées.

Il repoussa son capuchon, découvrant son visage qu'un sourire rendait encore plus terrifiant.

– Des gueules comme la mienne ne s'y promènent pas. Pourtant, regarde-la bien, parce qu'elle dit qu'on peut se battre contre les Romains et les mercenaires et... les vaincre.

Il scruta les uns et les autres, jouissant de son effet.

– Pour moi, c'est bon, reprit-il. Si Barabbas part en guerre contre Hérode, nous autres, nous sommes prêts.

– Prêts à vous faire tailler en pièces, comme l'an dernier, quand vous avez tenté de prendre Tarichée, intervint le jeune rabbin Jonathan.

– Aujourd'hui n'est pas hier, rabbin. Nous manquions d'armes. La leçon nous a servi. Pas plus tard qu'il y a une lune, dans la baie du Carmel, près de Ptolémaïs, nous avons saisi deux barques romaines chargées de lances, de dagues et même d'une machine de siège. Désormais, si le peuple en a le courage, nous pouvons armer douze mille hommes.

Barabbas approuva d'un grognement volontaire.

– Il y a un temps pour la paix et un temps pour la guerre. Le temps de la guerre est venu.

– Tu veux dire : le temps pour toi de mourir ?

insista Nicodème, alors que Guiora l'approuvait bruyamment.

Matthias et Barabbas eurent le même geste d'exaspération.

– S'il faut mourir, nous mourrons ! Cela vaut mieux que de vivre à genoux.

– Sornettes et sornettes ! grommela Lévi le Sicaire. La question n'est pas de mourir. Je n'ai pas peur de mourir au nom de l'Éternel, *al kiddouch ha-Chem*. La question est : pouvons-nous abattre Hérode, puis vaincre Rome ? Car voici comment les choses vont se passer : si nous affaiblissons ce fou, il appellera Augustus le Romain à son secours. Et là, il faut bien l'admettre, une autre histoire commencera.

– Le Romain se moque d'Hérode ! s'énerva Barabbas. Les marchands racontent que toutes les légions de l'empire se pressent aux frontières du nord, où les Barbares les attaquent sans cesse. On dit même qu'à Damas le gouverneur Varron a dû se défaire d'une légion...

Barabbas guetta l'accord de Joseph d'Arimathie. Celui-ci approuva du bout des lèvres :

– C'est ce que l'on raconte, oui.

Barabbas frappa la table du poing.

– Alors, je vous le dis : jamais il n'y a eu de meilleur moment pour abattre Hérode. Il est vieux et malade. Ses fils, ses filles, son épouse, toute sa clique se disputent et ne rêvent que de le trahir pour lui dérober le pouvoir ! Dès que sa maladie lui laisse un peu de répit, Hérode en empoisonne quelques-uns pour se rassurer. Dans son palais, tout le monde a peur. Depuis les cuisiniers jusqu'aux filles de putasserie. Même les officiers romains ne savent plus auprès de qui prendre leurs ordres. Les mercenaires ont peur de ne plus être payés... Je vous le répète : c'est le chaos chez Hérode ! À nous d'en profiter.

L'occasion ne se représentera pas de sitôt. Le peuple de Galilée n'a à perdre que ses peurs et sa timidité. Matthias et moi pouvons entraîner des milliers d'am-ha-aretz avec nous. Vous, les zélotes, vous avez vos partisans. Votre influence dans les villages galiléens est grande. On vous admire pour les coups que vous portez au tyran. Si vous le proposez, on vous suivra. Et toi, Nicodème, tu pourrais réunir à Jérusalem des gens qui nous sont favorables. Si la Judée se soulève en même temps que nous, tout est possible. Le peuple d'Israël n'attend que notre détermination pour rassembler son courage et nous suivre...

– C'est ce que tu crois ? Tu crois à une folie, l'interrompit Nicomède sans plus aucune rondeur dans la voix. On n'invente pas une armée ni une guerre. Des pauvres bougres ne deviennent pas des soldats capables de vaincre des mercenaires aguerris par des années de combat. Ta révolte nous couvrira de sang, et pour rien.

– Tu dis ça parce que tu hais les am-ha-aretz ! s'enflamma Barabbas. Comme tous les pharisiens, comme tous les nantis de Jérusalem et du Temple, vous n'avez au cœur que mépris pour les pauvres. Vous êtes des traîtres à votre peuple...

– Qu'elle est ta proposition, Nicodème ? demanda Joachim afin de modérer l'exaspération de Barabbas.

– Attendre.

Les cris de Matthias et de Barabbas, du sicaire et du zélote vrillèrent la chaleur qui commençait à cerner l'ombre où ils se tenaient.

Nicodème leva les mains avec autorité.

– Vous vouliez mon avis. Je suis venu jusqu'ici pour vous le donner. Vous pourriez au moins m'écouter.

De mauvaise grâce les autres lui accordèrent le silence qu'il réclamait.

– C'est le chaos dans la maison d'Hérode, tu as raison, Barabbas. Mais justement : pourquoi vouloir avancer l'œuvre de Dieu ? Pour verser le sang et répandre de la douleur sur la douleur, alors que le Tout-Puissant punit Hérode et sa famille ? Vous devez croire en la clairvoyance de l'Éternel. C'est Lui qui décide du Bien et du Mal. Pour ce qui est d'Hérode et de sa famille d'impies, Sa justice est déjà à l'œuvre. Bientôt, ils ne seront plus. Alors, il sera temps de faire pression sur le sanhédrin...

– Je te comprends, Nicodème, fit Joachim. Mais je crains qu'il ne s'agisse d'un rêve. Hérode mourra et un autre fou prendra sa place, voilà ce qui se passera...

– Que vous êtes ignorants ! grinça Guiora, le regard exalté et qui n'en pouvait plus de se retenir. Que vous êtes de mauvais Juifs ! Ignorez-vous qu'il n'en est qu'un qui vous sauvera ? Avez-vous oublié la parole de Yhwh ? Celui que vous attendez pour vous sauver, bande d'ignares, c'est le Messie ! Lui seul, vous m'entendez ? Lui seul sauvera le peuple d'Israël de la boue où il s'enfonce. Stupide Barabbas, ignores-tu que le Messie se moque de ton glaive ? Il veut ton obéissance et tes prières. Si tu veux la fin du tyran, viens donc avec nous dans le désert suivre l'enseignement du maître de Justice. Viens ajouter ta prière à nos prières pour hâter la venue du Messie. Voilà ton devoir.

– Le Messie, le Messie ! Toi et tes semblables, vous n'avez que ce mot à la bouche ! On dirait des bébés qui attendent le sein de leur mère. Le Messie ! Vous ne savez pas même s'il existe, votre messie. Pas même si vous le verrez un jour. Partout sur nos chemins on trouve des fous braillant qu'ils sont le Messie ! Le Messie ! Ce n'est qu'un mot qui dissimule votre peur et votre lâcheté.

– Barabbas, cette fois, tu passes les bornes ! s'insurgea Nicodème, les joues écarlates.

– Nicodème a raison, renchérit le rabbin Jonathan, déjà debout. Je ne suis pas venu ici pour subir ton impiété.

– Dieu a promis la venue du Messie, approuva Éléazar le zélote en pointant un doigt accusateur sur la poitrine de Barabbas. Guiora a raison. Notre pureté hâtera sa venue.

– Mais notre glaive aussi, car il s'abat sur l'impie comme une prière, ajouta Lévi le Sicaire.

Les cris retombèrent.

– Bon, j'ai compris, soupira Matthias, rabattant sa capuche sur son front et se dressant.

Comme tous l'observaient avec une soudaine inquiétude, il effleura l'épaule de Barabbas d'une tape amicale.

– Tu as réuni une assemblée de pleurnichards, mon ami. Hérode n'a pas tort de les mépriser. Avec ceux-là, il peut encore régner longtemps. Et moi, je n'ai plus rien à faire ici.

Il tourna les talons. Nul n'entendit les crissements des grillons et des cigales qui embrasaient l'air, seulement le frottement de ses sandales tandis qu'il quittait la cour de Yossef sans autre salut.

***

Dans la fraîcheur de la cuisine, Miryem et Halva guettaient les moindres bruits provenant de l'extérieur. Après le départ de Matthias et le long silence qui s'ensuivit, les hommes reprirent leur discussion. Cette fois avec tant de retenue qu'on eût cru qu'ils s'effrayaient de leurs propres mots.

Miryem s'approcha de la porte. Elle perçut la voix de Joseph d'Arimathie, calme mais si basse qu'elle dut faire un effort pour le comprendre. Lui aussi croyait à la venue du Messie, disait-il. Barabbas se trompait en voyant dans cette foi une faiblesse. Le Messie était une promesse de vie, et seule la vie engendrait la vie, tout à l'opposé d'Hérode, qui engendrait la mort et la souffrance.

– Croire à la venue du Messie, c'est être certain que Dieu ne nous abandonne pas. Que nous méritons Son attention et que nous sommes assez forts pour supporter et défendre Sa parole. Pourquoi voudrais-tu ôter cet espoir et cette force à notre peuple, Barabbas ?

Barabbas faisait la moue, mais les propos de Joseph d'Arimathie portaient et chacun autour de la table approuvait.

– Cependant, tu as raison sur un point, ajouta le sage de Damas. On ne peut pas demeurer les bras croisés devant la souffrance. Il faut repousser le mal que répand Hérode. Il faut faire en sorte que le bien devienne notre Loi, accomplir tout ce que l'on peut, nous, les hommes, pour rendre la vie plus juste. C'est cela, et pas uniquement la prière, comme le croit Guiora, qui permettra la venue du Messie. Oui, nous devons nous unir contre le mal...

– Il parle bien, murmura Halva en serrant le bras de Miryem. Mieux encore que ton Barabbas.

Miryem faillit répliquer que Barabbas n'était pas « son » Barabbas, mais, en se tournant vers Halva, elle découvrit des larmes dans ses yeux.

– Mon Yossef n'a pas ouvert la bouche, le pauvre. Mais peut-être est-ce lui qui a raison, ajouta-t-elle avec un triste sourire. Toutes ces belles phrases ne servent à rien, n'est-ce pas ?

L'angoisse étreignit Miryem. Halva avait raison. Mille fois raison. Et c'était effrayant. Elle assistait à l'odieuse folie des hommes.

Son père comme Barabbas, elle le savait, étaient bons et forts. Barabbas parlait bien, savait convaincre et conduire les hommes. Joseph d'Arimathie était sans doute le plus sage de tous, et les autres, même Guiora, n'avaient d'autre désir que de faire le bien et de se comporter en honnêtes hommes. Ils faisaient étalage de leur savoir et de leur pouvoir, mais c'est leur impuissance qui les dressait les uns contre les autres dans un spectacle insupportable...

– Bon sang, il est parti pour de bon !

C'était Abdias. Il revenait tout essoufflé d'avoir couru derrière Matthias.

– Je l'ai appelé. Je lui ai demandé de revenir, mais il a seulement levé la main pour me dire adieu.

Lui aussi avait la gorge serrée et les larmes aux yeux. Lui aussi découvrait l'impuissance de ceux qu'il admirait, et la honte lui empoignait le cœur.

Là-bas, Nicodème, avec un peu d'aigreur, demandait à Joseph d'Arimathie s'il avait perdu la tête. Voulait-il lui aussi prendre les armes ? L'essénien répondait que non, que la violence ne lui semblait jamais la bonne solution. Des mots qui, à nouveau, entraînèrent des propos sanglants de Barabbas. Guiora intervint, reprenant de sa voix aigre sa litanie sur la prière et la pureté, et criant que la seule violence valide était celle voulue par Dieu.

– Vont-ils recommencer ? soupira Halva.

– S'ils se disputent encore, pronostiqua Abdias, accablé, Barabbas s'en ira. Je le connais. Je me demande comment il a pu supporter aussi longtemps Guiora et le gros du sanhédrin.

Cependant, Joachim tentait d'apaiser la discorde d'une voix posée. Cette réunion était un échec, affirma-t-il non sans amertume. Autant se l'avouer. Se quereller comme ils le faisaient ne servait qu'à illustrer leurs faiblesses et à reconnaître la force d'Hérode et des Romains. Il s'en voulait de les avoir contraints à un voyage long et inutile...

Joseph d'Arimathie protesta avec calme.

– Il n'est jamais inutile de chercher la vérité,

même si elle nous est désagréable. Et il est un point qui nous met tous d'accord : le pire ennemi du peuple d'Israël n'est pas Hérode, c'est notre propre désunion. Voilà pourquoi Hérode et les Romains sont forts. Nous devons nous unir !

– Mais comment ? s'exclama Joachim. La Judée, la Samarie et la Galilée sont désunies, comme nous sommes désunis au Temple et devant la lecture du Livre. Si nous sommes sincères, nous nous disputons. Tu viens de le voir toi-même.

Était-ce la tristesse dans la voix de son père ? Les larmes de découragement d'Halva ou la déception d'Abdias ? Ou encore le mutisme obstiné de Yossef, dont elle voyait le visage accablé ? Miryem ne le sut jamais.

Ce fut plus fort qu'elle. Elle attrapa un grand panier d'abricots qu'elle venait de préparer et s'élança dans la cour. Elle s'avança jusqu'aux hommes, la poitrine et le visage brûlants. La vigueur de son pas les fit taire. Elle affronta l'étonnement et le reproche qui durcissaient déjà leurs traits. Sans en tenir compte, elle posa le panier de fruits sur la table et se tourna vers son père.

– Me permets-tu de dire ce que je pense ? demanda-t-elle.

Joachim ne sut que répondre et consulta les autres du regard. Guiora déjà levait la main pour la chasser, mais Nicodème saisit un abricot dans le panier avec un sourire condescendant et approuva d'un signe.

– Pourquoi pas ? Dis-nous donc ce que tu penses.

– Non, non, non ! protesta Guiora. Je ne veux rien entendre de cette fille !

– Cette fille est ma fille, sage de Gamala, s'offusqua Joachim, le rouge au front. Elle et moi connaissons le respect que l'on te doit, mais je ne l'ai pas éduquée dans l'ignorance et la soumission.

– Non, non ! répéta Guiora en se levant. Je ne veux rien entendre des infidèles...

– Parle, dit gentiment Joseph d'Arimathie en ignorant la fureur de son frère essénien. Nous t'écoutons.

La gorge sèche, Miryem se sentait à la fois de feu et de glace. Confuse et néanmoins incapable de retenir les phrases qui lui brûlaient le cœur. Du regard, elle supplia son père bien-aimé de lui pardonner et déclara :

– Vous aimez les mots, mais vous ne savez pas vous en servir. Vous parlez sans fin. Cependant vos paroles sont aussi stériles que des cailloux. Vous les jetez à la face des autres pour ne rien entendre de ce qui se dit. Rien ne peut vous unir, car chacun ne reconnaît rien de plus sage que lui-même...

Guiora, qui s'était déjà écarté, se retourna d'un bond qui fit voler sa longue barbe.

– Oublies-tu Yhwh, fille ? tonna-t-il. Oublies-tu que chaque mot vient de Lui ?

Avec un courage douloureux, Miryem secoua la tête.

– Non, sage de Gamala, je ne l'oublie pas. Mais la parole de Dieu que tu aimes, c'est celle que tu étudies dans le Livre. Elle te rend savant, mais elle ne sert pas à nous unir, décréta-t-elle avec une fermeté qui les sidéra.

Miryem vit leurs expressions stupéfaites, y devina de la colère ou de l'incompréhension. Elle craignit de les avoir offensés alors qu'elle voulait les aider. D'un ton plus tendre, elle ajouta :

– Vous êtes tous savants et moi je ne suis qu'une ignorante, mais je vous écoute et je constate que votre savoir ne sert qu'à la dispute. Qui, parmi vous, saurait être celui que chacun écoute ? Et si vous parveniez à vaincre Hérode, que se passerait-il ? Vous

vous disputeriez comme avant et vous vous battriez les uns contre les autres ? Les pharisiens contre les esséniens. Tous contre les sadducéens du sanhédrin.

– Alors, toi aussi tu attends le Messie ! ricana Barabbas.

– Non... Je ne sais pas... Tu as raison : il y en a tant qui se lèvent et crient : « Je suis le Messie. » Néanmoins, ils n'accomplissent rien. Ils ne sont que le fruit infécond de leur rêve. À quoi bon pousser le peuple à se soulever contre Hérode si nul d'entre vous ne sait vers quoi le conduire ? Hérode est certes un mauvais roi, il répand le malheur sur nous. Mais qui, parmi vous, saurait être notre roi de justice et de bonté ?

Elle baissa la voix, comme si elle voulait leur confier un secret.

– Seule une femme qui connaît le prix de la vie peut donner la vie à cet être-là. Le prophète Isaïe n'a-t-il pas dit que le Messie naîtra d'une jeune femme ?

En silence ils la dévisageaient. La stupeur figeait leurs traits.

– Nous avons compris, ricana Guiora. Tu veux être la mère du Libérateur. Mais qui sera le père ?

– Peu importe le père...

Le ton de Miryem devint incantatoire, son regard absent.

– Yhwh, saint, saint, saint est Son nom, décidera.

Personne ne dit mot, jusqu'à ce que Barabbas se lève d'un bond. La fureur déformait son visage. Il s'approcha de Miryem d'un pas si vif qu'elle recula.

– Je croyais que tu étais avec moi. Tu disais que tu voulais cette révolte, qu'il ne servait à rien d'attendre ! Mais tu es bien comme toutes les filles : un jour tu fais croire une chose et le lendemain son contraire !

Chacun entendit le ricanement de Guiora. Joachim posa la main sur le poignet de Barabbas.

– S'il te plaît, dit-il en s'obligeant à parler bas.

Barabbas libéra sèchement son bras pour se frapper la poitrine avec un rictus de dégoût.

– Toi qui es si intelligente, lança-t-il à Miryem, tu devrais le savoir : c'est moi, moi, Barabbas, qui serai le roi d'Israël !

– Non, Barrabas, non. Seul l'homme qui ne connaîtra d'autre père, d'autre autorité que l'Éternel, le père qui est au Ciel, aura le courage d'affronter l'ordre imposé par la méchanceté des hommes et de le changer.

– Folle que tu es ! C'est moi, Barabbas, je suis le seul ici à n'avoir jamais connu de père. Barabbas, le roi d'Israël ! Vous verrez...

Il tourna les talons, s'éloigna à grandes enjambées vers le chemin qui sortait de la cour. Il hurla encore :

– Barabbas le roi d'Israël ! Vous verrez...

Miryem aperçut Abdias qui bondissait à sa suite. Avant de disparaître, il lui adressa une grimace navrée.

Les cris de Barabbas avaient dissipé la stupéfaction des autres. Nicodème et Guiora s'accordaient dans un même rire méprisant.

– Ce garçon est fou. Il serait bien capable de mettre le pays à feu et à sang.

– Il est bon et courageux, répliqua Joachim. Et il est jeune. Il sait faire vivre un espoir que nous ne sommes plus capables d'entretenir.

Il avait prononcé ces derniers mots en croisant le regard de sa fille. Dans ses yeux, passa la douceur d'un sourire triste où Miryem crut lire un reproche.

Le silence des autres la condamnait plus sûrement que des mots. Elle s'enfuit vers la cuisine, transie de honte.

8.

La nuit était profonde. Seule la stridulation régulière d'un inlassable grillon rompait le silence autour de la maison de Yossef. L'aube ne devait plus être loin.

Incapable de dormir, Miryem avait quitté sa couche près des enfants. Elle guettait la lumière du jour tout en la redoutant, espérant que l'obscurité qui l'enveloppait ne cesse jamais.

Elle ne pouvait s'empêcher de revivre cette folie qui l'avait prise d'aller parler devant les hommes. La honte qu'elle avait infligée à son père ne la quittait plus. Et Barabbas ! Elle aurait voulu courir derrière lui et lui demander son pardon.

Pourquoi était-il si plein d'orgueil ? Elle l'admirait et lui serait pour toujours reconnaissante de ce qu'il avait déjà accompli. Dieu sait qu'elle n'avait pas voulu le blesser ! Pourtant, il était parti avec la conviction qu'elle l'avait trahi. Et Abdias avec lui...

Cette grimace qu'Abdias lui avait adressée avant de suivre Barabbas lui brûlait encore le cœur.

Les autres avaient quitté la maison de Yossef avec le même accablement, le même visage navré. Éléazar le zélote, le rabbin Jonathan, Lévi le

Sicaire... Nicodème et Guiora avaient ajouté la mauvaise humeur à leurs adieux.

Seul Joseph d'Arimathie n'avait pas fui. Il avait gentiment demandé à Halva une couche pour la nuit. La route de Damas était longue et il préférait se reposer avant de s'en retourner.

Miryem n'avait pas su, pas eu le courage de s'excuser auprès d'eux. Soudain les mots lui avaient manqué, elle n'avait surtout pas voulu ouvrir la bouche de peur de prononcer encore des paroles blessantes.

Elle n'avait pas même eu le courage de paraître au repas du soir, malgré les exhortations d'Halva. Halva qui l'avait embrassée avec toute la tendresse dont elle était capable. Répétant qu'elle avait eu raison, mille fois raison de leur dire cette vérité qu'ils ne savaient pas entendre.

Mais Halva parlait d'un cœur débordant d'amitié et sa confiance en Miryem l'aveuglait jusqu'à la déraison.

Non ! La vérité était sortie de la bouche de Guiora : elle n'était qu'une fille pleine d'orgueil qui se mêlait de ce qui ne la regardait pas. Elle avait jeté la discorde entre eux comme une pierre. Quelle sottise ! Alors même qu'elle voulait les unir !

Oh ! pourquoi ne pouvait-on remonter le temps pour réparer ses fautes ?

***

Maintenant, la nuit pâlissait au-dessus de Nazareth. Une fraîcheur, humide de rosée, avait engourdi Miryem sans qu'elle y prenne garde, ivre qu'elle était de ses pensées, de ses reproches et de ses doutes.

Elle n'entendit qu'au dernier moment des pas derrière elle. Yossef s'approchait, une grande couverture dans les mains et un sourire aux lèvres.

– Je m'apprêtais à aller soigner les bêtes, puisque Barabbas a abandonné son rôle de berger.

Il la considéra, fronçant les sourcils, remarquant ses yeux rouges, ses lèvres frémissantes, la chair de poule qui couvrait ses bras nus.

– J'espère que tu n'es pas assez folle pour avoir passé la nuit ici ?

Il la recouvrit de la couverture en ajoutant, plein de tendresse :

– Réchauffe-toi, sinon tu vas prendre mal. L'aube est traîtresse.

– Yossef, je m'en veux tellement, murmura Miryem en agrippant sa main.

Les mots lui rabotèrent la gorge.

Yossef retint sa main dans les siennes.

– Et de quoi t'en veux-tu, Seigneur Dieu ?

– J'ai tellement honte... Jamais je n'aurais dû parler comme je l'ai fait hier devant vous tous. Quelle honte, oui ! À vous aussi, toi et mon père, je vous ai fait honte.

– Es-tu folle ? Honte ? Bien au contraire. Moi qui ne disais pas un mot car je ne sais jamais exprimer mes pensées, surtout devant un Guiora, j'ai été si heureux de t'entendre ! C'était du miel qui coulait dans mes oreilles. Ah oui ! Tu disais enfin ce qu'il fallait que nous entendions...

– Yossef ! Tu ne penses pas ce que tu dis.

– Et comment ! Nous le pensons tous. Ton père, Halva. Même le sage de Damas. Il nous l'a dit hier soir. Si tu ne t'étais pas cachée, tu l'aurais entendu.

– Mais les autres ont fui...

– De honte, oui. Pour le coup, eux, oui, avaient honte. Ils savaient que tes paroles étaient justes. Ils n'avaient rien à ajouter. Tu as raison. Nous ne savons pas nous rassembler dans une même volonté. Messie ou pas messie, celui qui sera capable de nous unir et de nous guider n'est pas né. Pour des gens comme Guiora ou Nicodème, ce n'est pas une vérité facile à admettre.

Il soupira et secoua la tête.

– Oui... Chacun doit interroger sa conscience.

– Barabbas ne pense certainement pas ainsi, murmura Miryem, ébranlée.

Yossef s'exclama, moqueur :

– Barabbas !... Tu le connais mieux que nous. Il veut tant se battre ! Il est si impatient. Et surtout : il veut t'éblouir. Qui sait s'il ne sera pas capable de devenir le roi d'Israël juste pour te conquérir !

L'ironie de Yossef se mua en rire.

Miryem baissa le front, chancelante de fatigue, abasourdie par ce qu'elle venait d'entendre. Yossef disait-il vrai ? Se serait-elle trompée sur les réactions des uns et des autres ?

Yossef ajouta :

– Tu as gâché pour rien une bonne nuit de sommeil. Viens dans la maison. Halva va s'occuper de toi.

***

Yossef disait vrai.

Alors qu'elle achevait de boire un bol de lait chaud, Joachim vint la retrouver. Les yeux brillants, il murmura à son oreille :

– Je suis fier de toi.

Joseph d'Arimathie apparut, souriant. Sous la bienveillance perçait une attention aiguë et sérieuse.

– Joachim m'avait confié que sa fille n'était pas commune. Je crois qu'il ne se trompe pas et que son orgueil de père n'y est pour rien.

Miryem détourna le regard, pleine d'embarras.
– Je suis une fille comme une autre. J'ai simplement plus mauvais caractère. Il ne faut pas prendre mes paroles d'hier au sérieux. J'aurais mieux fait de me taire. D'ailleurs, je ne sais pas moi-même pourquoi cette pensée m'est venue. Peut-être parce que Guiora m'agaçait, ou parce que Barabbas...

Elle n'acheva pas sa phrase. Les trois hommes et Halva eurent un même rire.

– Ton père m'a expliqué que tu as appris à lire et à écrire, ici, à Nazareth, fit Joseph d'Arimathie.

– Très peu...

– Cela te plairait-il d'aller passer quelque temps chez des femmes amies, à Magdala ? Là-bas, tu pourrais apprendre davantage.

– Apprendre ? Mais apprendre quoi ?

– À lire des ouvrages grecs et romains. Des livres qui font réfléchir, comme la Thora, cependant d'une manière différente.

– Je suis une fille ! s'exclama Miryem, qui n'en croyait pas ses oreilles. Une fille n'apprend pas dans les livres...

Sa réplique amusa beaucoup Joseph, mais pas Joachim, qui grommela que si elle commençait à parler comme Hannah, sa mère, elle lui ferait honte pour de bon.

– Il arrive que la cervelle d'une femme vaille mieux que celle de beaucoup d'hommes, déclara le sage de Damas. Ces femmes de Magdala sont comme toi. Plus que la volonté d'être savantes, elles ont soif de comprendre et d'être utiles par leurs pensées.

– Et puis tu dois songer aux jours qui viennent, intervint Joachim. Nous ne pourrons pas retourner dans notre maison de Nazareth avant longtemps...

Miryem hésita, regarda les enfants qui s'accrochaient à la tunique de son amie.

– Justement, Halva a besoin de moi, ici. Ce n'est pas le moment de la laisser seule...

Halva allait protester, quand des cris, dehors, l'interrompirent. Ils reconnurent la voix d'Abdias avant qu'il surgisse dans l'encadrement de la porte.

– Ça y est ! cria le jeune am-ha-aretz, tout essoufflé. Ils sont dans Nazareth !

– Qui ?

– Les mercenaires, pardi ! Barabbas avait raison. Cette fois, ils viennent pour toi, père Joachim !

Il y eut un moment de confusion. On pressa Abdias de parler. Il raconta comment, alors que, sur la route de Sepphoris, il dormait sous les branches basses d'un acacia en compagnie de Barabbas et de ses compagnons, il avait été réveillé par des bruits de troupe. Une cohorte romaine suivie d'une centurie au moins de mercenaires se dirigeait vers Nazareth. Ils se hâtaient dans l'aube et portaient encore les torches avec lesquelles ils avaient éclairé leur chemin dans la nuit. Des mules les suivaient, tirant des charrettes chargées de fagots et de jarres d'huile.

– Des fagots et de l'huile ! s'étonna Joseph d'Arimathie. Et pour quoi faire ?

– Pour mettre le feu au village, répondit Joachim d'une voix blanche.

– Pas au village, corrigea Abdias en secouant la tête. À ta maison et à ton atelier de charpentier.

– Ah ! Tu en es sûr ?

– Barabbas nous a demandé d'aller réveiller tout le monde dans les maisons pour que les Romains ne surprennent personne en plein sommeil. Mais quand les mercenaires sont arrivés, ils sont allés droit à ta maison...

– Seigneur Dieu !

Yossef pressa l'épaule de son ami. Joachim lui échappa, s'élança vers la porte. Abdias le retint,

– Attends ! Ne fais pas l'idiot, père Joachim, ou ils vont te prendre.
– Mon épouse est là-bas. Ils vont la maltraiter ! s'écria Joachim en le repoussant.
– Je te dis de ne pas faire la bourrique, grinça Abdias, ses mains menues pesant contre la poitrine de Joachim.
– Je vais y aller, intervint Yossef. Moi, je ne risque rien...
– Ah, vous m'écoutez, à la fin ? cria Abdias. Il n'arrivera rien à ton épouse, père Joachim, elle est en chemin avec les amis ! On l'a tirée de la maison et j'ai couru devant pour t'avertir. Et aussi pour ne pas l'entendre crier, parce qu'elle me casse les oreilles que c'est pas croyable...
Abdias tenta un sourire pour faire passer sa pique.
– Où est Barabbas ? demanda Miryem. S'il reste dans le village il risque de se faire arrêter.
Abdias hocha la tête en évitant de la regarder.
– Non, non... Il a... Il n'est pas revenu avec nous. Il a dit que tu n'avais plus besoin de lui. À l'heure qu'il est, il ne doit plus être loin de Sepphoris.
Il y eut un bref silence. Joachim, le visage livide, chuchota :
– Cette fois, c'est fini. Je n'ai plus de maison. Plus d'outil...
– On ne pouvait rien faire, murmura Abdias. Barabbas avait vu juste : les mercenaires devaient rappliquer un jour ou l'autre.
– Et Lysanias ? s'enquit soudain Yossef.
– Le vieux fou qui travaillait avec vous ? Il a failli se faire tuer, celui-là. Il voulait pas quitter l'atelier. Il braillait encore plus fort que l'épouse du père Joachim. Les voisins l'ont presque assommé pour qu'il se taise.

– Il n'est pas prudent de nous attarder ici, intervint Joseph d'Arimathie.

– Ça, c'est sûr, approuva Abdias. Les mercenaires vont pas tarder à mettre leur nez dans chaque recoin, histoire de faire peur à tout le village.

– Vous pouvez vous cacher dans l'atelier, proposa Yossef.

– Non. Tu as assez pris de risques, déclara fermement Joachim en s'approchant de la porte. Joseph d'Arimathie a raison. Dès qu'Hannah nous aura rejoints, nous partirons pour Jotapata. Mon cousin Zacharias le prêtre nous accueillera.

– Je t'accompagne jusque là-bas avec mes copains, père Joachim.

Pour toute réponse, alors qu'il guettait l'arrivée d'Hannah sur le chemin, Joachim posa la main sur la nuque d'Abdias, comme un père l'aurait fait. L'émotion brouilla le regard de Miryem. À son côté, Joseph d'Arimathie déclara avec douceur :

– Tes parents sont en de bonnes mains, Miryem. Toi, il serait plus sage que tu me suives à Magdala.

Deuxième partie

Le choix de Damas

9.

Miryem cria :

– Mariamne ! Ne nage pas trop loin...

C'était un avertissement inutile. Elle le savait. Le bonheur de vivre de Mariamne était contagieux. La fille de Rachel était belle à voir. Elle nageait avec toute la vigueur, toute l'insouciance affamée de son âge. L'eau glissait telle une huile transparente sur son corps gracile. À chacun de ses mouvements, des reflets de cuivre ondoyaient sur ses longs cheveux, déployés autour d'elle ainsi que des algues vivantes.

Joseph d'Arimathie avait conduit Miryem dans la maison de Rachel, à Magdala, il y avait de cela deux années. Dès son arrivée, Rachel avait déclaré que la nouvelle venue ressemblait à sa fille Mariamne comme à une sœur. Les nombreuses femmes qui l'entouraient avaient approuvé et s'étaient exclamées :

– Vraiment, c'est extraordinaire, vous êtes aussi semblables que vos prénoms : Mariamne et Miryem !

Cela était dit avec tendresse. Mais sans justesse.

Bien sûr, les deux jeunes filles avaient en commun certains traits, ainsi que leurs silhouettes.

Pourtant, Miryem ne percevait entre elles deux que des différences, et qui n'étaient pas dues seulement à l'âge, même si Mariamne, plus jeune de quatre ans, possédait encore toute la fougue et l'inconstance de l'enfance.

Il n'y avait rien, pas même l'apprentissage ardu des langues et des savoirs, que Mariamne ne parvenait à transformer en jouissance. Cette gourmandise de plaisirs produisait un contraste permanent avec l'austérité de Miryem. La fille de Rachel était née pour tout aimer du monde, et Miryem lui enviait ce pouvoir de ravissement.

Si elle plongeait dans sa propre mémoire, elle ne trouvait rien de tel. Durant les premiers mois de son séjour à l'ombre de l'exubérance de sa jeune compagne, sa propre sagesse, sa volonté et son obstination lui avaient souvent parues pesantes. Mais Mariamne avait montré qu'elle possédait de la joie pour deux. Miryem n'en avait que plus aimé sa présence. Une amitié les avait vite liées qui aidait, aujourd'hui encore, Miryem à mieux supporter ce caractère un peu ombrageux que le Tout-Puissant lui avait accordé.

Ainsi, des jours heureux, paisibles et studieux, s'étaient-ils écoulés dans cette belle demeure dont les cours et les jardins s'étendaient jusqu'à la rive du lac de Génézareth.

Rachel et ses amies n'étaient pas des femmes ordinaires. Elles ne montraient rien de la retenue que l'on exigeait d'habitude des filles et des épouses. Elles parlaient de tout, riaient de tout. Une grande partie de leur temps était consacrée à des lectures et à des conversations qui eussent horrifié les rabbins, convaincus que les femmes n'étaient bonnes qu'à l'entretien du foyer, au tissage ou, quand elles étaient fortunées, comme

Rachel, à une oisiveté aussi arrogante que dénuée de sens.

Veuve depuis dix ans d'un commerçant propriétaire de plusieurs navires voguant entre les grands ports de la Méditerranée et que le char d'un officier romain avait sottement écrasé dans une rue de Tyr, Rachel était riche. Et elle usait de sa fortune d'une manière inattendue.

Refusant d'habiter, à Jérusalem ou à Césarée, les luxueuses demeures héritées de son mari, elle s'était s'installée à Magdala, un bourg de Galilée à deux jours de marche de Tarichée. Là, on oubliait la cohue et le vacarme des grandes villes et des ports. Même les jours les plus chauds une brise douce soufflait du lac, dont on percevait tout le jour le ressac régulier, sous le pépiement des oiseaux. Selon les saisons, les amandiers, les myrtes et les câpriers explosaient de couleurs. Au pied des collines, les paysans de Magdala cultivaient assidûment de longues bandes de sénevé et des vignes opulentes bordées de haies de sycomores.

Disposée autour de trois cours, la maison de Rachel possédait la sobriété et la simplicité des bâtisses juives d'antan. Débarrassées du fatras opulent qui, d'ordinaire, surchargeait les demeures soumises à l'influence romaine, plusieurs pièces avaient été transformées en salles d'étude. Dans les bibliothèques se pressaient des ouvrages des philosophes grecs et des penseurs romains du temps de la République, des rouleaux manuscrits de la Thora, en araméen et en grec, et des textes des prophètes datant de l'exil en Babylonie.

Dès que possible, Rachel invitait auprès du lac les auteurs qu'elle affectionnait. Ils séjournaient à Magdala le temps d'une saison, travaillant, enseignant et échangeant leurs pensées.

Joseph d'Arimathie, bravant la défiance traditionnelle des esséniens envers les femmes, s'y présentait parfois. Rachel appréciait grandement sa présence. Elle l'accueillait avec tendresse. Miryem avait appris qu'en secret elle soutenait de ses deniers la communauté de Damas, où Joseph diffusait sa sagesse et son savoir de la Thora. Il y enseignait également la science de la médecine et soulageait autant qu'il le pouvait les souffrances des gens ordinaires.

Mais, surtout, Rachel avait ouvert ses portes aux femmes de Galilée désireuses de s'instruire. Et cela avec une grande discrétion. S'il fallait craindre la suspicion et les espions d'Hérode et des Romains, l'esprit borné des rabbins et des maris n'était pas une menace moins redoutable. Nombre de celles qui franchissaient le seuil de la maison de Magdala, la plupart épouses de marchands ou de riches propriétaires, le faisaient en cachette. À l'abri du dégoût des hommes pour les femmes instruites, elles se livraient avec délice à l'apprentissage de l'écriture et de la lecture, très souvent transmettant à leurs propres filles le goût du savoir comme la passion de la réflexion.

Ainsi, Miryem avait appris ce qui, habituellement, était réservé, en Israël, à peu d'hommes : la langue grecque, la philosophie de la politique. Avec ses compagnes d'étude elle avait lu et discuté les lois et règles qui régissent la justice d'une république ou la puissance d'un royaume, s'était interrogée sur les forces et les faiblesses des tyrans et des sages.

Autant qu'elle, Rachel et ses amies souffraient du joug d'Hérode. L'humiliation morale et matérielle, ainsi que la décrépitude du peuple d'Israël s'aggravaient. Cette violence, ce tourment, devenaient un sujet obsédant de débat. Et engendraient trop souvent un terrible constat d'impuissance. Elles n'avaient que leur intelligence et leur obstination à opposer au tyran.

Selon les rumeurs, la maladie plongeait Hérode dans une démence toujours plus meurtrière. Désormais, il cherchait à entraîner le peuple d'Israël dans son enfer. Chaque jour ses mercenaires se montraient plus cruels, les Romains plus méprisants et les sadducéens du sanhédrin plus rapaces. Cependant, Rachel et ses amies craignaient la mort d'Hérode. Comment, alors, empêcher qu'un autre fou, plus jeune, issu de son sang corrompu, ne s'empare du pouvoir ?

Certes, Hérode semblait vouloir assassiner sa famille entière. Déjà celle de son épouse avait été décimée. Mais le roi avait distribué sa semence avec largesse tout au long de son existence, et nombreux étaient ceux qui pourraient se réclamer de son lignage. Ainsi, lorsque le tyran recevrait enfin son châtiment, le peuple d'Israël risquait fort de ne pas être libéré de son mal.

Miryem avait raconté comment Barabbas avait espéré, puis échoué, engendrer une révolte qui renverse le tyran, mais aussi affranchisse Israël de Rome et chasse la gangrène sadducéenne du Temple.

Si elles s'attristaient devant les sottes disputes opposant les zélotes, les pharisiens et les esséniens, les femmes de Magdala ne pouvaient cependant se résoudre à la violence pour atteindre la paix. Socrate et Platon, qu'elles admiraient, n'enseignaient-ils pas que les guerres conduisaient à plus d'injustice, à plus de souffrances pour les peuples et à la grandeur éphémère des vainqueurs aveuglés par leur force ?

Mais pour autant devaient-elles se ranger à l'imprévisible intervention de Dieu ? Devaient-elles se contenter d'attendre que l'Éternel, et Lui seul, par l'intermédiaire du Messie, les libère des malheurs dont les hommes et les femmes d'Israël ne parvenaient pas à les délivrer ?

Le plus grand nombre le croyait. D'autres, dont Rachel, estimaient que seule une justice nouvelle, née de l'esprit humain et de la volonté humaine, une justice fondée sur l'amour et le respect, pouvait les sauver.

– La justice enseignée par la loi de Moïse est grande et même admirable, expliquait Rachel avec une conviction provocante. Mais ses faiblesses, nous les voyons bien, nous, les femmes. Pourquoi établit-elle une inégalité entre la femme et l'homme ? Pourquoi Abraham peut-il offrir son épouse Sarah à Pharaon sans que cette faute l'accable ? Pourquoi l'épouse est-elle toujours poussière dans la main de l'époux ? Pourquoi, nous autres femmes, comptons-nous pour moindres que les hommes dans l'humanité, alors que, par le nombre et le travail, nous valons autant qu'eux ? Moïse avait choisi une Noire pour être la mère de ses fils. Alors, pourquoi sa justice n'accueille-t-elle pas dans une même égalité tous les hommes et toutes les femmes de la terre ?

À celles qui protestaient qu'il s'agissait là d'une pensée impie, que la justice de Moïse ne pouvait s'adresser qu'au peuple choisi par Yhwh dans son Alliance, Rachel répondait :

– Croyez-vous que le Tout-Puissant ne désire le bonheur et la justice que d'un seul peuple ? Non ! C'est impossible. Cela Le rabaisserait au rang de ces divinités grotesques qu'adorent les Romains ou de ces idoles perverses que vénèrent les Égyptiens, les Perses et les Barbares du Nord.

Des protestations jaillissaient. Comment Rachel osait-elle penser une chose pareille ? Depuis l'origine, l'histoire d'Israël ne consacrait-elle pas le lien entre Dieu Tout-Puissant et Son peuple ? Yhwh n'avait-Il pas dit à Abraham : « Je te choisis et ta descendance sera dans Mon lien d'Alliance. »

– Mais Yhwh a-t-Il dit qu'Il n'accorderait Sa justice, Sa force et Son amour à aucun autre peuple ?

– Veux-tu que nous cessions d'être juives ? murmurait une femme de Tarichée, effarée. Jamais je ne pourrais te suivre. Ce n'est pas concevable...

Rachel secouait la tête, expliquait encore :

– N'avez-vous jamais songé que l'Éternel ait pu vouloir l'Alliance avec notre peuple comme une première étape ? Pour que nous tendions la main à tous les hommes et à toutes les femmes ? Voilà ce que, moi, je pense. Oui, je crois que Yhwh attend de nous plus d'amour envers les hommes et les femmes de ce monde, sans exception.

Longuement, discutant jusque dans l'obscurité de la nuit où s'épuisait l'huile des lampes, Rachel cherchait à démontrer que l'obsession des rabbins et des prophètes à conserver leur sagesse et leur justice pour le seul bénéfice du peuple d'Israël était peut-être la source de leur malheur.

– Ce que tu veux, se moquait une autre, c'est donc que l'univers entier devienne juif ?

– Et pourquoi pas ? rétorquait Rachel. Lorsqu'un troupeau se scinde et que la plus petite de ses parties se met à l'écart, elle s'affaiblit et risque de se faire dévorer par les fauves. Il en va ainsi de nous. Les Romains l'ont compris, eux qui veulent imposer leurs lois aux peuples du monde entier afin de demeurer forts. Nous aussi, nous devrions avoir l'ambition de convaincre le monde que nos lois sont plus justes que celles de Rome.

– La belle contradiction ! Ne dis-tu pas toi-même que notre justice n'est pas assez juste, puisqu'elle nous écarte, nous, les femmes ? En ce cas, pourquoi vouloir l'imposer au reste du monde ?

– Tu as raison, admettait Rachel. Avant tout, nous devrions changer nos lois...

– Eh bien, tu ne manques pas d'imagination ! lançait une rieuse, détendant l'atmosphère. Changer la cervelle de nos époux et de nos rabbins, voilà un défi qui s'annonce plus difficile encore à relever que d'en finir avec Hérode, je vous le dis.

***

Des jours durant, Miryem les avait écoutées débattre ainsi, leur humeur alternant entre le plus grand sérieux et le rire. Elle intervenait rarement, préférant laisser à d'autres, plus expérimentées, le plaisir d'affronter l'esprit aigu de Rachel.

Pourtant, jamais les débats ne se muaient en disputes ou en chicanes stériles. Bien au contraire, les oppositions étaient une école de liberté et de respect. La règle édictée par Rachel, sur le modèle des écoles grecques, était que nulle ne devait réprimer ses opinions, que nulle ne devait condamner les paroles, les idées et même les silences de ses compagnes.

Cependant, après avoir enthousiasmé Miryem, ces riches échanges en vinrent à l'attrister irrémédiablement. Plus ils étaient passionnés et brillants, moins ils voilaient une vérité lancinante : pas plus Rachel que ses amies ne trouvaient de solution pour vaincre la tyrannie d'Hérode. Elles ignoraient le moyen d'unir le peuple d'Israël dans une seule force. Au contraire, mois après mois, les nouvelles qui parvenaient à Magdala indiquaient que la crainte des jours à venir accablait les plus démunis, les paysans, les pêcheurs, ceux dont le commerce ou l'ouvrage parvenait tout juste à assurer la survie.

Sans autre recours, méprisés par les riches de Jérusalem et par les prêtres du Temple, ils accordaient foi aux beaux parleurs, faux prophètes et bavards impuissants qui pullulaient dans les villes et les bourgades. Rugissant des discours effrayants, où les menaces alternaient avec la promesse d'événements surnaturels, ces braillards se prétendaient prophètes des temps nouveaux. Hélas, leurs prophéties se ressemblaient toutes. Elles n'étaient qu'exhalaisons haineuses contre les hommes et annonciations apocalyptiques peintes par des imaginations débridées, avides de châtiments odieux. Il semblait que la volonté de ces hommes, qui s'annonçaient comme purs, pieux et exemplaires, n'était que d'ajouter l'effroi au désespoir qui habitait déjà le peuple. Aucun ne se souciait d'apporter le moindre remède aux plaies qu'ensemble ils dénonçaient.

Malgré la douceur de la vie à Magdala, malgré la joie communicative de Mariamne et la tendresse de Rachel, plus le temps passait, plus ce chaos destructeur imprégnait les pensées de Miryem. Ses silences s'allongeaient, ses nuits étaient mauvaises, troublées de raisonnements sans issue. Les débats autour de Rachel finirent par lui paraître bien vains et les rires des compagnes bien légers.

Mais sa propre impuissance n'était-elle pas une faute ? Ne s'était-elle pas trompée du tout au tout ? Au lieu de demeurer dans le luxe de cette maison n'aurait-elle pas dû suivre Barabbas et Matthias dans un combat qui, au moins, n'était pas que de mots ? Cependant, chaque fois sa raison rétorquait qu'elle agitait là le miroir aux illusions. Le choix de la violence était, plus que tout autre, celui de l'impuissance. C'était agir comme les faux prophètes : ajouter la douleur à la douleur.

Pourtant, elle ne pouvait demeurer sans rien faire.

Depuis peu, une décision mûrissait en elle : quitter Magdala.

Elle devait rejoindre son père, se rendre utile auprès de sa cousine Élichéba, chez laquelle Joachim et Hannah avaient trouvé refuge. Ou aller auprès d'Halva, sur qui le poids des jours et des enfants devait peser bien lourd. Oui, voilà ce qu'elle devait faire : aider la vie à grandir au lieu de demeurer ici, dans ce luxe où les savoirs, aussi brillants fussent-ils, s'effaçaient sous l'effet de la réalité comme une fumée dispersée par le vent.

Elle n'avait pas encore osé l'annoncer. Rachel s'était absentée, allant elle-même accueillir au port de Césarée des bateaux qu'elle affrétait pour Antioche et Athènes. Outre les tissus, les épices de Perse et le bois de Cappadoce dont elle faisait, à la suite de son époux, le commerce, cette flotte devait lui revenir avec des livres depuis longtemps attendus. Et puis ce jour était celui du quinzième anniversaire de Mariamne. Miryem ne voulait pas gâcher la fête de sa jeune amie. Mais, désormais, elle comptait avec impatience les jours avant son départ.

***

– Miryem ! Miryem !

Les appels de Mariamne la tirèrent de ses pensées.

– Viens donc ! L'eau est si douce !...

De la main, elle refusa.

– Ne sois pas si sérieuse, insista Mariamne. Ce jour n'est pas comme les autres.

– Je ne sais pas nager...

– N'aie pas peur. Je vais t'apprendre... Allons ! C'est mon anniversaire. Accorde-moi ce cadeau : viens nager avec moi.

Combien de fois Mariamne avait-elle tenté de la convaincre de la rejoindre dans le lac ? Miryem ne les comptait plus.

– Mon cadeau, répliqua-t-elle en riant, tu l'as déjà.

– Pff ! grogna Mariamne. Un bout de la Thora ! Tu parles si c'est drôle...

– Ce n'est pas un « bout de la Thora », sotte que tu es. C'est la belle histoire de Judith, celle qui sauva son peuple grâce à son courage et à sa pureté. Une histoire que tu devrais connaître depuis longtemps. Et copiée de ma main. Ce qui devrait te remplir de reconnaissance.

Pour toute réponse, Mariamne se laissa couler sous l'eau. Avec une aisance de naïade, elle nagea le long de la rive. Son corps nu ondoya avec grâce sur le fond vert du lac.

L'impudeur même de Mariamne était belle. Ainsi peut-être qu'avait pu l'être celle de Judith, qui avait déclaré à la face de tous : « Écoutez-moi ! Je vais accomplir quelque chose dont le souvenir se transmettra de génération en génération dans notre peuple. » Et qui l'avait accompli si bien que Dieu avait sauvé le peuple d'Israël de la tyrannie d'Holopherne l'Assyrien.

Mais aujourd'hui, qui saurait être Judith ? La beauté d'une femme, si extraordinaire soit-elle, n'apaiserait pas les démons qui œuvraient dans les palais d'Hérode !

Dans un crissement liquide, le visage de Mariamne surgit brusquement à la surface du lac. La jeune fille jaillit hors de l'eau, bondit sur la rive. Avant que Miryem ne réagisse, elle se jeta sur elle avec un grognement de fauve.

Criant et riant, elles roulèrent sur l'herbe, enlacées, luttant. De toutes ses forces Mariamne tentait d'entraîner Miryem dans l'eau, son corps nu trempant la tunique de son amie.

À bout de souffle, secouées par le rire, leurs doigts entrecroisés, elles se laissèrent aller sur le dos. Miryem attira la main de Mariamne pour l'embrasser.

– Quelle folle tu fais ! Regarde l'état de ma tunique !

– C'est bien fait pour toi. Tu n'avais qu'à venir nager...

– Je n'aime pas l'eau autant que toi... Tu le sais bien.

– Tu es surtout trop sérieuse.

– Il n'est pas difficile d'être plus sérieuse que toi.

– Allons ! Tu n'es pas obligée d'être aussi silencieuse. Ni aussi triste. Toujours à penser à on ne sait quoi. Ces derniers temps, c'est pire que jamais. Avant, on s'amusait ensemble... Tu pourrais être aussi joyeuse que moi, mais tu ne le veux pas.

Mariamne se redressa sur un coude et posa l'index sur le front de Miryem.

– Tu as un pli qui se forme entre les sourcils. Ici ! Certains jours je le vois dès le matin. Continue et tu auras bientôt des rides, comme une vieille.

Miryem ne répliqua pas. Elles demeurèrent silencieuses un instant. Mariamne fit une grimace et demanda dans un murmure inquiet :

– Tu es fâchée ?

– Bien sûr que non.

– Je t'aime tellement. Je ne veux pas que tu sois triste à cause de mes bêtises.

Miryem lui répondit, baissant les yeux avec douceur :

– Je ne suis pas triste, puisque tu dis la vérité. Je suis « Miryem de Nazareth la sérieuse ». Tout le monde le sait.

Mariamne roula sur le côté, frissonnante sous la brise. Avec la souplesse d'un jeune animal, elle se nicha dans les bras de Miryem pour se réchauffer.

– C'est vrai : les amies de ma mère t'appellent ainsi. Elles se trompent. Elles ne te connaissent pas comme je te connais. Tu es sérieuse, mais d'une drôle de manière. En fait, tu ne fais rien comme les autres. Pour toi, tout est si important. Même dormir et respirer, tu ne le fais pas comme nous.

Les paupières closes, heureuse de sentir leurs corps qui se réchauffaient l'un l'autre, Miryem ne répliqua pas.

– Et tu ne m'aimes pas autant que je t'aime, je le sais aussi, reprit Mariamne. Quand tu partiras, car tu partiras de cette maison, je t'aimerai encore. Toi, on ne sait pas.

La surprise s'empara de Miryem. Mariamne avait-elle deviné ses pensées ? Mais avant qu'elle puisse répondre, Mariamne se redressait brutalement, serrant sa main avec force.

– Écoute !

Le grondement des roues d'un char résonnait près de la maison.

– Ma mère est de retour !

Mariamne se leva d'un bond. Sans se soucier des perles d'eau qui constellaient encore sa peau, elle attrapa sa tunique suspendue aux branches d'un tamaris et l'enfila, courant à la rencontre de sa mère.

***

Déjà, les servantes aidaient Rachel à descendre du char de voyage. Fermé et bâché de grosse toile verte, il nécessitait un attelage de quatre mules que seul savait mener Rekab, le cocher et unique serviteur mâle de la maison.

Mariamne se précipita pour embrasser sa mère avec effusion.

– Je savais que tu serais de retour pour mon anniversaire !

Rachel, qui était un peu plus grande que sa fille et dont les rondeurs de l'âge étaient dissimulées sous l'élégance simple d'une tunique à franges brodées, lui répondit avec tendresse. Cependant, Miryem devina que Rachel était tourmentée. Sa joie d'être de retour n'était pas aussi franche qu'elle le prétendait.

Ce n'est que plus tard, après avoir offert à sa fille un collier de corail et de perles de verre qui provenait d'outre-Perse, et après avoir veillé à ce que l'on ouvre correctement les précieuses caisses de livres descendues du char, qu'elle adressa un signe discret à Miryem. Elle l'entraîna vers une terrasse qui donnait sur les vergers descendants vers le lac. À l'abri du vent, les baumiers, les pommiers de Sodome et les figuiers dispensaient des ombres douces. Rachel aimait à s'y détendre. Souvent, elle choisissait cet endroit pour converser discrètement.

– Je ne veux pas gâcher le plaisir de Mariamne... Par moments, elle est si enfant !

– Il est bon qu'elle conserve si farouchement l'innocence de son âge.

Rachel approuva d'un signe, jeta un regard au-delà des bandes touffues de joncs odorants et de papyrus qui avançaient dans l'eau. Les voiles des barques de pêche ponctuaient la surface lisse. Le visage de Rachel s'assombrit.

– Tout va mal, et plus encore qu'on ne l'imagine ici. Césarée déborde de rumeurs. On dit qu'Hérode a fait assassiner ses deux fils, Alexandre et Archelaus.

Elle hésita, baissa la voix.

– Tout le palais tremble. Il craint tant d'être empoisonné qu'il tue et emprisonne au moindre doute. Ses meilleurs serviteurs et de grands officiers ont été soumis à la torture. Ils avouent n'importe quoi pour avoir la vie sauve, mais leurs mensonges renforcent la folie du roi et achèvent de lui pourrir la cervelle.

Elle raconta que Salomé, sœur du roi, et son frère, Phéroras, que beaucoup soupçonnaient de vouloir accaparer le pouvoir, se terraient dans l'une des forteresses de Judée. Habité par la haine envers sa famille et le peuple juif, Hérode avait laissé s'incruster près de lui un Lacédémonien du nom d'Euryclès. Homme d'une prodigieuse fourberie et d'une rapacité illimitée, il s'était insinué à la cour en offrant à Hérode de fastueux cadeaux volés en Grèce. Alternant les flatteries répugnantes et les calomnies féroces, il avait tissé le piège conduisant le roi au meurtre de ses fils.

– Je l'ai entrevu sur le port, où il s'exhibait sur un char brillant d'or, poursuivit Rachel avec dégoût. Il incarne l'arrogance servile. On l'imagine sans peine se roulant dans la turpitude. Mais le pire n'est pas là. On se moquerait bien que le roi et sa famille s'entretuent, si cette clique puante ne nous entraînait pas dans les ténèbres avec elle. Hérode et tous ceux qui grouillent autour de lui n'ont d'humains que l'apparence. Les vices du pouvoir les ont corrompus jusqu'à la moelle.

Elle soupira avec lassitude.

– Je ne comprends plus ce que l'Éternel attend de nous... Même ce que nous faisons ici me semble inutile ! À quoi servent les livres que je viens de rapporter ? Ces bibliothèques dans la maison ? Ce que nous apprenons, ce que nous échangeons ? Il n'y a pas si longtemps, j'étais convaincue que cultiver notre esprit nous aiderait à changer le cours de ce monde. Je me disais : devenons différentes, nous, les femmes. Alors nous pourrons mettre un frein à la folie des hommes. Aujourd'hui, je ne parviens plus à le croire. Dès que je sors de Magdala, dès que je passe un jour dans les rues de Tarichée, il me semble que nous devenons aussi savantes qu'inutiles...

– Tu ne peux pas dire ça, mère ! s'écria Mariamne derrière elle. Pas toi...

– Oh, tu étais là ?

– Oui, et j'ai tout entendu. Bien que tu réserves tes conversations sérieuses à Miryem, gronda Mariamne.

Elle s'approcha, le regard lourd de reproches, souleva le collier qui ornait sa poitrine.

– Je venais te montrer comme il m'allait bien. Mais je suppose que cela te paraît bien futile.

– Au contraire, Mariamne. Te l'aurais-je offert, sinon ? Et c'est vrai, il te va parfaitement...

Mariamne balaya le compliment d'un geste de la main.

– Tu deviens comme Miryem. Austère, obsédée par Hérode, grommela-t-elle, batailleuse. Mais toi, tu n'as pas le droit de douter. Ne l'as-tu pas dit toi-même à chacune de celles qui entrent ici : « Q'une seule femme ou qu'un seul homme se retrouve à défendre le savoir, la raison, à se souvenir de la sagesse des anciens, il ou elle sauverait le monde et l'âme des humains devant le jugement de Dieu. »

– Tu as bonne mémoire, approuva Rachel en souriant.

– Excellente. Et contrairement à ce que tu penses, je t'écoute toujours attentivement.

Rachel tendit la main pour lui caresser la joue. Mariamne évita la caresse. Rachel grimaça et baissa le front avec lassitude.

– Tu parles avec la ferveur de la jeunesse. À moi, tout me paraît si laid autour de nous.

– Tu te trompes du tout au tout, s'énerva Mariamne. D'abord, l'âge n'a rien à voir : Miryem n'a que quatre ans de plus que moi. Et toutes les deux, vous ne savez plus regarder la beauté. Pourtant, elle existe.

Rageuse, Mariamne désigna la splendeur qui les entourait.

– Qu'y a-t-il de plus beau que ce lac, ces collines, les fleurs du pommier ? La Galilée est belle. Nous sommes belles. Toi, Miryem, nos amies... Le Tout-Puissant nous offre cette beauté. Pourquoi voudrait-Il que nous l'ignorions ? Au contraire, nous devons nous nourrir de la joie et du bonheur qu'Il nous accorde, pas seulement des horreurs d'Hérode ! Il n'est qu'un roi, et il mourra bientôt. Un jour on l'oubliera. Mais ce que disent les livres de cette maison ne disparaîtra que si nous ne voulons plus le faire vivre.

Le sourire était revenu sur le visage de Rachel. Tendre, un peu moqueur, mais qui révélait son plaisir et son étonnement.

– Eh bien ! Je vois que ma fille grandit en raison et en sagesse sans que je m'en rende compte...

– Bien sûr, puisque tu me considères toujours comme une enfant !

Rachel caressa à nouveau le visage de sa fille. Cette fois, Mariamne ne se déroba pas, au contraire, elle se coula dans les bras de sa mère.

– Je te promets de ne plus jamais te traiter en enfant, déclara Rachel.

Avec un rire espiègle Mariamne se dégagea.

– Mais ne t'attends pas à ce que je devienne sérieuse comme Miryem. Ça, je ne le serai jamais...

Elle pirouetta sur elle-même et annonça, comme une preuve de ce qu'elle venait de dire :

– Je vais changer de tunique. La couleur de celle-ci ne va pas du tout avec ce collier.

Elle s'éloigna, vive et légère. Quand elle eut disparu dans la maison, Rachel eut un petit hochement de tête.

– C'est ainsi que les enfants prennent de l'âge et vous deviennent étrangers. Mais qui sait si elle n'a pas raison ?

– Elle a raison, approuva Miryem. La beauté existe et Dieu ne veut certainement pas que nous l'oubliions. Il est bon, il est même merveilleux que des êtres comme Mariamne existent. Et elle a raison aussi quand elle me trouve trop sérieuse ! Je voudrais...

Elle s'interrompit, cherchant comment annoncer à Rachel son désir de quitter sa demeure, de retourner à Nazareth ou auprès de son père. Des oiseaux passèrent au-dessus d'elles, piaillant bruyamment. Elle leva la tête pour en suivre le vol. De l'autre côté de la maison on entendit le rire de Mariamne avec les servantes, le roulement du char de voyage que l'on mettait à l'abri. Avant que Miryem reprenne la parole, Rachel, lui attrapant le poignet, l'entraîna en contrebas de la terrasse, dans les vergers.

– Il y a d'autres nouvelles que je voulais te donner avant que Mariamne nous interrompe, fit-elle d'une voix pressante.

Elle retira un morceau de parchemin de la pochette de ceinture de sa tunique.

– J'ai reçu une lettre de Joseph d'Arimathie. Il ne pourra plus venir nous visiter car ses séjours auprès de nous, « les femmes », font scandale dans sa communauté. De nouveaux frères l'ont rejoint pour étudier la médecine avec lui. Mais ils renâclent, exigent que Joseph se montre plus distant avec nous... Il ne le précise pas, mais je pense qu'on peut y voir l'œuvre de Guiora. Il doit craindre l'influence de Joseph sur les esséniens, alors que lui entretient chez ses condisciples de Gamala une haine farouche des femmes.

– Pas seulement des femmes. Des am-ha-aretz, des étrangers, des malades ! s'indigna Miryem. En vérité, il hait les faibles et ne respecte que la force et la violence. Ce n'est pas un homme agréable. À mon avis, pas même un sage. J'ai rencontré Guiora à Nazareth, avec mon père, Joseph d'Arimathie et Barabbas. Il ne savait s'accorder qu'avec lui-même...

Rachel acquiesça, amusée.

– Voilà aussi de qui je voulais te parler : Barabbas. Son nom courait sur toutes les bouches à Césarée, à Tarichée, sur le chemin de mon retour.

Un frisson d'angoisse courut sur la nuque de Miryem. Elle se raidit. Rachel perçut son inquiétude et secoua la tête.

– Non, je n'apporte pas de mauvaises nouvelles... au contraire. On raconte qu'il a levé une bande de plus de cinq cents ou six cents brigands. Et qu'il s'est allié avec un autre bandit...

– Matthias, sûrement, murmura Miryem.

– Je n'ai pas appris son nom, mais à eux deux ils réunissent un bon millier de combattants. On dit qu'ils ont mis la cavalerie en déroute deux ou trois fois, en profitant de ce qu'Hérode, dans sa démence, a emprisonné ses propres généraux.

Miryem souriait. Plus qu'elle n'aurait aimé le reconnaître, elle était soulagée, heureuse, et même envieuse.

– Oui, reprit Rachel en répondant à son sourire, il est agréable d'entendre ça. Bien sûr, dans Césarée ou Tarichée, et même à Sepphoris, certains craignent pour leurs richesses. Ils crient au « brigand », au « vaurien », traitent Barabbas de « suppôt de la terreur ». Mais on m'a assuré que les braves villageois de Galilée chantaient et priaient pour lui. Et qu'il trouve toujours un moyen de se cacher parmi eux quand il le doit. C'est bien...

Elle se tut, le regard perdu.

– Je vais partir, déclara soudain Miryem.

– Tu veux le rejoindre ? fit aussitôt Rachel. Oui, bien sûr. Je m'en suis doutée dès l'instant où j'ai entendu ces nouvelles.

– J'étais décidée à partir avant de t'entendre. Je voulais attendre ton retour et l'anniversaire de Mariamne.

– Elle va être malheureuse sans toi.

– Nous nous reverrons.

– Bien sûr...

Les yeux de Rachel brillaient.

– Je vous aime de tout mon cœur toutes les deux, poursuivit Miryem d'une voix mal assurée. J'ai passé dans cette maison des moments que jamais je n'oublierai. J'ai tant appris de toi...

– Mais il est temps que tu partes, l'interrompit Rachel sans amertume. Oui, je comprends.

– Mon esprit n'est plus en paix. Je me réveille la nuit et me répète que je ne devrais pas dormir. N'en sais-je pas assez, maintenant ? Ici, je suis bien, j'apprends et je reçois tant de choses, ton amour et celui de Mariamne... mais je donne si peu en échange !

Rachel lui enlaça tendrement les épaules en secouant la tête.

– Ne crois pas cela. Ta présence est un don, dont Mariamne et moi saurions nous contenter. Mais je comprends ce que tu ressens.

Elles demeurèrent silencieuses, unies par la même tristesse et la même affection.

– Il est temps qu'il advienne quelque chose, mais comment ? Nous ignorons ce que nous voulons. Parfois, il me semble qu'un mur se dresse devant nous, chaque jour plus haut, plus infranchissable. Les mots, les livres, même nos pensées les plus justes paraissent l'épaissir. Tu as raison de repartir dans le monde. Vas-tu rejoindre Barabbas ?

– Non. Je doute qu'il ait besoin de moi pour se battre.

– Peut-être nous trompons-nous et a-t-il raison ? Peut-être l'heure de la révolte a-t-elle sonné ?

Miryem hésita avant d'annoncer :

– Je n'ai pas de nouvelles de mon père et de ma mère depuis longtemps. Je vais les retrouver. Ensuite...

– Accorde-nous encore la journée de demain. Que Mariamne puisse te faire de vrais adieux. Tu pourras emprunter mon char de voyage...

Miryem voulut protester. Rachel posa la pointe de ses doigts sur ses lèvres.

– Non, laisse-moi t'offrir cette aide. Les routes ne sont pas si sûres qu'une jeune fille puisse s'y aventurer seule.

10.

La nuit suivante, comme tant d'autres auparavant, Miryem se réveilla au cœur de l'obscurité. Elle ouvrit les yeux. Près d'elle, Mariamne dormait, la respiration régulière. Une fois encore, elle envia le sommeil paisible de son amie.

Pourquoi, à peine ouvrait-elle les paupières, était-elle saisie par le sentiment coupable de n'avoir pas droit au repos ? L'angoisse l'oppressait. Il lui semblait qu'on avait glissé un chiffon mouillé dans sa gorge.

Elle regrettait d'avoir promis à Rachel de demeurer une journée de plus à Magdala. Il aurait mieux valu prendre le chemin de Nazareth ou de Jotapata dès les premières lueurs de l'aube nouvelle.

Silencieuse, elle quitta sa couche. Dans la pièce suivante, elle contourna le lit où dormaient deux servantes pour atteindre le grand vestibule.

Pieds nus, un châle épais jeté sur sa tunique, elle sortit de la maison, foula sans hésiter l'herbe humide de la nuit. Un quartier de lune découpait des silhouettes imprécises sur la rive du lac. Elle s'en approcha avec prudence. Ces dernières semaines, ses nuits avaient été si souvent ponctuées par cette promenade nocturne qu'elle parvenait à se repérer aux seuls froissements des feuillages dans la brise et aux clapotis des vagues.

Elle se dirigea vers le muret d'appontage où l'on arrimait les barques de la maison. De la main elle frôla les pierres, en trouva une plus large et s'y assit. Devant elle, les joncs dressaient des murs opaques, s'avançant dans le lac à la manière d'un couloir. Le ciel, en contraste, paraissait clair. Sur l'autre rive, on devinait cette teinte bleue qui colore la nuit avant la venue de l'aube.

Immobile, elle s'apaisa. Comme si l'immensité du ciel peuplé d'étoiles la soulageait du poids pesant sur sa poitrine. Les oiseaux demeuraient encore silencieux. On n'entendait que la houle s'affalant sur les galets du rivage ou se déchirant entre les joncs.

Elle demeura ainsi un long moment. Immobile. Ombre parmi les ombres. Son angoisse, ses doutes et même ses reproches la quittaient. Elle songea à Mariamne. À présent, elle était heureuse de passer la journée à venir auprès d'elle. Leurs adieux seraient pleins de tendresse. Rachel avait eu raison de l'empêcher de partir trop brutalement.

Elle tressaillit. Un bruit régulier résonnait à la surface du lac. Le frappement sourd du bois contre le bois. Le heurt d'une rame contre le plat-bord d'une barque, voilà ce que c'était. Un mouvement régulier, puissant mais discret. Elle scruta les eaux.

Qui pouvait mener une barque à une heure pareille ? Les pêcheurs, profitant de la brise que levaient les premiers rayons de soleil, ne s'aventuraient jamais sur le lac avant l'aube accomplie.

Inquiète, elle hésita à filer réveiller les servantes. Se pouvait-il qu'un mari jaloux ait envoyé des canailles tenter un mauvais coup ? Cela était déjà arrivé. Plus d'une menace avait été proférée contre

Rachel et sa « maison des mensonges » par des hommes qui découvraient son influence sur leurs épouses.

Avec prudence, Miryem recula le long du mur d'appontement, se dissimula sous les branches d'un tamaris. Elle n'eut pas à attendre longtemps. Bien visible sur la surface du lac où miroitait le ciel éclairci de l'est, une barcasse étroite apparut.

Le bateau glissait sans à-coups. Un seul homme, debout à la proue, maniait la longue rame. Parvenu au centre du couloir de joncs qui conduisait à l'appontement, il s'immobilisa. Miryem devina qu'il cherchait à repérer le ponton.

D'un coup habile, plus violent, plus long, il fit pivoter le bateau, le dirigeant droit sur Miryem.

Une fois encore elle songea à s'enfuir. Mais la peur l'immobilisa. Tandis qu'elle cherchait à mieux le distinguer, quelque chose dans sa silhouette, dans sa chevelure, dans sa manière de rejeter la tête en arrière lui parut familier. Pourtant, c'était impossible...

Bientôt, l'homme cessa de pousser la barque et la guida seulement de l'aviron. Un choc signala que la proue avait buté contre le mur. L'homme fut effacé par l'ombre. Puis soudain il se redressa avant de s'incliner pour lier un cordage à l'anneau du pontage. La barque tangua. Il eut un mouvement vif, agile, pour se maintenir. Son profil se dessina dans l'aube naissante. Miryem comprit qu'elle ne se trompait pas.

Comment était-ce possible ?

Elle sortit de sa cache, s'avança.

Il perçut la légère foulée de ses pas. D'un bond, il sauta sur le muret. L'éclat d'une lame de métal griffa la pénombre. Elle prit peur, étouffant un cri, craignant de s'être trompée. Un instant, ils demeurèrent immobiles, se méfiant l'un de l'autre.

– Barabbas ? demanda-t-elle d'une voix à peine audible.

Il ne bougea pas. Il était si près qu'elle entendait son souffle.

– C'est moi, Miryem, reprit-elle, tâchant de se donner un peu d'assurance.

Il ne répondit pas, se retourna vers la barque, s'accroupit pour vérifier le lien qui la retenait. À nouveau, la lueur pâlissante du ciel éclaira son profil. Elle n'eut plus de doutes.

Elle avança, les mains tendues.

– Barabbas ! C'est vraiment toi ?

Cette fois, il lui fit face. Quand elle fut assez près pour le toucher, d'une voix rauque, épuisé, il s'exclama comiquement :

– Mais qu'est-ce que tu fais ici en pleine nuit ?

Cela la fit rire. Un rire nerveux et plein de bonheur. Une joie longtemps disparue qui l'emporta. Elle l'attira contre elle, lui baisant la joue et le cou.

Elle le devina tremblant et craintif sous ses caresses. Il se raidit, la repoussa et dit avant qu'elle ne puisse l'interroger :

– J'ai besoin de ton aide. Abdias est avec moi.

– Abdias ?

Il montra la barque. Elle distingua des paquets noirs dans le fond du bateau, une forme sous une peau de mouton.

– Il dort, fit-elle en souriant.

Barabbas se laissa glisser dans l'embarcation.

– Il ne dort pas. Il est blessé. Et salement.

La joie qui avait envahi Miryem reflua. Barabbas souleva le corps inerte du jeune am-ha-aretz.

– Que s'est-il passé ? C'est très grave ? demanda-t-elle.

Barabbas rejeta la question d'un geste agacé.

– Aide-moi.

Elle s'accroupit, glissa les mains sous le dos d'Abdias. Une humidité chaude poissa ses paumes et ses doigts.

– Doux seigneur ! Il est plein de sang.

– Il faut le sauver. C'est pour ça que je suis venu.

***

Il ne fallut pas longtemps pour que la maison s'éveille. On apporta des lampes et des torches pour éclairer au mieux la pièce où Barabbas venait de déposer Abdias.

Rachel, Mariamne, les servantes, même le cocher Rekab, tous se pressaient autour de la couche. Le corps livide du am-ha-aretz y paraissait aussi fragile que celui d'un enfant de dix ans, mais son curieux visage figé par l'inconscience ou la douleur était plus vieux et plus dur encore que d'ordinaire. Noirci de sang, sale de poussière coagulée, un bandage de fortune lui serrait la poitrine.

– On s'est débrouillés comme on pouvait pour qu'il ne se vide pas comme un mouton, murmura Barabbas. Mais sa plaie s'ouvre sans cesse. Je ne sais rien des emplâtres. Là où nous étions, nul ne pouvait nous aider. Ce n'était pas tellement loin d'ici...

Il n'acheva pas sa phrase, esquissa un mouvement incertain. Rachel approuva d'un signe. Elle lui assura qu'il avait bien agi, bouscula les servantes qui dévisageaient le bandit dont elles avaient si souvent entendu parler. Le visage de Barabbas, maintenant que les lampes l'éclairaient, était gris de fatigue, tourmenté par la tristesse. Son regard ne contenait plus rien du feu et de la rage que Miryem y avait tant de fois contemplés. De larges croûtes dues à des blessures mal cicatrisées recouvraient ses bras et, dès qu'il le pouvait, il soulageait une de ses jambes de son poids.

– Tu es blessé, toi aussi ? s'inquiéta Rachel.

– Ce n'est rien.

Les servantes apportèrent de l'eau chaude et des linges propres. Miryem hésita à défaire le pansement. Ses doigts tremblaient. Rachel s'agenouilla et glissa la lame d'un couteau sous les tissus malpropres. À petits coups, elle défit le bandage que Miryem écartait, révélant peu à peu la blessure.

Sous la cage thoracique, en haut du ventre, la plaie était assez large pour laisser apparaître les entrailles. Le coup d'une lance que le mercenaire avait retournée afin d'aggraver la blessure. Des servantes gémirent, se voilant les yeux et se couvrant la bouche. Rachel les rabroua. Courageusement, Mariamne s'installa près de Miryem, les lèvres tremblantes. Elle trempa un linge dans l'eau et le tendit à son amie, qui, le visage dur, sans larmes, commença à nettoyer le pourtour de la plaie.

Quand elle eut retiré les bandages souillés, Rachel fit face à Barabbas.

– C'est pire que ce que je pensais. Aucune de nous n'est assez savante pour soigner une blessure aussi profonde.

Barabbas l'interrompit par une plainte sauvage.

– Il faut le sauver ! Il faut fermer la plaie, mettre des emplâtres...

– Depuis combien de temps est-il dans cet état ?

– Deux nuits. Il n'était pas si mal, au début. La douleur le tenait éveillé. J'aurais dû venir plus tôt. Mais j'avais peur d'agrandir la plaie. Il faut le sauver. J'en ai vu qui ont survécu à pire...

Les mots lui venaient mécaniquement, comme s'il se les était répétés mille fois, à chaque coup de rame qui l'avait rapproché de Magdala.

Rachel le vit qui esquissait un geste vers l'épaule de Miryem tandis que sans un mot elle lavait le visage d'Abdias. Il laissa retomber son bras, la bouche amère.

– Va te reposer, lui dit-elle avec douceur. Tu as besoin de soins, toi aussi. Va au moins manger et dormir. Ici, tu ne nous es d'aucune utilité.

Barabbas se tourna vers Rachel comme s'il ne comprenait pas. Elle soutint son regard. Des yeux hantés par les horreurs d'un massacre. Elle maîtrisa le frisson qui lui serrait la nuque et trouva la force d'un sourire.

– Va, insista-t-elle. Va te reposer. Nous soignerons Abdias.

Il hésita, jeta encore un regard vers Miryem. Il quitta la pièce sans qu'elle ait un signe pour lui.

***

Tout le temps où elles s'occupèrent de lui, Abdias demeura sans connaissance. Son étrange visage ne trahissait aucune souffrance, plutôt un grand abandon. Plusieurs fois Miryem approcha sa joue de la bouche du garçon pour s'assurer qu'il respirait. Tandis qu'elle le lavait des saletés coagulées par la sueur, ses gestes ressemblaient de plus en plus à des caresses.

Le corps du garçon était constellé de coups. Des hématomes noircissaient ses cuisses et la peau sur ses hanches était arrachée. Sans doute l'avait-on traîné sur le sol, peut-être depuis un cheval et sur une grande distance.

Sans se l'avouer, Miryem craignit qu'on lui eût également brisé des os. Rachel fit le même raisonnement. En silence, avec une douceur extrême, elle palpa les jambes et les bras d'Abdias. Jetant un regard à Miryem, elle secoua la tête. Rien ne semblait cassé. En revanche, pour ce qui était de la hanche, il était impossible de savoir.

Les servantes revinrent avec une grande quantité de linge propre. Le cocher était allé réveiller une femme du voisinage connue pour sa science des plantes et qui faisait, à chaque naissance, office de sage-femme.

Quand elle aperçut Abdias, elle eut un haut-le-cœur et commença à geindre. Avec sécheresse, Rachel lui intima le silence et lui demanda si elle était capable de fabriquer des emplâtres pour soigner les plaies et, surtout, pour empêcher l'hémorragie.

La femme se calma. Mariamne lui tendit une lampe, qu'elle approcha de la blessure. Elle examina le garçon avec soin, toute crainte disparue.

– Faire un emplâtre, je le peux sûrement, marmonna-t-elle en se redressant. Et même un bandage qui empêchera que ça pourrisse trop vite. Et aussi lui concocter un breuvage qui soutiendra ce pauvre gamin, si vous êtes capables de le faire boire. Mais jurer que tout ça le soignera et le guérira, je ne m'y avancerai pas.

Avec l'aide de Mariamne et des servantes, la sage-femme prépara un emplâtre composé de glaise et de sénevé broyés avec des piments et de la poudre de clous de girofle. Elle envoya les servantes cueillir quantité de feuilles duveteuses des consoudes et des plantains qui bordaient les allées du jardin. Elle les ajouta à la préparation, malaxa le tout jusqu'à obtenir une pâte d'une texture visqueuse.

Entre-temps, sur ses indications, Mariamne faisait bouillir de l'ail et une racine de serpolet, du thym et des graines de cardamome dans du lait de chèvre additionné de vinaigre. Avec cette mixture on soutenait d'ordinaire les vieilles personnes dont le cœur peinait à battre.

Aidée de Rachel, Miryem la fit difficilement boire à Abdias, après que la sage-femme eut recouvert ses blessures de l'emplâtre et à nouveau bandé la plaie. Dans son inconscience, il régurgitait sans cesse le liquide. Elles durent le lui faire patiemment avaler goutte après goutte.

Cela eut-il quelque effet ? Pendant qu'elles le retournaient pour mieux nouer son bandage, Abdias gémit si fort qu'elles en demeurèrent interdites. N'osant plus un geste, elles virent ses doigts qui s'agitaient, comme s'il cherchait à agripper quelque chose. Alors qu'elles le replaçaient délicatement sur le dos, sa respiration s'accéléra. Il souleva les paupières. Son regard sembla d'abord ne rien voir. Puis elles devinèrent qu'il reprenait conscience.

Ses yeux glissèrent sur les visages inconnus de Mariamne et de Rachel. La surprise, la douleur, la crainte se mêlaient sur son visage aux traits creusés et prématurément vieillis. Il découvrit Miryem. Un soupir ténu glissa entre ses lèvres. Il se détendit, bien que sa respiration fût difficile.

Approchant son visage tout près du sien, Miryem lui serra doucement la main. Elle chuchota :

– C'est moi, Miryem. Tu me reconnais ?

Il battit des paupières. L'esquisse d'un sourire illumina ses prunelles. Il paraissait si faible qu'elle craignit qu'il ne perde conscience à nouveau. Mais il lutta, trouva la force de murmurer :

– Barabbas m'avait promis... Te voir avant...

Les mots paraissaient se déchirer sur ses lèvres. Il ne parvenait pas à achever sa phrase. Mais ses yeux disaient ce qu'il ne pouvait prononcer.

– Ne te fatigue pas, fit Miryem en pressant les doigts sur sa bouche. Inutile de parler. Garde tes forces : nous allons te guérir.

Abdias eut un signe de dénégation.

– Pas possible... Je sais...

– Ne dis pas de sottises.

– Pas possible... Le trou est trop grand... J'ai vu...

Dans un sanglot, Mariamne se leva et quitta la pièce. Miryem saisit la cruche contenant le breuvage.

– Tu dois boire.

Abdias ne protesta pas. Miryem humecta d'abord ses lèvres craquelées avec un linge, puis inséra avec délicatesse le bord d'un gobelet entre ses dents. Il but un peu, tremblant sous l'effort. Mais à peine absorbait-il un peu de mixture qu'il devait reprendre son souffle.

Après quelques gorgées, Miryem éloigna le gobelet et lui caressa tendrement la joue. Abdias chercha sa main, l'agrippa de ses doigts secs.

– J'ai promis au père Joachim... J'ai promis...

Étrangement, l'ironie brilla dans son regard.

– ... Être ton époux...

– Oui ! s'exclama Miryem avec ferveur. Vis, Abdias ! Vis et tu seras mon époux !

Cette fois, un véritable sourire glissa sur les lèvres d'Abdias. Ses paupières battirent à nouveau. Ses doigts serrèrent un peu ceux de Miryem. Puis ses yeux se fermèrent. Il ne demeura qu'une grimace sur ses lèvres.

– Abdias ? questionna doucement Miryem.

Elle n'obtint pas de réponse.

– Vit-il encore ?

C'était Barabbas, debout sur le seuil de la pièce, qui avait posé la question. Miryem, recroquevillée au pied de la couche, pressant les doigts d'Abdias contre ses lèvres, ne répondit pas. Rachel s'inclina près d'elle, posa la paume sur la poitrine du garçon.

– Oui, dit-elle. Il vit. Son cœur bat comme un marteau. Que le Tout-Puissant le prenne en Sa miséricorde.

****

Au milieu du jour, Abdias vivait encore. En proie à la fièvre, le corps brûlant, pas un instant il n'avait repris connaissance. Miryem le veillait sans relâche. La sage-femme prépara de nouveaux emplâtres, une nouvelle mixture, fit bouillir des linges dans une infusion de menthe et de clous de girofle, afin que les pansements ne pourrissent pas la plaie, expliqua-t-elle. Mais quand Mariamne lui demanda si Abdias allait survivre, elle se contenta d'un soupir. Elle montra Barabbas d'un air rogue et déclara :

– Celui-là aussi, il faut le soigner.

Barabbas protesta avec mépris. La femme ne se laissa pas intimider.

– Aux autres, tu peux le cacher, mais moi je le vois : la fièvre te prend. Tu caches une plaie. Elle te ronge. Dans un jour ou deux, tu ne vaudras pas mieux que ce pauvre gosse.

Barabbas, obstiné, la traita de folle. Rachel les poussa hors de la pièce.

– Évitez de faire tant de bruit près d'Abdias, intima-t-elle avant d'insister pour que Barabbas accepte les soins de la sage-femme. Nous allons avoir besoin de toi pour sauver ton compagnon. Alors ne te retrouve pas dans le même état que lui.

De mauvaise grâce, Barabbas souleva sa tunique. Un morceau de drap déchiré sanglait sa jambe droite. La sage-femme l'écarta et grimaça de dégoût devant la plaie. La pointe d'une flèche avait traversé le gras de la cuisse. C'était une blessure bénigne à l'origine, mais si mal soignée qu'une humeur jaune et malodorante en suintait.

– Plus crasseux qu'un pou, voilà ce que tu es ! soupira-t-elle.

D'un geste sec, le prenant par surprise, elle déchira la tunique de Barabbas, révélant son torse couturé et semé de croûtes.

– Regardez-moi ça ! Balafres, plaies et bosses... Et tu ne t'es pas lavé depuis quand ?

Barabbas la repoussa avec colère, des insultes à la bouche. Mais la femme lui empoigna la nuque avec force et le contraignit à l'écouter, leurs visages si près l'un de l'autre qu'on eût cru qu'ils allaient se baiser sur la bouche.

– Tais-toi, Barabbas. Je sais qui tu es : ton nom est venu jusqu'ici. Je sais ce que tu fais et pourquoi tu te bats, ce n'est pas la peine de me prouver ton courage. Inutile aussi de mourir de bêtise parce que ton cœur saigne de voir ton petit compagnon devant la grande porte de la mort. Sois intelligent. Laisse-toi soigner, repose-toi quelques heures, et tu pourras l'aider.

La tension qui nouait les muscles de Barabbas céda d'un coup. Il jeta un regard vers la pièce où se tenaient Miryem et Abdias. Ses épaules s'affaissèrent. Si aucune larme ne passa ses paupières, Rachel et la sage-femme comprirent ce que signifiait le tremblement de ses lèvres. Elles détournèrent pudiquement la tête.

Un peu plus tard, il se coulait dans le bain préparé par les servantes et s'y endormait, rompu jusqu'à l'âme. La sage-femme sourit et chuchota à l'oreille de Rachel que l'application de sa médecine pourrait attendre.

Si Miryem avait entendu la dispute, les protestations de Barabbas, elle n'en montra rien. Pas plus qu'elle ne s'inquiéta de l'état du guerrier.

Près d'elle, Mariamne observait son visage et ne le reconnaissait pas. Les traits sérieux mais accueillants avaient laissé place à une face dure et violente, emplie d'une colère qui la creusait autant que la tristesse. Le regard fixe semblait ne pas voir le corps d'Abdias. On devinait, sous les plis de la tunique, la tension extrême du dos. Le souffle était aussi ténu que celui du garçon inconscient.

Déconcertée, Mariamne n'osait prononcer un mot. Pourtant, elle brûlait de savoir qui était ce jeune am-ha-aretz qui bouleversait tant son amie. Jamais Miryem ne lui en avait parlé, alors qu'elles s'étaient moquées ensemble, et plus d'une fois, de Barabbas, dont Miryem aimait à décrire le courage, la détermination, mais aussi le grand orgueil.

Hésitante, elle finit par lui effleurer la main.

– Va prendre du repos toi aussi. Tu as à peine dormi cette nuit. Je resterai près de lui. Tu n'as rien à craindre. S'il ouvre les yeux, je t'appelle tout de suite.

Miryem ne réagit pas immédiatement. Mariamne crut qu'elle ne l'avait pas entendue. Elle allait répéter quand Miryem releva la tête et la regarda. Curieusement, elle sourit. Un sourire sans joie mais d'une tendresse immense et qui brisa la dureté de ses traits comme se brise une poterie trop fine.

– Non, dit-elle avec effort. Abdias a besoin de moi. Il sait que je suis là et il a besoin de moi. Il puise ses forces dans mon cœur.

Barabbas se réveilla alors que le soleil n'était pas encore bien haut. Il s'inquiéta aussitôt de savoir si Abdias avait repris conscience. La sage-femme secoua la tête et ne lui laissa pas le temps de poser d'autre question avant de le soigner. Quand elle en eut fini, lui contraignant la cuisse dans un épais bandage qui lui raidissait la jambe, il s'approcha de Miryem.

Elle n'eut pas même l'air de prendre garde à sa présence. D'un geste qui n'était jamais machinal, de temps à autre elle épongeait le front d'Abdias ou déposait quelques gouttes de breuvage sur ses lèvres. À d'autres moments elle lui caressait les mains, la joue ou la nuque. Ses lèvres bougeaient comme si elle prononçait des paroles que ni Rachel ni Mariamne, accroupies de l'autre côté de la couche, ne parvenaient à comprendre.

Tout à coup la voix de Barabbas s'éleva, sèche et rêche. Le visage tourné vers Miryem, comme s'il s'adressait à elle uniquement, il commença à raconter.

– Matthias, celui qui nous avait rejoints à Nazareth, chez Yossef, est venu un jour près de Gabara, où l'on se cachait des mercenaires. Il m'a demandé : « Jusqu'à quand tu comptes faire le rat ? Nous avons besoin de gens pour nous battre contre Hérode et lui faire beaucoup de mal. Tu as mille hommes prêts à te suivre. Moi, la moitié seulement, mais j'ai beaucoup d'armes. Surtout, je n'ai pas changé d'avis. Il faut se battre. Et s'il faut mourir, autant que ce soit en plantant un glaive dans la panse de ces porcs ! » Il avait raison et j'étais fatigué de me cacher. Et aussi de repenser sans cesse à tes reproches, Miryem. Peut-être bien que tu as raison et qu'il nous faut un nouveau roi. Mais il ne viendra pas juste parce que tu le souhaites. Alors, j'ai serré les mains de Matthias et j'ai dit oui. C'est ainsi que tout a commencé.

D'abord, la surprise avait été leur meilleure arme. Ils étaient assez nombreux pour organiser des attaques simultanément en plusieurs endroits. Sur un chemin, au passage d'une troupe, contre les campements et les petits forts dressés aux abords des villages... Les mercenaires d'Hérode, ne s'attendant pas à leurs assauts, se défendaient mal et fuyaient en laissant beaucoup de morts sur le terrain. Ou si, supérieurs en nombre, ils résistaient, Matthias et Barabbas sonnaient des retraites trop rapides pour que leurs ennemis soient capables de les poursuivre. Le plus souvent, il était facile de piller les réserves ou de les incendier.

Si bien qu'en peu de mois l'inquiétude avait commencé à ronger les troupes d'Hérode. Les mercenaires craignirent de se déplacer en petit nombre. Plus aucun campement de Galilée n'était assez sûr pour eux. Les vols et les incendies des dépôts désorganisaient l'intendance des légions. Les officiers romains si pleins de morgue qui commandaient les places fortes manifestèrent eux-mêmes de l'inquiétude.

– Mais chez Hérode, la folie règne. Les Romains le redoutent et n'osent lui dire la vérité, reprit Barabbas. Dans les palais, plus personne ne sait faire la différence entre une vérité et un mensonge. Tout s'est passé exactement comme je l'avais prévu. Il n'y avait pas de meilleur moment pour la révolte.

Chaque jour, des hommes venaient les rejoindre pour se battre à leur côté. Dans les villages de Galilée et du nord de la Samarie, on les accueillait à bras ouverts. Les paysans ne se faisaient pas prier pour leur donner de la nourriture et, au besoin, les cacher. En retour, lorsque les coups contre le tyran et ses suppôts rapportaient un butin suffisant, c'était avec joie qu'il était partagé entre tous, combattants et villageois.

Encouragés par leur force nouvelle, Barabbas et Matthias avait décidé de porter leurs attaques de plus en plus loin, hors de Galilée. Jamais de grandes batailles, mais des combats rapides, meurtriers. D'abord en Samarie, puis dans le port de Dora, en pays phénicien, où ils avaient capturé une belle cargaison d'armes forgées de l'autre côté de la mer. Ils en avaient profité pour libérer un millier d'esclaves. Des Barbares du Nord, dont certains étaient demeurés avec eux. Ils attaquèrent Sichem et Acrabéta, aux portes de la Judée, narguant les fils survivants d'Hérode réfugiés dans la forteresse d'Alexandrion.

– Ceux-là, nous n'avons pas eu besoin de les combattre puisque Hérode, à la dernière lune, les a assassinés lui-même !

Après chaque victoire, l'enthousiasme grandissait dans les villages.

– Même les rabbins ont cessé de nous dénigrer dans les synagogues, ajouta Barabbas d'une voix blanche. Et quand on entrait dans des bourgs non surveillés par les mercenaires, les habitants nous accueillaient en chantant et en dansant. C'est peut-être ça qui nous a joué un sale tour.

Il parlait et parlait, comme s'il lui fallait nettoyer son esprit de ce qu'il avait vécu d'intense et d'extraordinaire au cours des derniers mois. Miryem cependant ne détournait pas son regard d'Abdias. Elle ne montrait aucun signe qu'elle écoutait alors que, le visage levé vers Barabbas, Rachel et Mariamne ne perdaient pas une de ses paroles.

Il désigna Abdias d'un geste douloureux, presque caressant.

– À lui aussi, ça lui plaisait. Il a toujours aimé se battre. Dans les mêlées, quand on en est à se cogner les uns contre les autres, la lame à la main, que ça taille et gueule à tout va, il est à son aise. Il tire avantage de sa petitesse. De son apparence d'enfant. Mais faut pas s'y fier. Il est plus malin qu'un singe et plus courageux que nous tous. Oui, ça, il aime se battre. Il prend sa revanche...

Barabbas se tut. Suivit en silence la main de Miryem qui caressait le bras d'Abdias, humectait ses tempes. Il secoua la tête.

– L'idée de revenir en Galilée pour attaquer la forteresse de Tarichée, c'est la sienne. Il voulait accomplir un exploit. Non par orgueil, mais pour démontrer enfin à tous que les légionnaires de Rome comme les mercenaires d'Hérode étaient à notre merci. Même là où ils se croyaient les plus forts.

» Il fallait trouver un lieu réputé invincible. On avait songé aux forteresses de Jérusalem ou de Césarée. Mais Abdias m'a dit : “ C'est Tarichée que nous pouvons prendre. On l'a déjà presque fait. ”

C'était vrai. L'attaque durant laquelle ils avaient délivré Joachim avait exposé les faiblesses de la forteresse. Les Romains étaient trop bêtes et trop sûrs d'eux-mêmes pour les avoir corrigées. Stupidement, ils avaient reconstruit les baraques du marché et les bâtiments en bois qui entouraient les murs de pierre. Comme la première fois, il s'agissait d'y mettre le feu.

Mais cette fois, au lieu de profiter de la confusion engendrée par l'incendie pour fuir, ils forceraient les portes. Ils pensaient avoir assez d'hommes pour investir l'endroit.

En outre, Barabbas et Matthias ne doutaient pas que, une fois les combats engagés et devant le fléchissement des mercenaires et des légionnaires, les gens de Tarichée prendraient les masses, les faux, les haches pour se battre à leur tour.

– La seule difficulté, poursuivit Barabbas, c'était de ne pas éveiller la suspicion des espions d'Hérode.

On ne pouvait se trouver à plus de mille dans la ville du jour au lendemain.

Les deux bandes s'étaient donc disséminées en petits groupes de trois ou quatre. Déguisés en marchands, paysans, artisans et même en mendiants, les rebelles avaient trouvé refuge dans les hameaux des collines, dans les villages de pêcheurs entre Tarichée et Magdala. Cela prit du temps : presque un mois entier.

– Bien sûr, certains ont deviné, soupira Barabbas. Mais nous pensions...

Il eut un geste las.

Qui s'était laissé soudoyer ? Un traître de la bande de Matthias ou de la sienne ? Un pêcheur ? Un paysan trop craintif ou un infâme qui voulait gagner quelques deniers au prix du sang ?

– On ne le saura jamais, mais je pense que c'est un de chez nous. Sinon, comment auraient-ils appris où nous dormions, Matthias et moi ? Abdias était avec nous. C'est ce que le traître a sans doute raconté : que nous étions dans ce village, Matthias et moi. Qu'il suffirait de nous prendre pour que les autres n'osent plus se battre.

Deux nuits avant l'attaque, à la première lueur de l'aube, alors que le village dormait encore, un déluge de feu s'était abattu sur les chaumières. Dans la nuit, une grande barque de guerre s'était placée sur le lac à hauteur du petit port. Les balistes installées à bord avaient projeté des dizaines de javelots enflammés sur les toits. Tandis que les familles fuyaient dans la panique, une cohorte de cavaliers romains était entrée dans le village par le nord et le sud. Enfants, femmes, vieillards ou combattants, les cavaliers massacrèrent sans distinction.

– Pour eux, c'était facile, reprit Barabbas. La panique était si grande. Les enfants et les femmes hurlaient, couraient en tous sens avant que les sabots des chevaux ne les renversent. Les Romains jubilaient. On pouvait à peine se battre. Et nous n'étions que cinq. Matthias et deux des siens, Abdias et moi. Matthias est mort tout de suite. Abdias m'a aidé à fuir...

Barabbas ne pouvait en dire plus. Sa main glissa sur son visage, en une vaine tentative d'effacer ce qu'il voyait encore.

Le silence qui s'ensuivit était si intense, si terrible, que l'on perçut la respiration rauque du jeune am-ha-aretz.

Mariamne, sans s'en rendre compte, se tenait depuis un moment agrippée à la main de sa mère. Elle se laissa glisser contre le mur, pleurant sans un bruit, accroupie.

Comme si elle était de pierre, Miryem ne bougeait toujours pas. Rachel devina combien Barabbas attendait un mot d'elle. Mais rien ne vint. Simplement, elle déclara d'une voix sèche :

– Entre nos mains, Abdias ne vivra pas.

Rachel frissonna.

– Que veux-tu faire ? La sage-femme dit qu'elle ne peut rien faire de plus. Et ici, à Magdala, personne ne sait soigner mieux qu'elle.

– Il n'y en a qu'un qui peut lui redonner la vie. C'est Joseph. À Beth Zabdaï, près de Damas. Il sait soigner, lui.

– Damas est bien trop loin ! À trois jours au moins. Tu n'y songes pas.

– Si, c'est possible. Un jour et demi, au maximum, devrait suffire si on ne s'arrête pas la nuit et si les mules sont bonnes.

La voix de Miryem était coupante, froide. Il était clair que, durant tout le discours de Barabbas, elle n'avait songé qu'à une seule chose : le moyen d'atteindre Damas au plus vite. Elle leva le visage vers Rachel.

– Veux-tu m'aider ?

– Bien sûr mais...

Il n'était plus temps de tergiverser. Cela se voyait : s'il le fallait, Miryem porterait Abdias dans ses bras jusqu'à Beth Zabdaï. Rachel se mit debout sans prendre garde au regard stupéfait de Barabbas.

– Oui... Tu peux prendre mon char. Je vais demander à Rekab de le préparer.

– Il faut qu'il le rende plus confortable, dit Miryem. Il faut prévoir des pansements, de l'eau, des emplâtres. Et aussi une deuxième personne pour conduire les mules. Nous en changerons en route. Nous devons partir tout de suite...

Les phrases sonnaient comme des ordres, mais Rachel hocha la tête sans s'offusquer. Mariamne se leva en essuyant ses larmes avec un pli de sa tunique.

– Oui, il faut se dépêcher. Je vais t'aider. Je vais aller avec toi.

– Non, dit Barabbas. C'est à moi de l'accompagner. Il faut un homme pour conduire les mules.

Pas plus qu'auparavant Miryem ne lui adressa un regard, n'approuva ou ne refusa son aide.

11.

Quittant Magdala peu avant que le soleil ne soit au zénith, ils ne s'accordèrent aucun repos. On avait doublé l'attelage et Rekab, le cocher de Rachel, s'était installé aux côtés de Barabbas sur le banc de conduite. Tour à tour prenant les rênes, ils devaient tenir le rythme le plus intense que pouvaient supporter les mules.

Des jarres d'eau et de breuvage nourrissant, des pots d'onguent, une flasque de vinaigre de cédrat étaient à portée de la main, dans de grands couffins liés aux bancs du char. Mariamne et Rachel y avaient ajouté des bandages propres, des linges de rechange. La vitesse accroissait les chaos, bien que les servantes, comme l'avait réclamé Miryem, aient doublé l'intérieur du char d'épais matelas de laine. Abdias y reposait, le corps ballotté entre des coussins, toujours inconscient.

Miryem surveillait son visage et son souffle. Régulièrement, elle trempait un linge dans l'eau et caressait le visage du jeune am-ha-aretz, espérant le rafraîchir.

Pas un mot n'était prononcé. Le sourd grondement des roues recouvrait tous les bruits. Seuls, de temps à autre, Barabbas ou Rekab hurlaient afin que l'on s'écarte devant leur passage.

Sur le chemin, dans les hameaux et les villages qu'ils traversaient, les pêcheurs, les paysans, les femmes de retour des puits s'immobilisaient un instant puis se rangeaient précipitamment sur les bas-côtés. Surpris, méfiants, ils regardaient filer ces mules et ce char, qui soulevaient autant de poussière qu'une tempête.

Ils dépassèrent ainsi Tabgah, Capharnaüm et Corozaïn. Avant la tombée de la nuit, ils atteignirent la pointe sud du lac Merom, où s'effectuait la traversée du Jourdain.

Là, Barabbas dut argumenter pour que les bateliers acceptent, dans la lumière incertaine du crépuscule, de charger le char et les bêtes sur leur lourde barcasse. L'un après l'autre, les hommes vinrent soulever les rideaux de jute qui dissimulaient l'intérieur du char. Devinant la silhouette inclinée de Miryem, la masse confuse d'Abdias entre les coussins, ils reculaient, horrifiés, devant l'odeur de la maladie. La poignée de deniers que Barabbas tira d'une bourse offerte par Rachel les décida. Ils réclamèrent le triple du prix habituel et préparèrent leurs rames et leurs cordages.

La nuit était presque totale lorsqu'ils parvinrent sur la rive de Trachonitide. Là, des cavaliers arabes du royaume d'Hauran vinrent les inspecter avec des torches. À leur tour, ils réclamèrent un droit de passage.

Une fois encore on perdit du temps en marchandages. Lorsqu'ils tirèrent les tentures du char et découvrirent Miryem dans la lumière écarlate des torches, elle se tourna vers eux. Elle écarta la couverture qui recouvrait Abdias. Elle dit :

– Il va mourir si nous tardons à atteindre Beth Zabdaï.

Ils virent ses yeux brillants, le corps bandé du garçon, son visage blême, et se retirèrent sans tarder.

Ils s'adressèrent à Barabbas et à Rekab :

– Vos mules n'en peuvent plus. Et, de nuit de surcroît, vous n'arriverez jamais à Damas. Il y a une ferme à deux milles d'ici. On y loue des bêtes. Vous pourrez y changer votre attelage. Si vous avez assez de deniers pour ça.

Barabbas approuva avec soulagement. Les cavaliers se placèrent de part et d'autre du char, brandirent leurs torches et les escortèrent entre les ombres des agaves et des oponces qui bordaient le chemin.

Il fallut réveiller les fermiers, vaincre leur ahurissement et compter les deniers largement. Lorsque, enfin, les jougs furent placés sur la nuque de bêtes fraîches, Rekab disposa des torches sur les harnais et des lanternes tout autour du char. Il vint en accrocher une à l'intérieur.

Quand ce fut fait, il dit à Miryem :

– Avec la nuit, nous ne pourrons plus aller aussi vite. Les mules risqueraient de se blesser dans une ornière.

Miryem se contenta de répliquer :

– Va aussi vite que tu peux. Et, surtout, ne t'arrête plus.

***

Quand l'aube rosit l'horizon, là où le désert commençait, Damas n'était plus qu'à cinquante milles. Il y avait longtemps que les lampes et les torches étaient éteintes. Sous le cuir des harnais, le poitrail des mules était blanc de sueur.

Barabbas et Rekab peinaient à garder les yeux ouverts, bien qu'ils se fussent relayés une dizaine de fois. À l'intérieur du char, Miryem était demeurée assise, les muscles raidis, dodelinant au gré des cahots.

Lorsque la lampe s'était éteinte, la plongeant dans le noir et lui interdisant de voir le visage d'Abdias, elle lui avait pris la main, la pressant contre sa poitrine. Pas un instant, depuis, elle ne l'avait lâchée. Ses doigts engourdis ne sentaient même plus la pression qu'exerçait Abdias dans son coma.

Dès qu'elle devina que le jour était là, elle souleva le rideau du char. L'air frais de la nuit lui frappa le visage, chassa sa torpeur en même temps que les remugles nauséabonds dont elle n'avait plus conscience.

Délicatement, elle détacha les doigts d'Abdias de sa main, plongea un linge dans une cruche et s'en mouilla le visage. L'esprit plus clair, elle humidifia de nouveau le linge. Elle allait le passer sur le visage d'Abdias lorsqu'elle suspendit son geste, étouffant un cri.

Le garçon avait les yeux grands ouverts. Il la regardait. Le temps d'un éclair, elle se demanda s'il vivait encore. Mais il n'y avait pas de doute. Entre les cernes sombres de la douleur et de la maladie, les yeux d'Abdias lui souriaient.

– Abdias ! Dieu Tout-Puissant, tu vis ! Tu vis...

Elle caressa le visage hâve, lui baisa la tempe. Le garçon reçut ses caresses avec un frisson qui lui parcourut tout le corps. Il n'avait pas assez de force pour parler ni même lever une main.

Miryem lui humecta les lèvres, lui donna un peu à boire, peinant à tenir le gobelet près de sa bouche tant les cahots les secouaient. Le regard d'Abdias ne la quittait pas. Ses pupilles paraissaient immenses, plus noires et plus profondes que la nuit. On pouvait s'y noyer dans une douceur, une tendresse qui s'offraient sans limites.

Subjuguée, Miryem y déposa son propre regard. Il lui sembla percevoir l'étrange bonheur d'Abdias. Son cœur et son âme ne parlaient ni de douleur ni de reproche. Pas même de lutte ou de regret. Au contraire, il lui offrait la paix étrange de la vie.

Elle ne sut pas combien de temps ils demeurèrent ainsi liés. Peut-être le temps d'un cahot ou le temps que le jour se lève en entier.

Abdias lui disait son amour et son bonheur d'être entre ses mains. Avec lui, elle se souvint de leur rencontre dans Sepphoris, comment il l'avait conduite auprès de Barabbas et comment il avait sauvé Joachim. Elle crut l'entendre rire. Il lui racontait ce qu'elle ignorait. La honte que l'on a d'être un am-ha-aretz quand on regarde une fille comme elle. Il lui racontait le bonheur et l'espoir du bonheur. Il avait voulu se battre pour qu'elle soit fière de lui.

Elle ne devait pas être triste, car il avait grâce à elle accompli ce qui engendrait la joie : se battre pour que la vie soit plus juste et le mal plus faible. Et elle était si près de lui, si près qu'il pouvait se fondre en elle et ne jamais la quitter. Il serait son ange, ainsi que Yhwh le Tout-Puissant, disait-on, en envoyait parfois aux humains.

Sans même s'en rendre compte, elle lui souriait, alors qu'un hurlement de terreur gonflait dans sa poitrine. Le regard d'Abdias plongeait en elle autant qu'il l'accueillait. Il lui brûlait le cœur d'un amour possible et impossible, rayonnant d'espérance. Elle y répondit avec toutes les promesses de vie dont elle était faite.

Puis un cahot plus brutal que les autres fit basculer la tête d'Abdias sur le côté. Son regard s'effaça comme un fil que l'on tranche. Miryem sut qu'il était mort.

Elle hurla son nom à pleine voix. Dans une transe glacée elle se jeta sur lui.

Rekab tira sur les rênes si brutalement qu'une des mules se mit en travers, manquant de rompre son harnais. Le char s'immobilisa, brisant le vacarme. Miryem hurlait à s'en déchirer la gorge. Barabbas sauta du banc et comprit au premier regard.

Il grimpa dans le char pour saisir Miryem par les épaules et l'écarter du corps d'Abdias, qu'elle secouait comme un sac. Elle le repoussa avec une violence sidérante. Il bascula par-dessus la lisse du char, chutant lourdement dans la poussière et les cailloux du chemin.

Miryem se dressa pour hurler plus fort, brandir le cadavre d'Abdias à la face du ciel, lui montrer l'immensité de l'injustice et de la douleur qui l'accablaient. Mais ses jambes, engourdies par la longue immobilité, ne la portaient plus. Sous le poids d'Abdias, elle bascula à son tour dans la poussière. Elle demeura inerte, le corps du garçon roulé en une boule informe à son côté.

Barabbas se précipita, la peur au ventre. Mais Miryem n'était pas même inconsciente. Aucun membre, aucun os de son corps n'était brisé. Lorsqu'il la toucha, elle le repoussa à nouveau. Elle pleurait, déchirée de sanglots. Les larmes transformaient en boue la poussière qui couvrait ses joues.

Barabbas recula, perdu, terrifié. Il boitillait. La blessure de sa cuisse s'était rouverte. Rekab s'approcha pour le soutenir. Ensemble ils eurent le souffle coupé lorsque Miryem se redressa, menaçant Barabbas de son poing en criant comme si elle était devenue folle :

– Ne me touche pas ! Ne me touche plus jamais ! Tu n'es rien. Tu n'es pas même capable de ressusciter Abdias !

***

Un surprenant silence, où crissait le vent sur le sable et dans les buissons d'épineux, suivit les cris.

Rekab attendit un moment avant d'approcher le corps d'Abdias pour le prendre dans ses bras. Déjà, les mouches accouraient, alléchées par l'odeur de la mort. Sous la surveillance glacée de Miryem, il le déposa dans le char, le recouvrit avec soin, usant de gestes aussi tendres que ceux d'un père.

Barabbas ne chercha pas à l'aider. Ses yeux demeuraient secs, mais ses lèvres tremblaient. On eût dit qu'il cherchait les mots oubliés d'une prière.

Quand Rekab redescendit du char, Barabbas fit face à Miryem. Il eut un geste d'impuissance, de fatalité. Peut-être voulut-il la relever, puisqu'elle demeurait accroupie sur le sol, recroquevillée comme si on l'avait frappée. Mais il n'osa pas.

– Je sais ce que tu penses, lança-t-il avec hargne. Que c'est ma faute. Qu'il est mort à cause de moi.

Il parlait trop fort dans le silence qui les entourait. Miryem pourtant ne broncha pas, comme si elle ne l'avait pas entendu. Barabbas s'agita, tourna sur lui-même, chercha le soutien de Rekab. Mais le cocher baissait la tête, immobile près de la croupe des mules, les rênes dans les mains.

Barabbas boitilla jusqu'à une roue, où il s'appuya.

– Tu me condamnes, mais c'est la lance d'un mercenaire qui l'a tué !

Les muscles bandés, il agita les poings.

– Abdias aimait les combats ! Il aimait ça. Et il m'aimait, moi, autant que je l'aimais. Sans moi, il n'aurait pas survécu. Quand je l'ai reçu entre mes bras, il n'était qu'un enfant. Un morveux pas plus grand que ça.

Il se frappa la poitrine avec violence.

– C'est moi qui l'ai tiré des griffes des traîtres du sanhédrin, alors que les bonnes gens comme toi avaient laissé crever de faim ses parents ! Je lui ai tout donné. À boire, à manger ! Un toit pour se protéger de la pluie et du froid. Voler pour vivre, se cacher, c'est avec moi qu'il l'a appris. Chaque fois que nous allions au combat, je craignais pour lui comme un frère craint pour son frère. Mais nous sommes des guerriers. Nous savons ce que nous risquons ! Et pourquoi nous le faisons !

Il eut un rire mauvais, plein de détresse.

– Moi, je n'ai pas changé d'avis. Je n'ai pas peur. Je n'ai pas besoin de me plonger le nez dans les livres pour savoir si je fais le bien ou le mal ! Qui sauvera Israël, si on ne se bat pas ? Tes amies de Magdala ?

Miryem ne bougeait toujours pas, insensible aux mots qu'il lançait sur elle comme des pierres.

Incrédule, impuissant, il observa cette indifférence. La douleur ravagea ses traits. Il fit quelques pas, bancal, jeta les bras vers le ciel :

– Abdias ! Abdias !...

Autour d'eux les criquets se turent. À nouveau le silence parut n'être que du vent déchiré par les épineux.

– Il n'y a plus de Dieu pour nous ! hurla Barabbas. C'est fini. Il n'y a plus de Messie à attendre. Il faut se battre, se battre, se battre ! Il faut trancher dans la chair des Romains ou être massacrés par eux...

Miryem, enfin, redressa la tête. Elle le regarda, froide et calme. D'un geste presque machinal, elle ramassa une poignée de poussière et la répandit sur sa chevelure, en signe de deuil. Elle rassembla les pans de sa tunique et se mit debout, chancelante.

Là-bas, près de l'attelage, Rekab esquissa un geste, craignant qu'elle ne s'effondre à nouveau. Mais elle marcha jusqu'au char. Avant d'y monter, elle se tourna vers Barabbas. Sans élever la voix, elle déclara :

– Tu es stupide et borné. Ce n'est pas seulement Abdias qui est mort par ta faute. Aussi des femmes, des enfants. Tout un village. Et tes compagnons et ceux de Matthias. Pour quoi ? Pour quelle victoire ? Aucune. Morts pour ton obstination. Morts pour ton orgueil. Morts parce que Barabbas veut être ce qu'il ne sera jamais : roi d'Israël...

Il vacilla à ces paroles. Mais ce qui l'anéantissait, c'était le mépris glacé qui recouvrait le visage de Miryem.

– C'est facile de me condamner, moi qui ose.

– Jamais tu ne seras le plus fort. Tu n'apporteras que sang et douleur où il y a déjà sang et douleur.

– N'est-ce pas toi qui es venue me chercher pour que je sauve ton père ? Ça ne te troublait pas, alors, qu'on tue ou qu'on se fasse tuer ! Tu oublies vite que toi aussi, tu as voulu la révolte !

Elle approuva d'un signe de tête.

– Oui. Moi aussi je suis fautive. Mais maintenant je sais. Ce n'est pas le chemin. Ce n'est pas ainsi que nous imposerons la vie et la justice.

– Et comment, alors ?

Elle ne répondit pas. Elle grimpa dans le char et s'allongea près du corps d'Abdias. Posant son visage contre la couverture qui le recouvrait, elle l'enlaça.

Barabbas et le cocher demeurèrent stupéfaits. Rekab enfin demanda :

– Que veux-tu que l'on fasse ? Que l'on retourne à Magdala, chez Rachel ?

– Non, murmura Miryem, les paupières closes. Il faut aller à Beth Zabdaï, à la maison de Joseph. Chez les esséniens. Eux savent soigner et ressusciter.

Rekab crut avoir mal entendu. Ou alors que Miryem était un peu folle de fatigue. Il jeta un regard à Barabbas, s'apprêtant à lui poser une question. Mais les larmes coulaient sur les joues du brigand que toute la Galilée admirait.

Rekab baissa les yeux et prit place sur le banc du char. Il attendit un moment que Barabbas le rejoigne.

Comme celui-ci ne bougeait pas, Rekab claqua les rênes sur la croupe des mules et remit l'attelage en route.

***

Ils entrèrent dans Damas un peu avant la nuit. À plusieurs reprises Rekab s'était arrêté pour laisser reposer ses mules. Chaque fois il en avait profité pour s'assurer de l'état de Miryem.

Elle semblait dormir, mais gardait les yeux ouverts. Ses bras demeuraient noués autour du corps d'Abdias. Rekab avait rempli un gobelet avec l'eau d'une jarre.

– Tu dois boire, sinon, tu vas prendre mal.

Miryem l'avait regardé comme si elle le voyait à peine. Comme elle ne saisissait pas le gobelet, il avait osé lui passer la main sous la nuque et l'approcher de ses lèvres, la contraignant à boire ainsi qu'elle-même l'avait fait, durant la nuit et le jour précédents, avec Abdias. Elle n'avait pas protesté. Au contraire, elle s'était laissé faire avec une surprenante docilité, fermant les paupières et le remerciant d'une esquisse de sourire.

Rekab avait été surpris par son visage. Pour la première fois, les traits de Miryem étaient ceux d'une jeune fille et non d'une jeune femme austère au regard intimidant.

À l'entrée des jardins opulents qui entouraient Damas et la noyaient dans un écrin splendide de verdure où s'affairait la foule des bas quartiers, Rekab s'arrêta de nouveau. Cette fois, il referma avec soin les rideaux du char.

– Ce n'est pas la peine qu'ils te voient, murmura-t-il en guise d'explication.

En vérité, il songeait surtout au cadavre d'Abdias. Que l'un des paysans l'aperçût et cela aurait provoqué un attroupement de personnes auxquelles il serait bien difficile de donner des explications.

Mais Miryem ne sembla pas l'entendre. C'est seul, un peu plus tard, qu'il s'enquit du village de Beth Zabdaï. On le lui indiqua sans peine, à deux lieues des faubourgs. Il était connu par tous comme le village où l'on se faisait soigner. Et, par chance, le chemin qui y conduisait était assez large pour que Rekab puisse y engager le char sans trop de difficultés. Situé à l'ouest de Damas, entouré de champs et de vergers, le village se limitait à quelques bâtisses en pierre badigeonnées de blanc. Les toits plats étaient couverts de vigne. Dénués de fenêtres côté extérieur, les murs se refermaient sur des cours. La maison devant laquelle ils s'arrêtèrent ne possédait qu'une seule grande porte de bois, peinte de couleur bleue. Un huis, tout juste assez grand pour un enfant, permettait le passage sans qu'il soit nécessaire d'ouvrir la porte largement. Un marteau de bronze l'ornait.

Après avoir immobilisé l'attelage, Rekab descendit et alla frapper le marteau. Il attendit et, comme nul ne venait, il frappa plus fort. Pas davantage de réponse. Il crut qu'on ne lui ouvrirait pas. Comme le ciel était déjà rouge et la nuit toute proche, ce n'était guère étonnant.

Il s'en retournait vers le char, soucieux d'annoncer la nouvelle à Miryem, quand l'huis s'entrebâilla. Un jeune essénien aux cheveux rasés, vêtu d'une tunique blanche, passa la tête et afficha un visage suspicieux. L'heure était à la prière et non plus aux visites, indiqua-t-il. Il fallait attendre le lendemain pour que l'on dispense des soins dans la maison.

Rekab bondit. Il retint l'huis avant que le garçon ne le referme. L'autre commença à protester. D'un geste sans douceur, Rekab l'agrippa par la tunique et le tira de force jusqu'au char. Il en souleva la tenture. Le jeune essénien, qui criait des insultes et se débattait avec fureur, respira l'odeur de la mort à pleines narines. Il s'immobilisa, écarquilla les yeux et découvrit Miryem dans le creux sombre du char.

– Ouvre la porte, gronda Rekab en le lâchant enfin.

Le garçon remit de l'ordre dans sa tunique. Mal à l'aise devant le spectacle qu'offrait Miryem, il baissa les yeux.

– Ce n'est pas la règle, s'obstina-t-il. À cette heure-ci, les maîtres interdisent l'ouverture.

Avant que Rekab puisse réagir, Miryem parla.

– Donne mon nom au sage Joseph d'Arimathie. Dis-lui que je suis ici et je ne peux pas aller plus loin. Je suis Miryem de Nazareth.

Elle s'était à peine redressée. Sa voix était d'une douceur qui embarrassa le jeune essénien plus encore que ce qu'il voyait. Il ne répondit pas, fila vers l'intérieur de la maison. Rekab nota qu'il ne refermait pas l'huis derrière lui.

Ils n'eurent pas à attendre longtemps. Entouré de quelques frères, Joseph d'Arimathie accourut.

Il ne s'embarrassa pas de saluer Rekab, mais sauta dans le chariot. Il voulut questionner Miryem quand elle dévoila le visage d'Abdias. Au premier coup d'œil, il reconnut le jeune am-ha-aretz. Il laissa échapper une plainte. Miryem murmura des phrases à peine compréhensibles. Rekab l'entendit qui demandait à Joseph de ressusciter le garçon.

– Toi, tu le peux. Je sais que tu peux, marmonnait-elle comme si elle avait perdu la raison.

Joseph ne perdit pas de temps à lui répondre. Il la saisit sous les bras, réclama l'aide de ses compagnons pour la descendre du chariot. Elle protesta, gémit, mais elle était trop faible pour lutter. Elle tendit les mains vers Joseph, suppliant d'une voix qui donnait la chair de poule :

– Je t'en supplie, Joseph, accomplis ce miracle... Abdias ne méritait pas cette mort. Il faut qu'il vive encore.

Le visage tendu, grave, Joseph lui caressa la joue sans un mot. D'un signe, il ordonna qu'on l'emporte à l'intérieur de la maison.

***

Plus tard, alors que Rekab avait garé le char dans la cour, et que le corps d'Abdias en avait été enlevé, Joseph le rejoignit. Avec gentillesse, il posa la main sur l'épaule cocher.

– Nous allons prendre soin d'elle, dit-il en désignant l'aile où logeaient les femmes et où Miryem avait été portée. Merci pour ce que tu as fait. Le voyage a dû être rude. Il faut te nourrir et prendre du repos.

Rekab montra les mules qu'il venait de libérer du joug.

– Il faut les soigner et les nourrir, elles aussi. Demain, je repartirai. C'est le char de Rachel de Magdala. Je dois le lui ramener au plus vite...

– Mes compagnons vont s'occuper des bêtes, répliqua Joseph. Tu en as assez fait pour aujourd'hui. Ne t'inquiète pas pour ta maîtresse. Elle peut attendre son char quelques jours de plus. Ainsi, tu lui rapporteras de bonnes nouvelles de Miryem.

Rekab hésita, ayant envie tout à la fois de protester et d'accepter. Joseph l'impressionnait. Sa bienveillance, son calme, son crâne chauve, son regard bleu et doux, le grand respect que lui témoignaient les jeunes esséniens qui s'activaient dans la maison... tout l'intimidait en cet homme. Cependant, son cœur saignait. Ce qu'il venait de vivre tournoyait dans son esprit et dépassait son imagination.

Les doigts de Joseph serrèrent affectueusement son épaule. Le sage le conduisit vers la grande salle commune.

– Je connaissais mal ce garçon, Abdias, remarqua-t-il. Mais Joachim, le père de Miryem, m'en a dit beaucoup de bien. Cette mort est triste. Mais toutes les morts sont tristes et injustes.

Ils pénétrèrent dans une longue pièce voûtée, toute blanche, uniquement meublée d'une immense table et de bancs.

– Il ne faut pas t'inquiéter pour Miryem, dit encore Joseph. Elle est forte. Demain, elle ira mieux.

À nouveau Rekab fut impressionné par l'attention que lui marquait le maître des esséniens. Même dans la demeure de Rachel, on ne le traitait pas avec autant d'égards, lui, le cocher. Il chercha les yeux si bleus de Joseph et dit :

– Barabbas le brigand était avec nous cette nuit. C'est lui qui a apporté le petit à Magdala...

Joseph hocha la tête. Il fit asseoir Rekab, s'installa près de lui. Un jeune frère était déjà là, qui déposa devant eux une écuelle de semoule et un gobelet d'eau.

Rekab, la main un peu tremblante, porta à sa bouche une première cuillerée. Puis il reposa la cuillère, se tourna vers Joseph et se mit à raconter toute l'horreur qu'avait été ce voyage.

12.

Miryem mit plus de temps à se rétablir que Joseph ne l'avait prévu.

On l'avait installée dans l'une des petites pièces du quartier des femmes, au nord de la maison. Aussitôt qu'elle s'y trouva, elle protesta. Elle voulait être auprès d'Abdias. Elle refusait de prendre du repos, de se calmer, d'être raisonnable comme on l'en priait. Chaque fois qu'une servante lui répétait qu'elle devait prendre soin de sa propre santé et non de celle d'Abdias, puisqu'il était mort, Miryem l'insultait sans retenue.

Néanmoins, après une dure journée de luttes et de cris, les servantes parvinrent à lui faire prendre un bain, manger trois cuillerées de semoule dans du lait et ingurgiter une tisane qui l'endormit sans qu'elle en eût conscience.

Pendant trois jours, il en alla ainsi. Dès qu'elle ouvrait les yeux, on la nourrissait et on l'abreuvait d'une tisane narcotique. Lorsqu'elle se réveillait, Miryem trouvait Joseph près d'elle.

En vérité, il venait la visiter le plus souvent possible. Tandis qu'elle dormait, il la scrutait, anxieux. Mais quand elle ouvrait les paupières, il souriait et prononçait des paroles apaisantes.

Elle ne l'écoutait guère. Inlassablement elle lui posait les mêmes questions. Ne pouvait-il soigner Abdias ? N'était-il pas possible de le faire revenir d'entre les morts ? Pourquoi Joseph n'était-il pas capable d'accomplir ce miracle ? N'était-il pas le plus savant des médecins ?

Joseph se contentait de hocher la tête. Évitant de donner des réponses tranchées, il cherchait à détourner Miryem de ses angoisses et de son obsession. Il ne prononçait jamais le nom d'Abdias et s'obstinait avant tout à la faire manger et à lui faire boire au plus vite le breuvage qui l'endormait.

Joseph ne venait jamais seul auprès de Miryem. À l'intérieur de la communauté, la règle ne permettait pas qu'un frère reste seul en compagnie d'une femme. Le plus brillant de ses disciples, né à Gadara, en Pérée, et qui se nommait Gueouél, l'accompagnait. Il avait à peine trente ans, un visage fin, un peu osseux, et un regard qui dardait sur chaque geste et chaque être un esprit prompt au jugement.

L'admiration de Gueouél pour Joseph était grande, cependant son intransigeance gâchait souvent ses qualités et empoisonnait l'humeur de ses compagnons. Joseph s'accommodait de ce caractère sourcilleux. Il arrivait qu'il s'en moquât avec une affectueuse ironie. Le plus souvent, il s'en servait pour se revigorer l'esprit, comme on se passe de l'eau froide sur la nuque au petit matin afin de se laver des résidus de la torpeur nocturne.

Quand Miryem, ignorant obstinément les réponses de Joseph, répéta ses questions pour la troisième fois, Gueouél déclara :

– La raison la fuit.

Joseph hésita à l'approuver.

– Elle refuse ce qui la fait trop souffrir. Ce n'est pas perdre l'esprit. Nous agissons tous ainsi.

– C'est ainsi que nous ne savons plus discerner le Bien du Mal et les Ténèbres de la Lumière..

– Nous autres, esséniens, lui fit remarquer Joseph avec un sourire, nous croyons que celui qui est mort peut ressusciter.

– Oui, mais uniquement par la volonté de Dieu Tout-Puissant. Non par notre pouvoir. Et aussi parce que celui qui sera ressuscité aura vécu une existence parfaite dans le bien... Ce qui ne saurait être le cas de ce am-ha-aretz !

Joseph hocha la tête machinalement. Il avait souvent ce débat avec ses frères. Dans cette maison, chacun connaissait son point de vue : la vie méritait qu'on la soutienne jusque dans les ténèbres et la mort, car elle était la lumière de Dieu donnée à l'homme. La vie était un don précieux, le signe même de la puissance de Yhwh. Il fallait tout mettre en œuvre pour la soutenir. Ce qui n'excluait pas que l'homme, s'il atteignait un jour la pureté suprême, puisse faire renaître la vie là où elle semblait avoir disparu. Que Joseph ait maintes fois professé cette opinion n'empêchait pas Gueouél d'insister. Ainsi, éprouva-t-il le besoin d'ajouter :

– Aucun d'entre nous n'a encore vu de ses propres yeux le miracle de la résurrection. Ceux que nous soignons et que nous rendons à la vie ne sont pas encore morts. Nous ne sommes que des thérapeutes. Nous dispensons l'amour et la compassion, dans les étroites limites du cœur et de l'esprit humains. Seul Yhwh accomplit des miracles. Cette fille se trompe. La douleur lui fait croire que tu es aussi puissant que l'Éternel. C'est un blasphème.

Cette fois, Joseph approuva avec plus de conviction. Considérant le visage endormi de Miryem, il laissa passer un peu de temps et déclara :

– Oui, Dieu seul accomplit les miracles. Cependant, considère cela, frère Gueouél : Pourquoi vivons-nous à Beth Zabdaï et non dans le monde, parmi les autres créatures ? Pourquoi soutenons-nous la vie ici, à l'intérieur, et non dehors, hommes parmi les hommes, si ce n'est pour la rendre plus forte et plus riche ? Au fond de notre cœur, nous espérons être nous-mêmes assez purs et assez aimés de Yhwh pour que s'accomplisse en entier l'Alliance qu'Il a offerte à la descendance d'Abraham. N'est-ce pas pour cela que nous observons si strictement les lois de Moïse ?

– Si, maître Joseph ! Mais...

– Alors, Gueouél, cela suppose que, de toute notre âme, nous espérons qu'un jour Yhwh nous utilise pour réaliser Ses miracles. Sinon, nous aurons échoué à être Son choix et Son bonheur. Et nous demeurerons de la race des hommes qui Le déçoivent.

Gueouél voulut répliquer, mais Joseph leva la main avec autorité.

– Tu as raison sur un point, Gueouél, ajouta-t-il sèchement. Il serait mal d'entretenir les illusions de la fille de Joachim de Nazareth. Elle ne doit pas croire que nous sommes capables d'accomplir des miracles. Cependant, en tant que médecin tu as tort : elle ne perd pas l'esprit. Elle souffre d'une blessure invisible qui taille en elle une plaie aussi profonde qu'un coup d'épée. Les mots qu'elle prononce, les espoirs qu'elle entretient, ne doivent pas te paraître déments, mais sages : ils apaisent sa plaie aussi sûrement qu'un emplâtre et permettent d'expulser la corruption hors du corps.

***

Lorsque Miryem se réveilla une nouvelle fois, elle répéta sa litanie de suppliques à Joseph afin qu'il ramène Abdias à la vie. Cette fois, il lui dit :

– Après ton arrivée, nous avons dit adieu au corps d'Abdias, comme nous le devions. Nous l'avons enveloppé du linge des morts et l'avons recommandé à la lumière de Yhwh. Sa chair est dans la terre, où elle redevient poussière ainsi que l'Éternel l'a voulu en nous rendant mortels par la grâce de Son souffle. Sa présence sera parmi nous, en esprit. Ainsi doit-il en aller. Maintenant, c'est de ta santé que tu dois devenir la gardienne.

La voix de Joseph était froide, dénuée de son habituelle douceur. Son visage était fermé, et même sa bouche paraissait dure. Miryem se raidit. Gueouél la scrutait. Elle croisa son regard et le soutint, avant de chercher à nouveau de l'aide dans celui de Joseph.

– À Magdala, tu nous as enseigné que la justice est le bien suprême, la voie vers la lumière du bien que Yhwh nous tend, murmura-t-elle d'un ton vibrant de colère. Où est la justice quand Abdias meurt et pas Barabbas ? Lui pouvait mourir, puisqu'il tient tant à affronter Hérode par le sang.

Gueouél émit un grognement. Joseph, un peu embarrassé, se demanda si c'était la condamnation de Barabbas qui faisait réagir son jeune compagnon ou l'évocation de son propre « enseignement » chez les femmes de Magdala.

Avec une autorité qui n'excluait pas le désir de provoquer la mauvaise humeur de Gueouél, il saisit la main de Miryem.

– Dieu décide, déclara-t-il en retrouvant sa douceur coutumière. Nul autre que Lui ne décide de nos destins. Ni toi, ni moi, ni aucun être humain. Dieu décide des miracles, des châtiments et des récompenses. Il décide de la vie de Barabbas et c'est Lui qui rappelle Abdias. Telle est Sa volonté. Nous, nous pouvons soigner, soulager la douleur, guérir une maladie. Nous pouvons rendre la vie forte, belle et puissante. Nous pouvons faire que la justice soit la règle qui unit les hommes. Nous pouvons éviter que le mal soit notre arme. Mais la mort et l'origine de la vie n'appartiennent qu'au Tout-Puissant. Si tu n'as pas compris cela à travers mon enseignement, comme tu le qualifies, c'est que ma parole est maladroite et de peu de poids.

Ces derniers mots furent prononcés avec une ironie que Miryem ignora. Tandis que Joseph parlait, elle avait refermé les paupières. Quand il se tut, elle retira sa main de la sienne. Sans un mot, elle se retourna dans sa couche, face au mur.

Joseph la contempla, tendit le bras et lui caressa l'épaule. Puis, d'un geste paternel, il remonta sur elle la couverture de grosse laine. Le regard de Gueouél pesait sur chacun de ses mouvements.

Il se contraignit au silence et à l'immobilité. Il se doutait bien que Miryem ne lui adresserait plus la parole, mais il voulait s'assurer que sa respiration retrouvait son calme.

Lorsqu'il en fut certain, il se leva. Il adressa un signe à Gueouél afin qu'il l'imite et quitte la pièce avec lui.

Dans le vestibule, alors qu'ils rejoignaient la cour, ils furent brusquement environnés par un groupe de servantes. Elles revenaient du lavoir, chargées de panières de linge. Joseph se replia dans un renfoncement. Gueouél, sans hésiter, se força un chemin à travers la troupe, contraignant les servantes à reculer avec leurs lourdes charges.

Malgré l'effort qu'elles devaient accomplir pour lui céder le passage, elles n'eurent pas un murmure de protestation, se gardèrent d'affronter son regard et inclinèrent la nuque avec respect.

Parvenu dans la cour, Gueouél se retourna pour attendre Joseph, les sourcils levés par la surprise. Il désigna les servantes.

– Ne pouvaient-elles pas te laisser passer ? Elles sont de plus en plus effrontées.

Joseph masqua son agacement derrière un sourire.

– Elles sont surtout de moins en moins nombreuses parmi nous et, par conséquent, surchargées de travail. Et, si elles n'étaient pas là, irais-tu toi-même, aux heures d'étude et de prière, laver notre linge souillé ?

Gueouél repoussa cette pensée d'une grimace. Quand ils eurent presque traversé la cour, sur un ton qui se voulait conciliant, il remarqua :

– Parfois, à t'entendre, on croirait que tu n'hésiterais pas à nommer des femmes rabbis !

Il s'interrompit avec un petit gloussement amusé avant de reprendre :

– Dieu l'a voulu ainsi : pour toujours cela sera impossible. C'est faire preuve de beaucoup d'orgueil que de penser autrement et d'espérer des femmes qu'elles puissent jamais se débarrasser de ce qui les fait femmes.

Joseph hésita à répondre. Miryem le préoccupait. Il n'était pas d'humeur à réagir par un sourire à l'obstination de Gueouél.

– Dieu a voulu que nous nous engendrions à demi part de chair d'homme et de femme. Ainsi, nous sortons du ventre d'une femme. Pourquoi l'Éternel voudrait-Il que nous sortions d'un cloaque ?

– Ce ne sont ni le mot ni la pensée qui m'habitent. Les femmes sont ce qu'elles sont : mues par la chair, l'absence de raison et la faiblesse du plaisir. Ce qui les rend impropres à atteindre la lumière de Yhwh. N'est-ce pas ce qui est écrit dans le Livre ?

– Je sais, Gueouél, que toi et beaucoup de nos frères condamnez mon opinion. Mais ni toi ni les autres n'avez à ce jour répondu à mes questions. Pourquoi le mal habiterait-il le vase et non la semence ? Pourquoi serions-nous plus aptes à la pureté que celles qui nous engendrent ? Depuis quand a-t-on vu une source plus pure que la grotte qui l'abrite ?

– Nous t'avons répondu par la parole du Livre. Partout, il sépare la femme de l'homme et la juge impropre à la connaissance.

Il s'agissait d'arguments mille fois rebattus et d'une conversation qui ne menait nulle part. Joseph eut un geste irrité, comme s'il chassait une mouche, et s'abstint de répliquer.

Vexé, les lèvres pincées, Gueouél déclara alors :

– J'ai fait retirer le corps du am-ha-aretz de notre cimetière. Je suppose que l'on t'avait mal compris. Sa fosse ne peut être parmi les nôtres, tu le sais. Les am-ha-aretz n'ont pas droit aux terres bénites.

Joseph s'immobilisa. Un frisson de révulsion lui parcourut le corps.

– Tu l'as retiré de terre ? demanda-t-il d'une voix blanche. Veux-tu le priver de sépulture ?

– Non, non !

Gueouél secoua la tête. Un déplaisant sourire de victoire durcit ses traits.

– Sans sépulture, il serait maudit. Je suppose qu'il ne le mérite pas, n'est-ce pas ? Même si sa mort, alors qu'il était encore presque un enfant, signifie sans doute que Dieu n'avait pas de grands projets pour lui. Non, ne t'inquiète pas. On l'a remis en terre. Au bord du chemin qui mène à Damas. Là où se trouvent les tombes des étrangers et des larrons.

Joseph était incapable de répondre. Il songeait à Miryem. Il lui semblait soudain que chacun des mots qu'il lui avait dits était un mensonge.

Gueouél était assez perspicace pour deviner sa pensée.

– Il serait judicieux que tu ne revoies plus cette fille. Sa santé n'est pas en danger, seulement son esprit. Elle n'a plus besoin de toi, et de nouvelles visites aux quartiers des femmes troubleraient nos frères.

13.

Miryem écoutait les bruits légers des allées et venues dans la maison, le murmure des femmes, parfois même leurs rires. Vibrant à travers les murs, résonnaient les coups réguliers du pilon qui réduisait les grains de seigle et d'orge en farine. Ils ressemblaient aux battements d'un cœur paisible et puissant.

Elle eut envie de se lever, de rejoindre les servantes et d'aider aux travaux. Elle n'éprouvait plus de fatigue. Sa faiblesse ne provenait que du peu de nourriture qu'elle avait avalé depuis quelques jours. Cependant, sa colère était encore immense.

Elle ne se résolvait pas à accepter les mots prononcés par Joseph. La seule pensée du corps d'Abdias sous la terre lui mettait le cœur en feu. Elle devait serrer les poings pour ne pas crier.

En outre, il lui restait assez de raison pour sentir qu'elle n'était pas la bienvenue dans cette communauté. Le regard du frère qui accompagnait Joseph le lui avait clairement fait comprendre. La sagesse lui conseillait de réunir ses forces et sa volonté afin de quitter Beth Zabdaï et de rejoindre son père, comme elle l'avait décidé à Magdala.

Seulement, cette pensée ravivait sa colère. Partir,

quitter cette maison et Damas, c'était pour de bon abandonner Abdias, s'éloigner de son âme et peut-être même avancer vers l'oubli.

– Cette fois, es-tu vraiment réveillée ?

Miryem sursauta et se retourna. Debout près de son lit se tenait une femme à laquelle on eût été bien en peine de donner un âge. Ses cheveux étaient blancs comme neige, des centaines de rides fines jouaient autour de son sourire et de ses paupières. Pourtant, sa peau paraissait aussi fraîche que celle d'une jeune femme. Ses yeux, très clairs, brillaient d'intelligence et peut-être de ruse.

– Réveillée et très en colère, ajouta-t-elle en entrant dans la pièce.

Miryem s'assit sur la couche. La surprise la rendait muette. Elle ne parvenait pas à deviner si l'inconnue se moquait d'elle avec méchanceté ou l'approchait avec gentillesse.

La femme hésitait également. Elle considéra Miryem, les sourcils arqués, les lèvres arrondies en une moue.

– Être en colère le ventre vide, ce n'est pas bon.

Miryem se leva sans précaution. La tête lui tourna, elle dut se rasseoir et s'appuyer des deux mains sur sa couche pour ne pas chanceler.

– C'est ce que je disais, marmonna la femme. Il est temps que tu manges au lieu de dormir.

Dans son dos, des servantes se pressaient sur le seuil, brûlant de curiosité. Miryem puisa dans son orgueil. Elle pointa le menton, grimaça un sourire.

– Je vais bien. Je vais me lever. Je vous remercie toutes...

– Pour sûr que tu peux nous remercier ! Comme si nous n'avions pas assez de travail sans qu'une pimbêche dans ton genre vienne nous gémir dans les oreilles.

Miryem ouvrit la bouche pour s'excuser, mais la tendresse répandue sur les traits de l'inconnue lui fit comprendre que c'était inutile.

– Je m'appelle Ruth, dit la femme. Et tu ne vas pas bien, non, pas encore.

Elle la saisit sous les bras et l'aida à se redresser. Malgré son appui, Miryem chancela

– Eh bien, il est temps vraiment que l'on te requinque, ma fille, grommela Ruth.

– Il faut juste que je m'habitue...

D'un regard, Ruth réclama l'assistance d'une servante.

– Cesse de dire des bêtises. Je vais te nourrir et tu vas aimer ça. Notre cuisine est trop bonne pour que l'on fasse la fine bouche devant.

***

Plus tard, alors que Miryem dégustait à petites bouchées une galette de sarrasin fourrée de fromage de chèvre qu'elle trempait dans une écuelle d'orge bouilli dans du jus de légumes, Ruth déclara :

– Cette maison n'est pas comme les autres. Il faut que tu en apprennes les règles.

– C'est inutile. Dès demain, je partirai chez mon père.

Ruth fronça les sourcils. Elle demanda où demeurait son père. Quand Miryem lui eut expliqué qu'elle venait de Nazareth, dans les montagnes de Galilée, Ruth fit la moue.

– C'est une longue route pour une fille toute seule...

Dans un geste inattendu, elle caressa le front de Miryem et glissa ses doigts usés dans la masse de sa chevelure. Miryem tressaillit, émue. Cela faisait longtemps qu'une femme ne l'avait caressée d'un geste empli de tendresse maternelle.

– Ôte-toi cette idée de la tête, ma fille, reprit Ruth avec douceur. Tu ne nous quitteras pas demain. Le maître a ordonné que tu restes ici. Nous lui obéissons tous et toi aussi, tu vas lui obéir.

– Le maître ?

– Maître Joseph d'Arimathie. Qui d'autre serait le maître, ici ?

Miryem ne répliqua pas. Elle savait que l'on appelait Joseph ainsi. Même à Magdala, certaines femmes le désignaient sous ce titre respectueux. Et, de toute évidence, ici, à Beth Zabdaï, Joseph était un homme différent de celui qu'elle avait connu à Nazareth et qui l'avait conduite chez Rachel.

– Je dois aller sur la tombe d'Abdias, dans le cimetière. Je dois aller lui dire au revoir, chanter les prières, dit-elle.

Ruth parut surprise, puis inquiète.

– Non ! Tu ne le peux pas. Tu n'es pas en état de jeûner. Il faut que tu manges... Le maître le veut !

Ses joues rosissaient, elle parlait précipitamment.

– Y a-t-il des frères sur sa tombe ? insista Miryem. Sinon, je dois y aller. Abdias n'a que moi pour l'accompagner chez les morts.

– Ne t'inquiète pas. Les hommes de cette maison font leur devoir. C'est pas à nous, les femmes, de le faire à leur place. Toi, tu dois manger.

Le vacarme des pilons résonna derrière elles, les réduisant au silence un instant. Le réfectoire des femmes était tout en longueur et bas de plafond. Sur les côtés étaient alignés des sacs et des couffins contenant les fruits et les légumes séchés, ainsi que des sortes de bancs troués soutenant des jarres d'huile. Le mur du fond s'ouvrait en grand sur les mortiers, les billots et le foyer de la cuisine, où des braises rougeoyaient en permanence.

Quelques servantes broyaient les grains pour la farine sur une pierre à l'aide d'une masse en bois d'olivier, tandis que quatre femmes pétrissaient et étiraient la pâte des galettes. De temps en temps, elles relevaient le front et jetaient des regards curieux vers Miryem.

Dolente, rassasiée, celle-ci achevait son écuelle. Ruth s'empressa de la remplir à nouveau.

– Tu es bien trop maigre. Il faut t'arrondir si tu veux plaire aux hommes.

C'était dit avec tendresse, ainsi que ces choses sont dites, toujours, entre une aînée et une cadette. Ruth fut stupéfiée par la raideur de Miryem, par la violence de son ton et la dureté de son regard :

– Comment peut-on désirer qu'un homme pose ses regards sur vous quand on sait combien ceux qui vivent ici nous détestent ?

Ruth jeta un coup d'œil prudent vers la cuisine.

– Les frères esséniens ne nous détestent pas. Ils nous craignent.

– Nous craindre ? Et pourquoi ?

– Ils craignent ce qui fait de nous des femmes. Notre ventre et notre sang.

Il s'agissait là d'une réalité que Miryem ne connaissait que trop bien. Elle avait eu l'occasion d'en débattre quantité de fois à Magdala, avec les compagnes de Rachel.

– Nous sommes comme Dieu l'a voulu et cela devrait suffire.

– Sans doute, approuva Ruth. Mais pour les hommes de cette maison, ça nous éloigne du chemin qui nous permettrait de rejoindre l'île des Bienheureux. Ce qui compte le plus au monde pour eux, c'est ça : atteindre l'île des Bienheureux.

Miryem lui adressa un regard d'incompréhension. Jamais elle n'avait entendu parler de cette île.

– Ce n'est pas à moi de te l'expliquer, fit Ruth, embarrassée. C'est trop savant et je dirais des bêtises. Nous ne recevons pas d'enseignement, ici.

On entend parfois les frères parler entre eux, on grappille des mots par-ci, par-là, pas plus. Ce qui est sûr, c'est qu'il faut suivre la règle de la maison. C'est le plus important. Grâce à elle, les frères se purifient afin d'entrer dans l'île... La première règle, c'est de demeurer dans la partie de la maison qui nous est réservée. Les cours, on peut s'y rendre, mais le reste nous est interdit. Ensuite, il est interdit de parler à un frère s'il ne nous adresse pas d'abord la parole. Nous devons prendre des bains avant de cuire le pain, ce qui a lieu tous les jours avant l'aube...

Les tâches consistaient à préparer de la soupe de semoule et à confectionner des galettes fourrées au fromage deux fois par jour, à laver le linge des frères et à se débrouiller pour que le lin de leurs pagnes et de leurs tuniques soit d'une blancheur immaculée.

– Autre chose importante : il ne faut rien gâcher. Ni la nourriture ni les vêtements, insista Ruth. Pour la nourriture, il ne faut cuire que le nécessaire, ni trop ni trop peu. Pareil pour le tissage. Les vêtements ordinaires, les tuniques brunes du travail, même s'il y a des trous, les frères ne veulent pas les jeter. Ils ne s'en séparent que quand ils sont en charpie. Ce qui n'est pas plus mal, c'est toujours moins de travail pour nous.

Elle prodigua encore bien d'autres conseils. Surtout, il ne fallait pas approcher du réfectoire des frères. C'était un lieu sacré, réservé aux hommes, car le repas était comme une prière pour les esséniens. Boire et manger était un don du Tout-Puissant et il fallait L'aimer en retour pour ce bienfait. Aussi, avant chaque repas, les frères quittaient-ils leurs tuniques brunes de gros drap et enfilaient-ils des pagnes de lin blanc. Après quoi, ils se baignaient dans une eau absolument pure pour se laver des souillures de la vie.

– Pour sûr, je ne les ai pas vus faire, chuchota Ruth avec un clin d'œil. Mais il y a longtemps que je suis là. On finit par glaner quelques informations... Le bain, voilà ce qui est important. Après le bain, ils peuvent manger. Tous assis à la même table, mais pas avant que le maître ait béni la nourriture. Ensuite, ils reprennent leurs vêtements ordinaires et nous, nous devons laver les tuniques qui ont servi au repas. Quand il neige, l'eau de leur bain peut être glacée, ils s'en moquent. Le puits d'où ils la tirent est dans la maison elle-même. Notre puits à nous, pour la cuisine et la toilette, est dehors. Comme tu vois, ce n'est pas le travail qui manque. Tu vas trouver ta place ici.

Miryem, silencieuse, repoussa son écuelle.

– Mange ! ordonna aussitôt Ruth. Mange encore, même si tu n'en as pas envie. Il faut reprendre des forces.

Mais Miryem ne souleva pas sa cuillère.

– Tu restes, n'est-ce pas ?

L'anxiété n'était pas seulement dans le ton mais aussi sur le visage de Ruth. Miryem l'observa avec étonnement.

– Pourquoi tiens-tu tant à ce que je reste ? Je n'ai rien à faire ici. Cela se voit.

– Tu es têtue, soupira Ruth. Maître Joseph le veut, voilà pourquoi. Il me l'a demandé. À moi. Il m'a dit : « Elle ne voudra pas rester, mais tu dois la convaincre. » Tu vois : il t'aime et ne veut que ton bien. Il n'y a pas meilleur que lui !

– Je suis venue ici pour qu'il soigne Abdias. Il n'a rien fait.

– Oh, tu es folle pour bon ! Tu sais bien que le garçon était mort ! Et depuis un moment déjà. Que pouvait faire le maître ?

Miryem ne parut pas entendre ce reproche. Elle avait fermé les paupières. Ses lèvres tremblaient à nouveau. Elle murmura :

– Je n'aime pas cette maison. Je n'aime pas ces hommes, je n'aime pas ces règles. Je croyais que Joseph pourrait m'enseigner à lutter contre le mal et la douleur, mais ici je n'apprendrai rien car je suis une femme.

Ruth soupira et secoua la tête, navrée.

– Abdias était un ange du ciel, reprit Miryem d'une voix à la fois sourde et violente. Il fallait le sauver. Rien n'est juste, rien ! Barabbas n'aurait pas dû le laisser combattre. Moi, j'aurais dû savoir le soigner, et Joseph aurait dû savoir le ressusciter. Nous sommes tous fautifs. Nous ne savons pas faire régner le bien et la justice.

À présent, Ruth se demandait si le maître ne se trompait pas et si, hélas, le frère Gueouél n'avait pas raison. Cette fille de Nazareth n'était pas guérie. Au contraire, elle avait bel et bien perdu l'esprit.

Miryem lut le doute sur le visage de sa compagne. La colère qui l'avait submergée ces dernières heures lui revint, battant dans ses tempes et sa gorge. Elle se leva brutalement, enjamba le banc comme si elle allait partir.

Dans les cuisines, les servantes avaient cessé leur travail et les observaient, guettant la dispute. Miryem se ravisa. Elle s'inclina vers Ruth :

– Tu me crois folle, n'est-ce pas ?

Ruth rougit, le regard fuyant.

– Inutile de décider maintenant. Demain, tu verras. Repose-toi encore et après la nuit...

– Après la nuit, le jour viendra, identique à celui d'aujourd'hui. Je ne suis pas folle et toi, tu es trop satisfaite d'être ignorante. Je vais te dire qui était Abdias.

D'une voix blanche, elle raconta comment elle avait rencontré le jeune am-ha-aretz à Sepphoris, comment il avait, à Tarichée, sauvé son père Joachim de la croix et comment les mercenaires d'Hérode l'avaient tué en épargnant Barabbas.

– Évidemment, c'est un mercenaire qui a planté une lance dans sa poitrine. Bien sûr, c'est Hérode qui paie le mercenaire pour semer la douleur parmi nous. Mais c'est nous, nous tous, qui avons placé la poitrine d'Abdias devant la lance. Par notre faiblesse. Car nous supportons sans réagir ceux qui nous humilient. Car nous nous habituons à vivre sans justice, sans amour ni respect pour les faibles. Parce que nous ne refusons pas le poids du mal qui pèse sur nos nuques. Quand un am-ha-aretz meurt pour nous, le mal est encore plus grand. La faute est encore plus lourde. Parce que personne ne pense à lui, personne ne crie vengeance. Au contraire, chacun se courbe un peu plus avec indifférence.

Miryem avait haussé la voix. Ruth ne s'attendait pas à ce flot de paroles et demeura bouche bée, tout comme les servantes dans la cuisine.

– Où est le bien ? gronda encore Miryem. Ici ? Dans cette maison ? Non, je ne le vois nulle part. Suis-je aveugle ? Où est le bien qu'engendrent ces hommes qui veulent être purs afin de pouvoir rejoindre l'île des Bienheureux ? Le bien qu'ils nous offrent, à nous tous, le peuple de Yhwh, où est-il ? Je ne le vois pas.

Il y avait des larmes dans les yeux horrifiés de Ruth.

– Tu ne dois pas parler ainsi ! Pas ici, où ils viennent par centaines pour que le maître les soulage de leur douleur. Oh non ! Tu ne dois pas. Ils sont là avec leurs enfants, leurs vieux parents, et chaque jour le maître fait ouvrir la porte et les reçoit. Il fait tout ce qu'il peut pour eux. Souvent il les guérit. Mais, parfois, il y en a qui meurent dans ses bras. C'est ainsi. Le Tout-Puissant décide.

Cet argument, Miryem l'avait trop entendu.
– L'Éternel décide ! Mais moi je dis que l'injuste est l'injuste et qu'il n'y a pas à l'accepter en baissant le front.
Avec un grognement de rage elle s'éloigna.
– Attends ! Où vas-tu ?
Ruth avait agrippé sa tunique et la retenait. Miryem tenta de se dégager, mais la poigne de la vieille servante était ferme.
– Je vais au cimetière, sur la tombe d'Abdias. Je suis certaine que nul ne s'y est rendu pour faire le deuil !
– Attends, s'il te plaît, attends !
La supplique, dans la voix de Ruth, intrigua Miryem. Elle cessa de se débattre, se laissa emprisonner les mains par les doigts rêches et usés.
– Ton garçon n'est pas dans le cimetière.
– Que dis-tu ?
– Les frères ne l'ont pas voulu. Les am-ha-aretz ne sont pas...
– Oh ! Tout-Puissant ! Ce n'est pas possible.
– Ne crains rien. Il est en terre mais...
– Joseph n'aurait pas dû le permettre !
– Ce n'est pas lui. Je te le jure ! Ce n'est pas lui, ne crois pas ça ! Il ne savait pas...
Avec un cri, Miryem se dégagea de l'emprise de Ruth.
– Abdias est mort, mais ce n'était qu'un am-ha-aretz ! Qu'il ait vécu ou pas vécu, qui s'en souciera ? Que Dieu vous maudisse !
Ces mots résonnaient encore sous les voûtes de la salle alors que Miryem était déjà sortie.
Ruth ferma les yeux, frappa la table du plat de la main. Des larmes brûlantes franchirent ses paupières. Elle aurait dû courir derrière cette fille pleine de colère et pleine de raison. Car Miryem

avait raison, elle le savait. Elle l'avait lu dans les yeux du maître Joseph d'Arimathie quand il lui avait demandé son aide. Lui aussi savait qu'elle avait raison. Lui aussi craignait sa colère.

****

À la tombée du jour, les servantes ne parlaient que de ça, posant mille questions à Ruth qui, de plus en plus renfrognée, ne répondait pas. La fille de Nazareth, disait-on, avait quitté la maison en profitant des allées et des venues des malades dans la grande cour. Elle s'était rendue au petit cimetière, éloigné d'à peine deux ou trois cents pas. Là, elle avait demandé où l'on avait déposé le corps du am-ha-aretz. Elle l'avait trouvé et, maintenant, elle faisait son deuil, déchirant sa tunique, se couvrant les cheveux de cendre et de terre.

Les habitants de Beth Zabdaï, de retour des champs, surpris par la violence de ces plaintes et par la ferveur de ces prières sur une tombe qui n'était pas en terre sacrée, s'étaient arrêtés à bonne distance pour l'observer. Eux aussi devaient se demander si elle n'était pas folle.

Pourtant, elle ne faisait qu'accomplir les rituels des sept journées du deuil. Mais avec tant de dévotion que chacun, en la voyant et en l'écoutant, en avait des frissons. Comme si la douleur de la mort vous pénétrait les os.

Personne ne restait longtemps. Beaucoup baissaient les yeux et s'éloignaient discrètement. Certains venaient près d'elle, le temps d'une prière. Puis ils hochaient la tête avec tristesse et partaient dans un silence craintif.

****

Leur labeur achevé, Ruth et quelques servantes grimpèrent sur le toit. La nuit tombait.

Miryem était loin de la maison, mais on la devinait qui se tenait toujours sur la tombe. Il ne fallait pas beaucoup d'imagination pour la deviner silencieuse et prostrée, sale et solitaire.

À celles qui lui avaient rapporté ce que l'on racontait dehors, Ruth avait demandé si le maître n'avait pas tenté de ramener Miryem à la maison. Les servantes l'avaient considérée avec étonnement. Pourquoi le maître aurait-il contrevenu à la règle ? La porte ne s'ouvrirait plus. Surtout pas pour laisser entrer une femme en deuil, souillée de corps et d'esprit, alors que les frères avaient déjà pris leur bain et le repas du soir qui les purifiaient.

Oui, cela, Ruth le savait. Néanmoins, elle ne cessait de songer à l'insistance de Joseph quand il l'avait priée de veiller sur la fille de Nazareth. Cette demande était si rare, si exceptionnelle, que ces mots tournaient encore dans son esprit : « Ne la laisse pas fuir. Ne la laisse pas écouter sa colère. Elle n'en démordra pas. Elle sera dans une rage terrible et elle a beaucoup de force. Ce n'est pas une fille ordinaire et sa force peut se retourner contre elle. Veille sur elle, si tu le peux... »

Il n'avait pas eu besoin d'ajouter : *« Parce que moi je ne le peux pas. »* Ce n'était pas la peine. Ruth avait compris.

Pour une raison qu'elle ignorait et ne chercherait pas à connaître, cette fille de Nazareth était chère au cœur du maître. Cela, les frères ne pourraient l'accepter. Ils le condamnaient d'avance. Gueouél, qui se voulait le plus sage, le plus intransigeant, le plus aimé de Dieu, en ferait l'occasion d'un esclandre ou même d'une expulsion. Il n'aimait pas le maître. Chacun le savait, le sentait, et Ruth, quelquefois, avait vu Joseph le craindre.

Mais à elle, Ruth, Joseph d'Arimathie avait assez donné pour qu'à son tour elle donnât. Il s'était adressé à elle, lui faisant comprendre à demi-mot son inquiétude et le besoin qu'il avait de son soutien.

Aussi, maintenant, sur le toit de la maison, dans l'ombre de plus en plus épaisse de la nuit qui montait, Ruth craignait-elle d'avoir failli.

– Elle va passer la nuit dehors, murmura-t-elle, les poings serrés sur la poitrine.

Celles qui l'entouraient haussèrent les épaules. Sans oser le dire à haute voix, elles songeaient que cela pourrait faire du bien à la nouvelle venue, la calmer. Une nuit à la belle étoile n'avait jamais tué personne. Fréquemment, ceux qui accompagnaient les malades dormaient aux alentours de la maison. Certains possédaient des tapis, des couvertures qu'ils tendaient sur des piquets en guise de toit. D'autres se contentaient du pied d'un arbre ou de l'abri d'un muret contre le vent. La fille de Nazareth pourrait en faire autant. Même s'il était triste de la voir se mettre dans un état de deuil aussi excessif pour un gosse am-ha-aretz.

Néanmoins Ruth savait que rien n'était simple avec cette Miryem. Les autres servantes n'avaient pas vu de près ses yeux, sa colère. Elles n'avaient pas reçu ses mots de révolte contre leur poitrine. Des mots qui frappaient et blessaient plus que des coups.

Il suffisait de la regarder, là-bas, sur la tombe, petite silhouette prostrée, pour deviner que, dans la nuit, elle ne se protégerait de rien, ni du froid ni des chiens qui rôdaient dans l'obscurité en quête de charogne. Pas même des hommes malfaisants à la recherche d'une proie.

Et peut-être même serait-elle assez insensée pour vouloir prendre la route de la Galilée à l'unique lumière de la lune. Au risque de se perdre plus qu'elle ne l'était déjà, le ventre à moitié vide, la cervelle en feu.

***

Ruth ne révéla rien de ces pensées. Mais sa décision était prise. Elle ne pouvait agir avant que le repas des femmes ne soit achevé et que chacune rejoigne sa chambrette.

Elle endura cette attente avec impatience, touchant à peine à sa propre écuelle. Elle pria en silence, sans remuer les lèvres, mais du fond du cœur réclamant la mansuétude du Tout-Puissant, Sa compréhension, Sa bénédiction. Que Miryem ne s'éloigne pas du cimetière !

Elle feignit de rejoindre sa couche comme ses compagnes. Là, en vitesse, elle noua sa couverture autour de ses reins. Sans un bruit, dans la dense obscurité des couloirs, elle retourna à la cuisine. Plus tôt, elle avait discrètement préparé un balluchon contenant quelques galettes et une gourde de lait de chèvre. Elle connaissait si bien l'endroit qu'elle ne perdit pas trop de temps à le retrouver.

Frôlant les murs du bout des doigts, elle entra dans le grand cellier derrière la cuisine. Une trappe y était aménagée, qui permettait de décharger de l'extérieur le grain dans un grand bac. Cela évitait quantité de va-et-vient dans la cour et préservait la tranquillité de la maison.

Butant de-ci, de-là, elle finit par trouver la murette ceinturant le bac. Elle la franchit maladroitement, piétina les grains qui se mirent aussitôt à couler sous ses pieds, près de l'ensevelir. Affolée, désorientée, elle chercha la trappe un moment. Ses doigts heurtèrent enfin le bois du volet et le métal de la serrure, qui ne s'actionnait que de l'intérieur.

Elle soupira de soulagement, tâtonna encore pour déverrouiller le mécanisme d'ouverture qui n'avait pas été actionné depuis des mois. Il lui sembla provoquer un vacarme propre à réveiller tout le quartier des femmes.

Les gonds grincèrent enfin. Le cœur battant à tout rompre, Ruth inspira une grande bouffée d'air. Elle songea qu'elle était folle. Qu'allait-il lui arriver quand on découvrirait ce qu'elle avait fait ? Car on le découvrirait. Rien, dans cette maison, ne demeurait secret. Et jamais, de toutes les années qu'elle y avait vécues, elle ne s'était livrée à pareille désobéissance.

Terrifiée par son audace, elle glissa le buste dans la lucarne, juste assez grande pour elle. Après l'obscurité absolue, la clarté de la demi-lune lui parut diffuser une lumière à peine réelle, mais si violente qu'elle distinguait les plus menus détails alentour.

La trappe s'avéra être plus loin du sol que Ruth ne l'aurait cru. Avec l'âge, elle avait perdu sa souplesse et son agilité. Serrant les mâchoires, le souffle court, elle agrippa le rebord du mur et bascula en avant. La trappe retomba brutalement et elle s'affala avec un petit cri.

Elle était tombée dans une position si grotesque que, à un autre moment, elle en aurait ri. Par chance, la couverture qui lui serrait la taille avait amorti le choc et le chemin était désert.

Elle se remit debout en maugréant. Le balluchon avait roulé sous elle, les galettes s'étaient brisées et éparpillées sur le sol. Elle en ramassa quelques morceaux qui ne paraissaient pas souillés avant de s'écarter de la maison pour rejoindre le sentier conduisant au village.

Tout n'était qu'ombres et bruits étranges. Comme s'ils étaient vivants, les choses, les arbres, les pierres du chemin changeaient subtilement de contour tandis qu'elle avançait. Ruth savait que c'était là l'effet de la lune, mais elle n'était plus accoutumée aux illusions de la nuit. Les années ne se comptaient plus depuis la dernière fois qu'elle avait marché ainsi, à l'heure où les démons se jouent de vous.

Elle murmura le nom du Tout-Puissant, réclama Son pardon et Le supplia une fois encore de retenir la fille de Nazareth sur la tombe du am-ha-aretz.

Elle y était.

Ruth ne l'aperçut pas d'emblée. Elle se confondait avec les arbustes espacés entre de mauvaises tombes privées d'une pierre ou d'un quelconque signe indiquant le nom du mort qu'elles abritaient. Puis Miryem eut un léger balancement. La lune éclaira sa tunique déchirée sous sa chevelure défaite et lourde de terre.

Ruth laissa son souffle s'apaiser avant de s'approcher. Son cœur battait si fort qu'elle crut que Miryem allait l'entendre.

Mais la fille de Nazareth ne parut pas se rendre compte d'une présence à côté d'elle. Ruth retint son désir de la prendre dans ses bras.

– C'est moi, Ruth, murmura-t-elle seulement.

– Si tu viens me demander de rentrer, tu ferais mieux de retourner te coucher.

Les mots de Miryem étaient si tranchants que Ruth recula d'un pas.

– Je croyais que tu ne m'avais pas entendue, chuchota-t-elle.

– Si tu es venue faire le deuil d'Abdias avec moi, tu es la bienvenue. Sinon, tu peux repartir, répéta Miryem tout aussi durement.

Ruth dénoua la couverture de ses reins, la déposa sur le sol, se défit de la gourde de lait et s'accroupit.

– Non, je ne suis pas venue pour te faire rentrer. Je le voudrais que ce serait impossible. La porte est close pour la nuit. Moi aussi, je dois attendre demain. Si jamais ils me laissent revenir.

Elle attendit que Miryem réagisse, mais comme pas un mot ne franchissait ses lèvres, elle ajouta :

– J'ai apporté du lait et une couverture. L'aube sera fraîche. J'avais aussi des galettes, mais je suis tombée et elles se sont brisées.

À présent, elle en souriait. Mais Miryem, sans tourner la tête, déclara :

– Je fais le jeûne. Je n'ai pas besoin de ta nourriture.

– Boire du lait n'est pas interdit pendant le deuil. La couverture non plus. Et, dans ton état, jeûner est stupide.

De nouveau, Miryem ne répliqua pas. Le silence, autour d'elles, était parcouru de jacassements, de frottements, des frôlements de la brise et des stridulations des insectes. Ruth s'assit sur le sol, essaya de trouver une position à peu près confortable.

Elle avait peur. C'était plus fort qu'elle. Sentir toutes ces tombes autour d'elle, ces morts qui n'avaient pas été bénis par les rabbis, la terrifiait. Elle osait à peine tourner la tête, de crainte de voir surgir un monstre. Cette seule pensée lui donnait la chair de poule. Il fallait être cette fille de Nazareth pour ne pas trembler de peur au cœur de ce silence plein de bruits.

– Je ne sais pas si je suis venue faire le deuil avec toi, soupira-t-elle. Je n'aime pas ça, faire le deuil. Mais je ne pouvais pas te laisser toute seule dehors.

Elle espérait que Miryem allait lui demander pourquoi, mais aucune question ne vint. Pour que le silence ne dure pas, elle dit, presque machinalement :

– Bois un peu de lait, au moins. Cela te donnera la force d'attendre le matin. Et aussi de lutter contre le froid...

Elle n'acheva pas sa phrase. Maintenant qu'elle avait entendu la voix nette et dure de Miryem, ses conseils lui paraissaient inutiles et même légèrement ridicules. La fille de Nazareth savait ce qu'elle voulait et faisait. Elle n'avait pas besoin de sermon.

Ruth serra les dents et les poings, guettant les bruits au cœur du silence. Cela dura longtemps. Ni l'une ni l'autre ne bougeaient, les muscles des cuisses et des reins gagnés par l'engourdissement. Il semblait que, de temps à autre, les lèvres de Miryem bougeaient, comme si elle murmurait une prière. Ou des paroles. À moins que ce ne fût qu'un effet de la lumière de la lune à travers les feuillages du grand acacia qui les surplombait.

Soudain, Ruth saisit les coins de la couverture, la déploya et l'étendit sur les jambes de Miryem comme sur les siennes. Miryem ne protesta pas et ne la retira pas. Cela décida Ruth à parler.

– Je suis venue parce qu'il le fallait. À cause de maître Joseph. Pour te confier quelque chose. Tu dis que le maître est injuste, mais ce n'est pas vrai.

Le front baissé, elle considéra ses mains posées bien à plat sur la laine rêche qui couvrait ses jambes. De part et d'autre de son visage, sous les éclats intermittents de la lune, ses cheveux blancs brillaient comme de l'argent.

– J'ai eu un époux. Il travaillait le cuir. Avec une seule peau de chèvre il était capable de fabriquer une outre de deux boisseaux si parfaite qu'elle ne laissait pas transpirer une goutte d'eau au soleil de l'été. C'était un homme simple et doux. Son nom était Josué. Ma mère l'avait choisi pour moi sans que je le connaisse. J'avais juste l'âge des épousailles. Quatorze ans, peut-être quinze. Quand j'ai vu Josué pour la première fois, j'ai su que je pouvais l'aimer comme on doit aimer son époux. Durant dix-huit années nous avons été heureux et malheureux. Nous avons eu trois filles. Deux sont mortes avant les quatre mois de vie. L'autre est devenue grande et belle. Elle est morte aussi. C'est depuis ces jours-là que je n'aime pas faire le deuil. Mais il me restait mon Josué et je pensais qu'on aurait un autre enfant. On avait l'âge et on savait faire.

Elle eut envie de rire de sa propre plaisanterie. Le rire ne vint pas. À peine un sourire.

– Un jour, Josué a décidé qu'il aimait l'Éternel plus que moi. Cela le prit comme un vent qui se lève et massacre un champ d'orge. Il est venu vivre dans cette maison. Les frères ont été longs à l'accepter. Ils n'acceptent pas facilement des nouveaux. Ils se méfient. Ils craignent qu'ils n'aient pas la force de devenir assez purs... Mais moi, j'ai été encore plus longue à vouloir le perdre. Chaque jour, je m'installais devant la porte de la maison. Je ne pouvais pas croire qu'il resterait, qu'il ne changerait pas d'avis. Le Tout-Puissant m'avait pris mes filles. Il ne pouvait pas me prendre mon Josué aussi. Quelle était ma faute ? Où était Sa justice ?

La voix de Ruth était à peine audible. Elle ne le voulait pas, mais les larmes perlaient à ses paupières. Il y avait si longtemps qu'elle n'avait pas tiré cette histoire de son cœur.

– Il ne m'est jamais revenu.

À travers l'épaisseur de la couverture, elle se frappa la cuisse de la paume de la main et respira fort pour repousser la boule dans sa gorge.

– Celui qui est venu vers moi, un jour, c'est maître Joseph. J'étais dans l'ombre du grand figuier à gauche de la maison. Je regardais la porte mais, à force de la regarder, je ne la voyais plus. Quand il s'est adressé à moi, j'ai eu aussi peur que si un scorpion me piquait les fesses.

Elle sourit à nouveau. C'était un peu exagéré, mais assez vrai, et d'y penser ainsi lui permettait de se sécher les yeux. Cela dut plaire à la fille de Nazareth, car elle demanda, de sa voix sèche :

– Que t'a-t-il dit ?

– Que mon Josué ne me reviendrait jamais car il avait choisi la voie des esséniens. Que cette voie lui interdisait de fréquenter son épouse comme avant. Que l'Éternel me pardonnerait si je voulais bien me considérer comme une femme sans époux. Que j'étais encore jeune et belle. Il me serait facile de trouver un homme bienheureux de m'aimer.

Comme il était étrange de prononcer de telles phrases aujourd'hui !

– J'aurais eu une pierre assez grosse sous la main, je lui aurais fracassé le crâne. Changer d'époux, et sans que ce soit une faute ! Il faut bien être un homme, sage ou pas, que le Tout-Puissant me pardonne ! pour avoir des idées pareilles. Une lune plus tard, j'étais toujours devant la maison. On entrait dans l'hiver. Il pleuvait et pleuvait. Les gens du village me donnaient de quoi manger, mais contre la pluie et le froid, ils ne pouvaient rien. Maître Joseph est venu une nouvelle fois devant moi. Cette fois, il m'a dit : « Tu vas mourir de froid à rester ici. Josué ne te reviendra pas. » J'ai répondu : « Alors, c'est moi qui reviendrai ici, chaque jour. Si l'Éternel veut que j'en meure, j'en mourrai, et tant mieux. » Il n'était pas content. Il est resté là un long moment sous la pluie à côté de moi, sans prononcer une parole. Puis d'un coup il m'a annoncé : « Tu peux entrer et considérer notre maison comme la tienne. Mais tu devras respecter nos règles et elles pourraient ne pas te plaire. Il te faudra devenir notre servante. » Ce n'était pas le pire ! J'en avais le souffle coupé. Maître Joseph a ajouté : « Au gré de tes travaux, tu verras ton époux aller et venir, mais lui, il ne te verra pas. Ce sera comme si tu n'étais pas là. Et tu ne pourras ni lui parler ni faire quoi que ce soit pour qu'il te revienne. Cela pourrait devenir pour toi une douleur plus grande que celle que tu portes aujourd'hui. » Je me suis dit tant pis. J'étais prête à tout pour être sous le même toit que Josué. Mais le maître a insisté : « Si la douleur est trop grande, tu devras partir. Ni Dieu ni moi ne te voulons du mal. » Il avait raison. C'était terrible de voir mon époux et de n'être qu'une ombre. Une plaie que tu retailles chaque jour. Pourtant je suis restée.

Elle se tut, le temps que s'apaise le feu qui brûlait encore sa poitrine.

– C'était il y a longtemps. Vingt années peut-être. J'ai eu mal et mal. J'ai supplié le Tout-Puissant de me laisser mourir. Parfois, la douleur était si grande que je ne pouvais plus bouger. Le maître venait me voir. Le plus souvent, il ne parlait pas. Il me prenait la main et s'asseyait un moment près de moi. Ce qui est contraire à la règle. Mais Gueouél n'était pas encore là. Et un jour il m'a dit : « Ton Josué est mort. Son corps est poussière, mais tous nos corps seront poussière. Son âme est éternelle. Elle vit près de Yhwh et je sais qu'elle vit près de toi. Ta maison est ici. Tu y vivras aussi longtemps que tu le souhaites, comme une sœur vit dans la maison de son frère. » Je n'ai pas pleuré. Je ne pouvais pas. Mais j'ai su que mon amour pour Josué était toujours aussi fort. Un jour, beaucoup plus tard, maître Joseph m'a dit : « La bonté et l'amour que l'on a dans le cœur n'ont pas toujours besoin de voir un visage pour exister et même pour recevoir à leur tour de l'amour. Vous, les femmes, vous avez le cœur plus ample et plus simple que le nôtre. Il vous faut faire moins d'efforts pour vouloir le bien de ceux que vous aimez. Vous êtes grandes pour cela et, bien que vous soyez nos servantes, je vous envie. Aussi longtemps que tu vivras, ton Josué sera avec toi. »

L'expression de Miryem changea, mais Ruth ne sut pas ce qu'elle devait en penser. Elle pouvait y lire la colère, la tristesse et même une sorte de dégoût. Ou c'était l'effet de lune.

Ruth éprouva le besoin d'ajouter :

– C'est après que j'ai compris le sens des mots de maître Joseph. Sur le moment, ce qui comptait, c'est qu'il m'ait dit : « Ton Josué ».

Elle se tut. Miryem avait tourné son visage vers elle, mais se taisait toujours. Sous ce regard, Ruth se sentit bizarrement embarrassée. Ce qu'il se passait dans la cervelle de cette fille, on ne parvenait jamais à le deviner ni même à le comprendre.

– Je te raconte mon histoire pour que tu cesses de te fâcher contre le maître. C'est le meilleur homme que la terre ait porté. Ce qu'il accomplit, en paroles comme en actes, nous fait du bien. Ce n'est pas sa faute si cette tombe n'est pas dans le cimetière. Il est le maître, mais il n'est pas seul à décider. Il peut faire beaucoup, mais pas des miracles. Moi aussi, j'ai voulu qu'il fasse un miracle pour mon Josué. Mais c'est le Tout-Puissant qui fait les miracles. C'est ainsi. Ce qui est sûr, c'est que le maître sait ce que nous ressentons, nous, les femmes. Il ne nous méprise pas. Et il t'aime beaucoup. Il ne peut pas le dire et le montrer dans la maison. À cause de la règle. Mais il te veut du bien. Et même, il attend quelque chose de toi.

Ruth fut surprise par ses propres mots. Il n'était pas dans ses habitudes de parler ainsi. Simplement, cette nuit, cela lui venait. Et elle avait besoin de les dire. Pas seulement pour rétablir la justice envers maître Joseph.

Elle fut stupéfiée par la question de Miryem :

– Ton Josué, depuis qu'il est mort, tu le vois ?

Ruth hésita.

– En rêve, souvent. Mais plus depuis des années.

– Abdias, je le vois. Pourtant, je ne dors pas et j'ai les yeux ouverts. Je le vois et il me parle.

Un frisson parcourut l'échine de Ruth. Ses yeux scrutaient l'obscurité autour d'elles. Au cours de sa longue existence, elle avait entendu quantité d'histoires de ce genre. Des morts qui quittaient leurs tombes et erraient. Vraies ou fausses, elle les détestait. Surtout à les écouter assise sur une tombe, dans le noir, sur une terre qui n'était pas bénite par les rabbis !

– La faim te joue des tours, déclara-t-elle d'une voix aussi ferme que possible.

– Non, je ne le crois pas, répondit calmement Miryem.

Ruth ferma les yeux. Mais quand elle les rouvrit, elle ne vit rien de plus qu'avant.

– Qu'est-ce qu'il te dit ? murmura-t-elle.

Miryem ne répondit pas, mais elle souriait. Un sourire aussi difficile à comprendre que sa colère.

– Ne me fais pas peur, la supplia Ruth. Je ne suis pas une femme courageuse. Je déteste la nuit et les ombres. Je déteste que tu voies des choses que je ne vois pas.

Elle poussa un petit cri de terreur car la main de Miryem buta contre son bras avant de trouver la sienne et de l'agripper.

– Il n'y a pas de raison d'avoir peur. Tu as eu raison de venir. Pour Joseph aussi, tu dois avoir raison.

– Alors, tu restes ?

– Il n'est pas encore temps que je parte.

14.

Miryem demeura intransigeante sur la durée de son deuil. Il se prolongea sept jours, comme le voulait la coutume.

Les habitants de Beth Zabdaï prirent l'habitude, le matin et le soir, en partant et en revenant des champs, de venir prier près d'elle comme si la tombe d'Abdias s'était trouvée en terre sacrée. Parfois, ceux qui accompagnaient les malades les rejoignaient. Ils mêlaient à leurs prières des vœux pour la santé de leurs bien-aimés.

Peu à peu, cela créa une animation inhabituelle qui attira l'attention des frères esséniens. Au crépuscule, les chants des prières sur la tombe d'Abdias parvenaient à percer les murs de la maison. Cela en troubla quelques-uns. Ils se demandèrent s'il ne serait pas bien et bon d'aller unir leurs prières à celles des villageois.

La prière n'était-elle pas le principe premier de leur retrait du monde ? La prière ne devait-elle pas assurer le règne de la lumière de Yhwh sur les siècles de ténèbres ?

Il en résulta un débat qui ne fut pas sans dureté. Gueouél et quelques autres protestèrent vivement. Les frères s'aveuglaient et se dévoyaient, assurèrent-ils. La prière des esséniens ne pouvait se confondre avec le simple exercice de paysans ignorants qui ne savait pas lire une ligne de la Thora ! De surcroît, comment pouvait-on songer à prier pour un am-ha-aretz auquel on avait refusé une sépulture à cause de son impureté ? Oubliait-on l'enseignement des sages et des rabbis qui avaient, maintes fois, déclaré que les am-ha-aretz n'avaient pas de conscience humaine et donc étaient impropres à l'Alliance que Yhwh entretenait avec Son peuple ?

Ces arguments ne convainquirent pas tous les frères. La ferveur de la prière était unique et inqualifiable. Plus nombreuses seraient les prières, plus purifié le monde s'en trouverait. Et peut-être bien aussi plus proche en serait la venue tant espérée du Messie. Gueouél et les autres oubliaient-ils que c'était là le but ultime ? Chaque prière était un élan nouveau vers Yhwh. C'était à Lui, à Lui seul, d'effectuer le tri que la courte vue des hommes leur interdisait. Si cette fille de Nazareth, les paysans et les malades joignaient leurs prières dans un unisson d'amour pour le Tout-Puissant, où était le mal ?

Cela fit sortir Gueouél de ses gonds.

– Allez-vous un jour vous mettre à prier pour les chiens et les scorpions ? Est-ce là les purs que vous voulez entraîner sur l'île des Bienheureux ? N'avez-vous d'autre ambition que de la peupler de la lie de la terre ?

Durant ce débat, Joseph d'Arimathie demeura silencieux. Néanmoins le dernier mot lui revenait. S'il se refusa à trancher sur la conscience et l'âme des am-ha-aretz, il déclara que ceux qui iraient prier sur la tombe du garçon auprès de la fille de Nazareth ne seraient pas en faute.

En vérité, aucun des esséniens ne s'y risqua. Les arguments de Gueouél et de ses partisans étaient trop ardus et trop inquiétants. Pas un des frères ne voulut se hasarder à poursuivre une dispute qui pouvait rompre l'harmonie de la communauté. Cependant Ruth, à l'occasion, croisa le regard de Joseph, brillant de satisfaction.

***

Lorsque le deuil s'acheva, Miryem entra dans la maison sans que nul ne s'y opposât.

Elle fit ses ablutions dans la cuisine du quartier des femmes. Ruth et deux autres servantes y remplirent un grand baquet d'eau pure.

Miryem faisait peine à voir. Elle avait maigri au-delà du raisonnable. En se creusant, son visage s'était durci. En quelques jours elle paraissait avoir vieilli de plusieurs années. Ses yeux cernés avaient un éclat difficile à soutenir. Ses muscles paraissaient tendus comme des cordes. Sous le masque de la fatigue et de la volonté, l'on devinait non pas la beauté, mais une grâce sauvage, inquiétante autant qu'attirante, comparable à nulle autre. Sans doute était-ce cette étrangeté, ajoutée à son obstination, qui avait séduit les gens du village et les avait incités à venir prier près de Miryem.

Maintenant, Ruth savait que sous l'apparente fragilité se cachait une force inflexible, comme Joseph l'avait subodoré dès le début. Et que cette force rendait Miryem difficile à comprendre, différente d'un être ordinaire. D'ailleurs, il suffisait pour s'en convaincre de l'entendre plaisanter, alors que les servantes lui jetaient de l'eau sur les reins.

Où puisait-elle le goût du rire, elle qui, hier encore, maudissait l'injustice et l'horreur de la mort ?

***

Dès le lendemain, Miryem apparut dans la cour pour accueillir les malades que venaient, deux fois par jour, visiter Joseph et les frères.

On voyait là beaucoup de vieillards, de nombreuses femmes avec de jeunes enfants. Ils se tenaient dans l'ombre et attendaient, accroupis. Les servantes leur offraient à boire et, quelques fois, distribuaient de la nourriture aux enfants les plus affamés.

Elles apportaient aussi les linges et tout le nécessaire aux soins. Certains breuvages et pommades, les plus ordinaires et les plus fréquemment utilisés, étaient préparés à l'avance dans la cuisine et selon des recettes inventées par Joseph.

C'est ainsi que Miryem et lui se revirent. Ils n'échangèrent que peu de mots.

Miryem portait une grande cruche de lait, qu'elle versait dans des écuelles de bois tendues par les mères des petits malades. Gueouél suivait Joseph, attentif des yeux et des oreilles, selon son habitude.

En la découvrant, Joseph s'approcha, la salua d'un sourire amical.

– Je suis heureux que tu demeures dans cette maison.

– Je reste pour apprendre.

– Apprendre ? s'étonna Gueouél. Qu'est-ce qu'une femme peut bien apprendre ?

Miryem ne répondit pas. Joseph non plus. Pas plus son visage que son sourire ne frémirent. Ceux qui les entouraient eurent l'impression que Gueouél avait parlé dans le vide.

Pendant des jours il en alla ainsi. Miryem suivait les conseils de Ruth et apportait aux malades toute l'aide dont elle était capable. Elle leur parlait avec douceur, les écoutait aussi longtemps qu'ils le désiraient, préparait les breuvages et les emplâtres qu'elle apprit peu à peu à placer avec efficacité.

Elle ne se tenait jamais bien loin de Joseph lorsqu'il venait faire sa visite, mais il ne lui adressait pas la parole ni ne cherchait à croiser son regard. Cependant, devant les malades, surtout devant ceux dont le mal paraissait mystérieux, il parlait assez fort pour qu'elle l'entende. Il posait quantité de questions, palpait et scrutait, réfléchissait à haute voix.

Si bien que Miryem commença peu à peu à comprendre qu'une douleur au ventre pouvait provenir d'une boisson ou d'une nourriture, ou que celle de la poitrine pouvait être causée par l'humidité d'une maison ou par les poussières du grain après la moisson. Une vieille blessure d'enfance aux pieds, dont on s'était accommodé, pouvait tordre à jamais le dos d'un adulte.

Les yeux et la bouche étaient le siège de toutes les souffrances. Chaque jour, on devait prendre soin de purifier l'une à l'aide du citron et de la girofle, les autres grâce au khôl. Quant aux femmes, elles souffraient d'infections dont elles n'osaient jamais parler, bien que la douleur les terrassât autant que si on leur passait une dague à travers le ventre. C'était là le plus sûr signe avant-coureur de mort durant l'accouchement.

***

Un jour, alors que Miryem était dans la maison depuis près d'un mois, un homme arriva en portant dans les bras un garçon de sept ou huit ans. L'enfant s'était brisé une jambe en tombant d'un arbre. Il hurlait de douleur et son père ne criait pas moins fort que lui sous l'effet de la peur.

Bien qu'il fût tard et près de la prière du crépuscule, Joseph vint au-devant d'eux. Il leur parla afin qu'ils s'apaisent, l'un autant que l'autre. Il leur assura que la cassure se soignerait bien et qu'avant la fin de l'année le gamin courrait à nouveau. Il réclama des planchettes de bois et des linges pour enserrer fermement la jambe du garçon dans une position propre à la réparation des os.

De ses doigts délicats, il palpa les chairs déjà enflées. L'enfant cria. Il s'évanouit lorsque, sans crier gare, Joseph tira sur sa jambe pour remettre les os brisés en place. Vint le moment de placer les planchettes. Tenant la jambe, Joseph demanda à Miryem de la masser doucement avec les onguents tandis que Gueouél disposait l'attelle.

Ce faisant, Miryem s'inclina. Le peigne qui soutenait son épaisse chevelure tomba. La masse de cheveux bascula et balaya le visage de Gueouél. Il poussa un cri de fureur et se jeta en arrière.

N'eussent été les réflexes de Joseph et d'une servante, l'enfant serait tombé de la table où on le tenait allongé. Joseph, craignant que la brisure des os n'ait été aggravée par la brusquerie du mouvement, rabroua Gueouél avec des mots sans indulgence.

– Je ne suis pas ici pour supporter la chair de cette femme, répliqua Gueouél d'un ton menaçant. L'obscénité de sa chevelure est une corruption que tu nous imposes. Comment veux-tu soigner par le bien quand le mal te gifle la face ?

Tous ceux qui les entouraient le regardèrent avec stupeur. L'embarras de Joseph et de Miryem était visible. Gueouél n'hésita pas à ajouter, avec un mauvais sourire :

– Il ne faudrait pas, maître, que tu décides d'installer près de toi, comme l'autre Joseph, une femme de Potiphar !

Le visage cuisant d'humiliation, Miryem déposa le pot d'onguent entre les mains d'une servante et s'enfuit dans le quartier des femmes.

Ruth craignit le pire. Elle se précipita à sa suite pour la dissuader de prendre trop à cœur les mots de Gueouél.

– Tu vois bien ce qu'il est : une outre de fiel ! Un envieux ! Personne ne l'aime dans la maison. Les frères pas plus que nous. Certains assurent que jamais Gueouél n'accédera à la sagesse des esséniens tant la jalousie lui mord le ventre. Hélas, tant qu'il ne commet pas de faute contre la règle, le maître ne peut rien lui reprocher...

Une fois de plus, Miryem stupéfia Ruth.

Elle lui prit la main et l'entraîna dans la cuisine. Là, elle lui tendit la lame avec laquelle on tranchait les liens de cuir.

– Coupe-moi les cheveux.

Ruth la dévisagea, éberluée.

– Allons, coupe-moi les cheveux ! N'en laisse que l'épaisseur d'un doigt.

Ruth se récria qu'on ne pouvait faire ça. Une femme se devait d'être une femme et, pour cela, d'avoir les cheveux longs.

– Et puis ils sont trop beaux ! À quoi ressembleras-tu, après ?

– Je me moque d'être belle ou laide. Ce ne sont que des cheveux. Ils repousseront.

Comme Ruth hésitait encore, Miryem agrippa une grosse poignée de cheveux, les écarta de sa tempe et trancha sans hésiter.

– Si je le fais moi-même, ce sera pire, déclara-t-elle en tendant les cheveux coupés à Ruth.

Et comme Ruth poussait un cri d'horreur, elle se moqua avec beaucoup de gaieté.

Et c'est ainsi qu'elle reparut aux yeux de tous dès le lendemain : les cheveux si courts qu'elle en était méconnaissable. Cela lui faisait une étrange tête de garçon et de fille en même temps. Son regard en était encore plus présent, plus vif. Ses pommettes et le nez marqués possédaient une virilité que démentait sa bouche, ourlée de la tendresse et du sourire d'une femme. Comme elle serrait sa tunique autour de sa taille à la manière des hommes, voilant sa poitrine sous un court cafetan, l'illusion était troublante.

Joseph ne la reconnut pas immédiatement. Il leva les sourcils tandis que Gueouél les fronçait. Ce fut à lui que Miryem s'adressa, rompant la règle qui voulait qu'une femme ne prenne pas la parole la première.

– J'espère ne plus jamais t'imposer ma corruption de femme, frère Gueouél. Nul ne peut défaire ce que le Tout-Puissant a fait. Femme je suis née, femme je mourrai. Mais le temps de ma présence ici, je peux gommer l'apparence de ma féminité pour que ton regard ne souffre plus de corruption.

Elle dit cela avec un sourire dénué de la moindre ironie.

Il y eut un temps de silence. Le rire de Joseph, bientôt rejoint par celui des autres frères présents, résonna si fort dans la cour que même les malades qui souffraient s'en amusèrent.

***

Durant des semaines, puis des mois, il n'y eut plus d'autres incidents. Frères, servantes, malades, tous s'habituèrent au visage de Miryem.

Il n'était guère de jour sans qu'elle apprenne à mieux soigner et à mieux soulager les douleurs, même s'il existait quantité de maladies dont la guérison demeurait, même pour Joseph, une énigme.

De temps à autre, et toujours brièvement, profitant de la discrétion d'un moment, d'une rare intimité, il échangeait quelques phrases avec elle.

Une fois, il lui dit :

– Chacun de nous doit lutter contre les démons qui s'acharnent à le détourner du chemin qui l'attend. Certains portent beaucoup de ces démons agrippés en cachette à leur tunique. Ils ont peu de chance de leur échapper. Certains thérapeutes pensent que les maladies que nous ne sommes pas capables de comprendre ni de guérir sont leur œuvre. Je ne le crois pas. Pour moi, les démons sont une engeance bien visible. Et quand je te vois, fille de Joachim, je sais que tu ne luttes que contre un seul démon, mais très puissant. Celui de la colère.

Il dit cela de son habituel ton calme, persuasif. La bienveillance animait son regard.

Miryem ne répondit pas, elle hocha simplement la tête en signe d'assentiment.

– Nous avons de nombreuses raisons d'éprouver de la colère, reprit Joseph. Plus que nous ne pouvons en supporter. C'est pourquoi la colère ne peut rien engendrer de bon. À la longue, elle agit comme un venin : elle nous empêche d'accueillir l'aide de Yhwh.

Une autre fois, il déclara en riant :

– J'ai appris que les servantes de la maison ne pensent qu'à t'imiter. Gueouél s'inquiète et se demande si, un matin, on va toutes vous trouver avec des cheveux courts. Je lui ai répondu qu'il risquait plutôt de se réveiller un beau matin sans une seule servante dans la maison, car tu les aurais emmenées loin d'ici afin de fonder une maison de femmes...

Miryem rit avec lui. Joseph passa sa paume sur son crâne chauve. Toute son attitude exprimait qu'il plaisantait tout en étant profondément sérieux.

– Ce ne serait pas impossible, tu en sais déjà beaucoup.

– Non, j'ai encore trop à apprendre, répliqua Miryem avec la même expression à la fois sereine et sévère. Et ce n'est pas une maison de femmes qu'il faudrait ouvrir, mais une maison pour tous. Femmes ou hommes, am-ha-aretz ou sadducéens, riches, pauvres, Galiléens, Samaritains, Juifs et ceux qui ne le sont pas. Une maison où l'on s'unisse comme la vie nous unit et nous mêle. Et non des murs derrière lesquels on se retranche des autres.

Joseph ne répondit pas, interloqué et pensif.

***

Les premières pluies d'hiver firent tomber les feuilles des arbres, rendant les chemins impraticables. Il y eut moins de malades. L'air sentait le feu des foyers. Les frères se mirent à arpenter la campagne autour de la maison, car c'était l'un des meilleurs moments pour récolter les herbes nécessaires aux onguents, pommades et breuvages. Miryem prit l'habitude de les suivre à distance pour repérer leur cueillette.

Un matin, Joseph la trouva qui attendait au bord d'un chemin, assise sur une roche. Comme il était en avance sur les autres, elle lui confia :

– Sais-tu qu'Abdias vient souvent me visiter ? Pas en rêve, mais de jour et quand j'ai les yeux bien ouverts. Il me parle, il est heureux de me voir. Et moi plus encore.

Elle rit et ajouta :

– Je l'appelle mon petit époux !

Joseph fronça les sourcils, demanda d'une voix encore plus douce que d'ordinaire :

– Et que te dit-il ?

Miryem posa un doigt sur ses lèvres et secoua la tête.

– Crois-tu que je sois folle ? demanda-t-elle, amusée par l'inquiétude qu'elle devinait chez Joseph. Ruth, elle, en est convaincue !

Joseph n'eut pas la possibilité de répondre : les frères les rejoignaient et les observaient avec insistance.

Par la suite, Joseph ne se montra jamais curieux de ces visites d'Abdias. Peut-être attendait-il, selon sa manière, que Miryem elle-même lui en reparle. Elle ne le fit pas. Pas plus qu'elle ne répondait à Ruth qui, de temps à autre, un peu moqueuse, ne pouvait retenir sa langue et lui demandait des nouvelles de son am-ha-aretz.

***

Il neigeait quand, un matin, un groupe de personnes arriva à la maison en braillant. Elles transportaient une très vieille femme. Le toit de sa maison, miné par l'humidité, s'était écroulé sur elle.

Joseph était dehors, cueillant des herbes malgré le mauvais temps, et c'est Gueouél qui se présenta dans la cour pour ausculter la femme. Miryem était déjà penchée sur elle.

Devinant Gueouél dans son dos, elle s'écarta vivement. Gueouél examina le visage de la femme, les plaies nombreuses mais peu profondes de ses jambes et de ses mains.

Au bout d'un moment, il se redressa et déclara que la femme était morte et qu'il n'y avait plus rien à faire. Le cri de Miryem le fit sursauter.

– Non ! Bien sûr que non ! Elle n'est pas morte !

Gueouél la foudroya du regard.

– Elle n'est pas morte, insista Miryem.

– Le saurais-tu mieux moi ?

– Je sens son souffle ! Le sang passe dans son cœur ! Son corps est chaud.

Gueouél fit un grand effort pour contrôler sa rage. Il prit les mains de la vieille et les croisa sur sa tunique déchirée et couverte de poussière. Il se tourna vers ceux qui les entouraient et leur dit :

– Cette femme est morte. Vous pouvez préparer sa sépulture.

– Non !

Cette fois, Miryem le bouscula sans ménagement. Elle plongea un linge dans un broc de vinaigre et commença à frotter les joues de la vieille.

– Ah ! ricana Gueouél, tu tiens absolument à ton miracle !

Ne lui accordant aucune attention, Miryem réclama davantage de linges pour laver le corps de la vieille, demanda que l'on fasse chauffer de l'eau pour un bain.

– Ne vois-tu pas que Yhwh lui a retiré la vie ? Ce que tu fais sur le corps d'une morte est sacrilège ! s'indigna Gueouél. Et vous tous qui l'aidez, vous aussi êtes sacrilèges !

Après un bref instant d'hésitation chacun s'activa selon les ordres de Miryem. Lançant des imprécations, Gueouél disparut dans la maison.

La vieille femme fut plongée dans un baquet d'eau chaude, dans la cuisine du quartier des femmes. Miryem ne cessait de lui frotter la gorge et les joues avec du vinaigre allongé de camphre. Cependant tous commençaient à douter car, en vérité, la vieille femme ne montrait plus aucun signe de vie.

Au milieu du jour, Joseph fut de retour. Prévenu, il accourut. Après que Miryem lui eut expliqué ce qu'elle avait fait, il souleva les paupières de la femme et chercha les pulsations du sang dans le cou.

Il lui fallut un peu de temps pour les trouver. Il se releva en souriant.

– Elle vit. Tu as raison, elle vit. Mais à présent il faut plus d'eau chaude et lui faire boire quelque chose qui pourrait aussi bien la tuer que la réveiller.

Il disparut dans la maison et revint avec une potion huileuse et noire, à base de racines de gingembre et de différents venins de serpent.

Avec beaucoup de précautions, il en fit couler quelques gouttes dans la bouche édentée de la vieille.

Il fallut attendre jusqu'à la nuit, renouveler constamment l'eau brûlante du bain pour qu'enfin on l'entendît distinctement pousser un râle.

Les servantes comme ceux qui avaient transporté la blessée reculèrent, plus de terreur que de joie. Ils avaient bien voulu croire qu'elle était vivante alors qu'elle avait l'apparence d'une morte. Maintenant qu'ils avaient la preuve qu'elle était en vie, ils en étaient épouvantés. L'un d'eux cria :

– C'est un miracle !

Des servantes se mirent à pleurer, d'autres hurlèrent :

– C'est un miracle ! Un miracle.

Ils acclamèrent le Tout-Puissant, se précipitèrent dehors, s'égosillant pour annoncer le miracle.

Joseph, agacé autant qu'amusé, regarda Miryem.

– Voilà qui va plaire à Gueouél. Dans un moment, tout le village sera devant la porte à crier au miracle. Il serait étonnant que l'un d'eux n'improvise pas une prophétie.

Miryem ne parut pas l'entendre. Elle tenait les mains de la vieille, la considérant avec attention. Maintenant, sous ses paupières fripées on voyait ses yeux bouger. De sa gorge provenait le ronflement saccadé de sa respiration.

Miryem chercha les yeux de Joseph.

– Gueouél a raison. Il ne s'agit pas d'un miracle. C'est ton savoir et ta potion qui lui ont rendu la vie, n'est-ce pas ?

15.

La prévision de Joseph s'accomplit.

Il ne fallut guère de temps avant que le chemin de la maison de Beth Zabdaï ne s'emplisse d'une foule bigarrée marmonnant des prières du matin au soir. Parmi eux, quelques hommes dépenaillés chantaient et criaient plus fort que les autres. Sans une hésitation, ils se désignaient comme les prophètes des temps à venir. Certains se livraient aux pires excentricités, assurant qu'ils allaient accomplir de nouveaux miracles. D'autres haranguaient l'assemblée avec des descriptions de l'enfer si terribles et si précises qu'on eût cru qu'ils en revenaient. D'autres encore excitaient les malades en assurant que la main de Dieu s'était posée sur les esséniens et que ceux-ci détenaient désormais le pouvoir fabuleux de redonner vie aux morts, aussi bien qu'ils effaçaient les plaies et anéantissaient les douleurs.

Furieux devant ce chaos grandissant, les frères choisirent de préserver leurs prières et leurs études. Ils fermèrent hermétiquement les portes, cessèrent d'accueillir les malades. En désaccord avec cette décision, mais embarrassé d'être à l'origine de ce désordre, Joseph ne s'y opposa pas. Il laissa

Gueouél se charger de cette clôture intempestive de la maison.

Lorsque Ruth l'apprit à Miryem, celle-ci se contenta d'une moue indifférente. Seuls l'intéressaient les soins qu'elle prodiguait à la vieille femme. Chaque jour marquait un progrès. Celle qui avait paru si longtemps à bout de souffle respirait mieux. Elle se nourrissait et la conscience lui revenait doucement.

Discret, Joseph d'Arimathie venait l'ausculter chaque jour. Ses visites ressemblaient à un rituel. Tout d'abord, il observait la vieille femme en silence. Puis il inclinait la tête et, à travers un linge, écoutait les bruits de sa poitrine. Il voulait alors savoir ce qu'elle avait bu, mangé et tout autant ce qu'elle avait évacué. Enfin, il priait Miryem de lui palper les membres, le bassin et les côtes. Il surveillait les réactions de douleur sur le visage de la convalescente tout en guidant les doigts de Miryem. Ainsi, il lui apprenait à reconnaître, sous les chairs, les os, les muscles et leurs éventuelles brisures et contusions.

Cinq jours après que, grâce à lui, se fut desserrée l'emprise de la mort, il déclara :

– Il est trop tôt pour savoir si les os de son dos et de ses hanches sont intacts et si elle pourra remarcher. Néanmoins, je doute qu'ils soient atteints. Pour l'instant, si tes doigts disent juste, elle n'a qu'une côte cassée. Cela lui fera mal longtemps, mais elle le supportera. Le pire, c'est lorsque les os de la poitrine se brisent et déchirent les poumons. Alors, nous ne pouvons rien faire, sinon assister à une effroyable agonie.

Miryem lui demanda comment il pouvait être certain que ce n'était pas le cas de cette femme. Joseph secoua la tête en grimaçant.

– Quand cela arrive, tu n'as aucun doute ! Respirer est un supplice. Il se forme sur les lèvres des bulles teintées de sang. À l'expiration comme à l'inspiration, la poitrine produit un grondement pareil à celui d'un orage diluvien !

– Mais alors, si elle n'a rien de cassé, s'étonna Miryem, pourquoi cette femme était-elle comme morte ?

– Parce qu'elle a manqué d'air sous les décombres qui l'enterraient. Dans l'effort qu'elle a fait pour survivre, son cœur a faibli. Il n'a pas vraiment cessé de battre, mais ses pulsations étaient ralenties, ne la maintenant en vie que grâce à un tout petit flux de sang. Car c'est d'abord cela, la vie : un cœur qui bat et pulse le sang dans tout le corps.

– Donc, avec tes potions, tu as redonné force à son cœur ?

Joseph opina avec un air de satisfaction.

– Rien d'autre. Juste un coup de pouce à la volonté de Dieu. Certes, Lui décide, mais ainsi va notre Alliance depuis Abraham : nous pouvons accomplir notre part de travail afin de soutenir la vie sur cette terre.

Ses propos contenaient un brin d'ironie, car Joseph ne voulait surtout pas paraître présomptueux. Cependant, Miryem savait qu'il était sincère. L'homme ne naissait pas au monde ainsi qu'une pierre qu'on lâche au-dessus d'un puits. Il tenait son destin entre ses mains.

Ils se turent un instant, observant la vieille femme. Ride après ride, comme s'accumulent dans les troncs des arbres les cercles indélébiles des saisons, s'offrait le visage de toute une existence. On y devinait encore l'ancienne beauté de la jeune fille, l'innocence qui avait façonné ses traits avant que la maturité, les enfants, les joies et les peines ne les figent. Aujourd'hui, la longue usure des épreuves et du labeur les rongeait, les dissolvant dans le masque chaotique de la vieillesse. Pourtant ce visage célébrait la vie, la puissance de la vie, et tout le désir que les humains en avaient.

Rompant le silence, malgré l'épaisseur des murs, parvinrent les cris de l'un ou l'autre des « prophètes » qui sermonnaient la foule des nouveaux venus. Parmi les vociférations aux intonations menaçantes, ils distinguèrent les mots « promesses, foudre, grand enlèvement, sauveur, de glace, du feu ». L'homme les hurlait tour à tour en araméen, en hébreu, en grec.

Joseph soupira.

– En voilà un qui veut montrer qu'il est savant ! Cela doit plaire.

Comme pour lui répondre, retentit au-dehors une brutale clameur. Deux ou trois centaines de gorges hurlèrent les versets d'un psaume de David :

Dieu, regarde la face de ton Messie,

Un seul jour dans Tes cours vaut mieux que mille ailleurs,

Mon Dieu j'ai choisi de rester au seuil de Ta maison...

Bien vite, la voix du prophète reprit sa harangue vibrante.

– Si l'Éternel n'en a pas fait un vrai prophète, s'amusa Joseph, au moins lui a-t-Il donné une gorge digne d'annoncer des nouvelles dans le désert...

– Frère Gueouél ne va pas s'apaiser à l'entendre, remarqua Miryem avec un demi-sourire.

– Gueouél est plein d'orgueil et de présomption, grommela Joseph.

Miryem approuva d'un signe.

– S'il était plus humble, il saurait que nous, les femmes et les faibles, tous ceux qu'il méprise, nous ressemblons à ceux qui crient dehors, déclara-t-elle avec douceur. Simplement, nos cris font moins de bruit. Pour moi, ils sont à plaindre autant que cette vieille devant nous. Ils souffrent autant qu'elle. Leur douleur est de ne pas savoir où la vie les mène. De ne plus comprendre pourquoi ils sont là. Ils se voient marcher sans but dans les jours à venir et s'attendent à ce que la terre s'ouvre sous leurs pas et les entraîne dans un abîme. Oui, je suis triste de les entendre s'époumoner ainsi. Ils craignent jusqu'à la folie de voir la face de Dieu se détourner d'eux. Ils ne sentent plus Sa main qui les guide vers le bonheur et vers le bien.

Joseph la dévisagea intensément, interloqué. Ruth, qui se tenait en retrait dans la pièce, observa elle aussi Miryem, comme si les paroles qu'elle venait de prononcer étaient tout à fait insolites.

De ce geste qui signalait son embarras ou sa perplexité, Joseph passa la main sur son crâne chauve.

– Je te comprends, mais je ne partage pas ton sentiment, pas plus que je n'éprouve la crainte de ceux qui sont dehors. Un essénien, s'il se comporte avec justice, pureté et pour le bien des hommes, sait où le temps de la vie le conduit : auprès de Yhwh. N'est-ce pas le sens de nos prières et de nos choix : la pauvreté et la vie commune dans cette maison ?

Miryem le regarda bien en face.

– Je ne suis pas essénienne et ne peux l'être, puisque je suis femme. Moi, je suis comme eux. J'attends avec impatience que Dieu nous épargne demain les malheurs dont nous sommes accablés aujourd'hui. C'est mon seul espoir. Et cet avenir meilleur ne doit pas atteindre seulement une poignée d'entre nous. Il doit concerner toute l'humanité qui peuple la Terre.

Joseph ne répliqua pas. Ils donnèrent à boire à la vieille femme et, avec l'aide de Ruth, Miryem lui lava le visage.

Le lendemain, lorsque Joseph revint ausculter la femme, les vociférations n'avaient toujours pas cessé à l'extérieur. Altérées, toutefois, car, dans la nuit, était arrivé un nouveau « prophète ». Celui-ci, suivi par une vingtaine de fidèles, exaltait la joie du martyre et la haine du corps humain, débile et corruptible. Dès l'aube, à tour de rôle, ses fidèles se fouettaient parfois jusqu'au sang, chantaient les louanges de Yhwh et leur mépris de la vie.

Lorsque Joseph entra dans la chambre où reposait la convalescente, Miryem et Ruth virent que son visage, d'ordinaire serein et accueillant, était aussi clos et dur qu'un galet. Il ne dit rien jusqu'à ce que des pleurs et des cris stridents le fassent tressaillir.

– Ceux qui se prétendent prophètes ont plus d'arrogance que nous, les esséniens, que Gueouél lui-même, gronda-t-il. Ils croient atteindre Dieu en se faisant calciner dans le désert. Ils demeurent des mois debout sur des colonnes, se nourrissent de poussière et boivent à peine, jusqu'à ce que leur chair se change en vieux cuir. Ils s'abrutissent de fausses vertus. Avec cet amour feint de Dieu, ils contestent Sa volonté de faire de nous des créatures à Son image. Et s'ils hurlent et se fouettent pour hâter la venue du Messie, c'est qu'ils espèrent que le Messie nous libérera de nos corps livrés à la tentation. Quelle aberration ! Ils oublient que le Tout-Puissant nous veut hommes et femmes ! Il nous aime bien-portants et heureux, non telles des larves affligées de chancres et de morsures de démons.

La voix de Joseph, emplie de violence contenue, résonnait dans le silence. Miryem releva le visage et offrit à Joseph un sourire qui le sidéra.

– S'il est des hommes qui détestent à ce point les êtres humains, alors Dieu doit leur faire signe. Il est responsable d'eux. Et s'Il aime, comme tu le dis, que nous soyons hommes et femmes, alors, Il ne doit pas nous envoyer des messagers étranges que nous serions incapables de reconnaître. Son envoyé doit être un homme qui nous ressemble et Lui ressemble. Un fils d'humain qui partagerait notre destin, souffrirait nos douleurs et viendrait au secours de nos faiblesses. Il porterait de l'amour, un amour qui vaut le tien, toi qui t'obstines à redonner la vie aux plus vieux, aux plus usés des corps, et qui dis que l'harmonie des actes et des paroles engendre la bonne santé.

Joseph leva les sourcils, se détendit, d'un coup rejetant sa rage.

– Eh bien, approuva-t-il, tu n'as pas perdu ton temps avec Rachel ! Te voilà devenue une âpre batailleuse de la pensée.

Puis, se rendant compte que ce n'était pas le compliment espéré par Miryem, il ajouta, conciliant :

– Peut-être as-tu raison. Celui que tu décris serait le plus beau des rois d'Israël. Hélas, Hérode est toujours notre roi. Et le tien, d'où viendrait-il ?

***

Sept jours plus tard, le brouhaha autour de Beth Zabdaï n'avait pas faibli. La rumeur d'une résurrection miraculeuse s'était propagée bien au-delà de Damas. De l'aube au crépuscule, de nouveaux malades se mêlaient à ceux qui venaient quotidiennement écouter les péroraisons des prétendus prophètes.

Les frères esséniens craignaient que la foule, enflammée jusqu'à la démence par des promesses de guérisons miraculeuses, n'envahisse la maison. À tour de rôle, dix des frères montaient la garde derrière la porte solidement barricadée. Ne pouvant sortir dans les champs, refusant l'entrée à quiconque, la communauté fut bientôt contrainte de rationner la nourriture, comme lors d'un siège guerrier.

Hélas, ces mesures ne parvinrent qu'à exciter un peu plus les faux prophètes, qui en prirent prétexte pour déclamer un mystérieux et menaçant message de Dieu. L'agitation autour de la maison ne décrut pas, bien au contraire. Et c'est en se frayant un chemin à travers ce chaos qu'un gros char de voyage se présenta devant la porte un jour d'orage.

Le cocher vint frapper à l'huis pour qu'on lui ouvre. Comme il se devait, en ces heures de tension, les frères portiers ne prêtèrent aucune attention à ses appels. Il s'égosilla une bonne heure sans effet. Les cris de la jeune fille qui l'accompagnait n'eurent pas plus de succès.

Par chance, le lendemain, avant la prière de l'aube et alors qu'une pluie glacée noyait le village, la voix de Rekab, le cocher de Rachel, résonna jusqu'à l'intérieur des cours. Ruth, qui allait puiser l'eau, comprit le sens de ces appels. Déposant ses seaux de bois, elle courut prévenir Miryem :

– Celui qui t'a conduite ici est devant la porte !

Miryem lui jeta un regard d'incompréhension. La voix pressante, Ruth ajouta :

– L'homme du char ! Celui qui t'a transportée avec le pauvre Abdias.

– Rekab... ici ?

– Il crie ton nom comme un perdu depuis l'autre côté du mur.

– Il faut vite le faire entrer.

– Et comment ? Les frères ne vont certainement pas lui ouvrir la porte ! Si seulement on pouvait sortir de la maison...

Mais Miryem se précipitait déjà dans la cour principale. Elle tempêta si bien devant les portiers que Gueouél apparut. Il refusa tout net l'ouverture des huis.

– Tu ne sais pas ce que tu dis, fille ! Entrouvre cette porte et le flot de la folie nous submergera !

La dispute devint si véhémente qu'un frère courut chercher Joseph.

– Rekab est de l'autre côté ! s'écria Miryem pour seule explication.

Joseph comprit sur-le-champ.

– Il n'est sûrement pas venu pour rien. On ne peut le laisser dans ce froid et cette pluie.

– Ils sont des centaines là, derrière, dans le froid et la pluie, et ça ne les décourage pas pour autant, protesta aigrement Gueouél. Les malades s'en trouvent même mieux, à ce qu'il paraît. Voilà peut-être le vrai miracle !

– Cela suffit, Gueouél ! gronda Joseph avec une autorité inhabituelle.

L'effet en fut d'autant plus saisissant. Chacun, transi, le visage ruisselant, se figea en les observant, pareils à deux fauves prêts à s'écharper.

– Nous nous terrons ici comme des rats, reprit Joseph d'une voix coupante. Telle n'est pas la vocation de cette maison. Cette clôture n'a pas de sens. Ou, si elle en possède un, il est mauvais. Ne nous sommes-nous pas réunis en communauté pour trouver la voie du Bien et apaiser la souffrance de ce monde ? Ne sommes-nous pas des thérapeutes ?

Ses joues vibraient sous la colère. Son visage rougissait jusqu'au sommet de son crâne chauve. Avant que Gueouél ou un autre frère ne riposte, il pointa l'index vers les portiers. L'ordre claqua, sans réplique :

– Ouvrez cette porte. Ouvrez-la en grand.

Dès que les gonds grincèrent, le brouhaha qui régnait de l'autre côté cessa. Il y eut un instant de stupeur. Les pieds dans la boue, le visage creusé par la fatigue, ceux qui attendaient depuis des jours se figèrent, semblables à un rassemblement de statues de glaise, ruisselantes et aux expressions ahuries.

Puis un cri jaillit, premier de dizaines d'autres. En un instant la confusion fut à son comble. Hommes, femmes, enfants, vieux et jeunes, malades et valides, se ruèrent dans la cour pour s'agenouiller aux pieds de Joseph d'Arimathie.

Miryem vit alors Rekab, debout dans le char, tenant fermement les rênes des mules effrayées. Elle reconnut aussitôt la silhouette près de lui.

– Mariamne !

***

– Tes cheveux ! s'exclama Mariamne. Pourquoi les avoir coupés...

Rekab, les yeux brillants, contemplait Miryem, à la fois ému et ébahi, tandis que, derrière eux, Joseph et les frères tentaient d'apaiser la foule, assurant sans relâche qu'ils reprenaient les soins.

– Comme tu as maigri ! s'étonna Mariamne en serrant Miryem contre elle. Je sens tes os à travers la tunique... Que se passe-t-il ici ? Ne te donnent-ils pas à manger ?

Miryem rit. Elle les entraîna rapidement dans la cour des femmes, où Ruth les attendait sous le préau, les sourcils froncés et les poings sur les hanches. Elle fit un signe à Rekab, l'invitant à venir se restaurer dans la cuisine des servantes.

– Profites-en avant que ces fous ne pillent nos réserves, bougonna-t-elle.

Dans la cour principale, la foule se calmait avec peine. La voix de Gueouél, relayée par d'autres, réclamait sans douceur de l'ordre et de la patience.

– Le vrai miracle serait que Dieu mette un peu de bon sens dans la cervelle de tous ces bonshommes, grogna Ruth. Mais la tâche doit être bien grande, car, depuis Adam, l'Éternel hésite à s'y atteler !

Elle tourna brutalement les talons et pénétra dans la maison. Rekab, embarrassé, se retourna vers Miryem. Elle lui fit signe de suivre la vieille servante sans se soucier de ses humeurs.

– Toi aussi, tu veux sans doute te restaurer ? demanda-t-elle à Mariamne. Et changer de tunique, après cette nuit sous la pluie. Viens donc te réchauffer...

Mariamne la suivit, mais n'accepta qu'un bol de bouillon chaud.

– Le char de voyage est assez confortable, on y oublie le froid et la pluie. En outre, ma tunique est de laine. Racontemoi plutôt pourquoi tu t'es coupé les cheveux de façon si vilaine et ce qu'il se passe dans cette maison. D'où viennent ces gens qui s'agglutinent autour de Joseph ? As-tu remarqué qu'il n'a pas paru me reconnaître. Lui qui est venu tant de fois à Magdala...

– Ne lui en veux pas. Ce soir il te verra...

En quelques mots, Miryem raconta comment vivaient les frères esséniens, comment ils soignaient et comment la survie de la vieille femme, ces dernières semaines, avait passé pour un miracle, attirant une foule de désespérés à Beth Zabdaï.

– Ces pauvres gens veulent croire que Joseph possède le don de la résurrection. À cette seule pensée, ils perdent la raison.

Mariamne avait retrouvé son sourire moqueur.

– Ce qui est bien étrange et contradictoire si l'on y songe, fit-elle. Aucun n'aime la vie qu'il mène, et pourtant tous espèrent que, grâce au miracle de la résurrection, ils vivront éternellement.

– Tu te trompes, objecta Miryem avec assurance. Ce qu'ils espèrent, c'est un signe de Dieu. L'assurance que le Tout-Puissant est à leur côté. Et qu'Il le restera après leur mort. Ne sommes-nous pas tous ainsi ? Hélas, Joseph ne possède pas le don de résurrection. Il n'a pu sauver Abdias.

Mariamne hocha la tête :

– Je sais qu'il est mort. Rekab nous l'a dit à son retour.

Des questions subsistaient pourtant, que Mariamne brûlait de poser, sans l'oser. Miryem ne céda pas aux requêtes silencieuses de sa compagne.

Sans doute Rekab avait-il évoqué son état et les attentions qu'avait déployées Joseph d'Arimathie pour la maintenir saine d'esprit. Mais elle n'avait pas envie d'en parler à Mariamne. Pas encore. Mariamne et elle ne s'étaient pas entretenues depuis des mois. Bien des événements étaient advenus, qui les rendaient un peu étrangères l'une à l'autre, comme en témoignaient si bien ces cheveux courts qui désespéraient Mariamne.

Cependant Miryem ne voulait pas peiner sa jeune amie.

– Tu es plus belle que jamais. À croire que le Tout-Puissant t'a accordé toute la beauté qu'Il pouvait réunir chez une femme !

Mariamne rougit. Elle agrippa les mains de Miryem pour lui baiser les doigts, en un geste de tendresse qui lui était familier à Magdala. Ici, dans la maison de Beth Zabdaï, il parut à Miryem excessif. Toutefois, elle ne laissa rien paraître. Elle devait se réhabituer aux enthousiasmes légers de la fille de Rachel.

– Tu m'as manqué, murmurait Mariamne. Beaucoup, beaucoup ! Chaque jour j'ai eu une pensée pour toi. J'étais inquiète. Mais ma mère a refusé que je vienne près de toi. Tu sais comment elle est. Elle m'a assuré que tu étais en train d'apprendre à soigner auprès de Joseph d'Arimathie et qu'il ne fallait pas te déranger.

– Rachel a toujours raison. C'est en effet ce que j'ai fait.

– Bien sûr qu'elle a toujours raison. Ce qui est horripilant. Elle m'avait assuré que j'aimerais étudier la langue grecque. Croiras-tu que je la pratique aujourd'hui mieux qu'elle ? Et que j'y prends un immense plaisir ?

Elles rirent toutes les deux. Puis le rire de Mariamne se brisa bizarrement. Elle eut une brève hésitation, son regard glissa vers la cuisine, vers Rekab et Ruth qui les observaient, et revint à Miryem.

– Si ma mère m'a permis de venir jusqu'ici aujourd'hui, c'est pour t'apporter une mauvaise nouvelle.

Des plis de sa tunique, elle tira un court rouleau de cuir dans lequel on transportait les lettres. Elle le tendit à Miryem.

– C'est de ton père, Joachim.

***

Le ventre noué Miryem retira le rouleau de papyrus de l'étui. Les lignes d'écriture se cognaient les unes aux autres, dessinant une masse compacte de signes. L'encre brune, ici et là bue plus avidement par le papyrus, recouvrait presque en totalité la longue feuille, que l'irrégularité des fibres épaississait sur une moitié.

Miryem reconnut l'écriture simple de son père. Au moins, songea-t-elle avec un soulagement hâtif, ce n'était pas à lui qu'il était advenu malheur.

Elle dut faire un effort pour mieux déchiffrer les mots et les comprendre. Bien vite, elle sut. Hannah, sa mère, était morte sous les coups d'un mercenaire.

Après avoir quitté Nazareth, écrivait Joachim, ils avaient vécu en paix dans le nord de la Judée, où ils s'étaient réfugiés chez la cousine Élichéba et son époux, le prêtre Zacharias. Le temps passant, le désir de revoir les montagnes de Galilée était devenu pressant et ne les quittait plus. Et aussi, admettait Joachim, lui-même ne parvenait plus à être heureux loin du travail de l'atelier, sans l'odeur du bois, sans le bruit des gouges et des massettes contre les fibres des cèdres et des rouvres. Car en Judée, où les maisons n'étaient dotées que de toits plats de torchis et de briques cuites au soleil, un charpentier vivait dans le désert de son savoir-faire.

Ainsi, songeant que le temps de l'oubli était venu, accompagnés de Zacharias et d'Élichéba, que leur désir de changement avait atteints à leur tour, Hannah et lui s'étaient mis en route pour Nazareth avant que le plus dur de l'hiver ne rende les routes impraticables.

La première semaine de voyage s'écoula dans le bonheur, tant était vive leur joie de se rapprocher du mont Tabor. Hannah, pourtant toujours si prompte à redouter le pire, en avait le sourire aux lèvres et un peu d'insouciance dans l'âme.

Puis cela était tombé comme la foudre. Le jour où ils approchaient de Nazareth.

Pourquoi l'Éternel avait-Il éprouvé le besoin de les accabler une nouvelle fois ? Pour quelle faute les punissait-Il sans relâche ?

Ils avaient croisé une colonne de mercenaires. Joachim avait dissimulé son visage et les mercenaires ne lui avaient accordé aucune attention particulière. Sa barbe était d'ailleurs si longue désormais qu'il était certain de ne pas être reconnu, même par un œil ami. Mais, comme toujours, les soldats d'Hérode s'étaient ingéniés à se montrer hargneux. Ils avaient entrepris de fouiller le char, avec les violences et les humiliations habituelles. Hannah avait été saisie de panique. Dans son empressement grotesque et malheureux à faire preuve de complaisance, elle avait fait basculer une jarre de vin sur la jambe d'un officier. Il s'en était fallu de peu qu'il n'eût les pieds brisés. Miryem imaginait la suite : le mouvement de colère, le glaive fiché dans la maigre poitrine d'Hannah.

Voilà. Tout était dit.

Hannah, fille d'Emerence, n'était pas morte sur-le-champ. Tandis qu'elle souffrait le martyre, ils avaient atteint Nazareth, puis la demeure de Yossef. Elle avait mis une longue nuit à rejoindre le Seigneur Tout-Puissant. Un chemin accompli avec peine et angoisse, sans aucune paix, comme le reste de sa vie.

Peut-être, écrivait encore Joachim non sans amertume, peut-être Joseph d'Arimathie aurait-il su soigner cette plaie et sauver sa fidèle Hannah.

Mais Joseph est loin et toi aussi, ma fille très aimée, tu es loin. Longtemps j'ai fait l'effort de me satisfaire de ta pensée pour combler ton absence. Aujourd'hui je te voudrais près de moi. Ta présence me manque, ton esprit et tout ce sang neuf qui coule en toi et me fait entrevoir l'avenir moins sombre, me manquent. Tu es la seule douceur du monde qu'il me reste.

***

Rekab le cocher dit :

– Je te conduis à Nazareth dès que tu le veux. Rachel ma maîtresse m'a ordonné de te servir aussi longtemps que tu le voudras.

Mariamne approuva.

– Et moi, je vais avec toi. Je ne te quitte pas.

Miryem répondait par des silences. Une sorte de vent glacé lui vrillait la poitrine. Elle souffrait pour la douleur endurée par a mère avant de mourir, mais elle souffrait plus encore pour son père, dont les mots résonnaient en elle.

Elle déclara enfin :

– Oui, il faut partir au plus vite.

– On le pourrait dès aujourd'hui, fit Rekab. Il reste beaucoup d'heures avant la nuit, mais il n'est pas mauvais que les mules se reposent jusqu'à demain. La route sera longue jusqu'à Nazareth. Au moins cinq jours.

– Alors, demain à l'aube.

C'est ce qu'elle annonça à Joseph d'Arimathie quand il quitta enfin la foule qui l'avait accaparé jusqu'alors. Il était épuisé, avait les lèvres sèches d'avoir trop parlé et les yeux cernés. Mais quand Miryem lui fit part de la lettre de Joachim, il posa la main sur son épaule, d'un geste empli de tendresse.

– Nous sommes mortels. Ainsi l'a voulu Yhwh. Afin que nous sachions mener une vie vraie.

– Ma mère est morte de la main d'un homme. Celle d'Hérode, celle d'un mercenaire payé pour massacrer. Comment Yhwh peut-Il admettre une chose pareille ? Est-ce Lui qui souhaite nos humiliations ? Même l'air qui nous entoure et que nous respirons, il faudrait le briser. Les prières n'y suffiraient pas.

Joseph se passa une paume lasse sur le visage, se frotta les yeux et répéta une nouvelle fois :

– Ne t'abandonne pas à la colère. Elle ne nous conduit pas au but.

– Ce n'est pas la colère qui m'habite, répliqua Miryem avec fermeté. Simplement, la patience n'est plus sœur de la sagesse.

– La guerre ne nous aidera pas non plus, insista Joseph. Tu le sais.

– Mais qui parle de guerre ?

Joseph la considéra sans un mot, attendant qu'elle en dise davantage. Elle se contenta de sourire. Elle voyait toute la fatigue qui l'accablait. Prise de remords, elle s'inclina vers lui, lui baisa la joue avec une tendresse inaccoutumée qui le fit frémir.

– Je te dois plus que je ne pourrai jamais te rendre, murmura-t-elle. Et je t'abandonne alors que tu aurais besoin de moi pour affronter tous ceux qui vont venir à toi dans les prochains jours.

– Non, ne te crois pas en dette envers moi, objecta Joseph avec chaleur. Ce que j'ai pu te donner, tu me l'as déjà rendu sans même t'en rendre compte. Et il vaut mieux que tu t'éloignes d'ici. Nous savons tous les deux que cette maison n'est pas pour toi. Nous nous retrouverons avant peu, je n'en doute pas.

***

Le soir, alors que les lampes étaient déjà allumées, Ruth vint près de Miryem et déclara d'une voix ferme :

– J'y ai réfléchi. Si tu l'acceptes, je pars avec toi. Il est temps que je quitte cette maison, moi aussi. Qui sait, je pourrais me rendre utile dans ta Galilée.

– Tu seras la bienvenue à Nazareth. J'ai une amie qui aura besoin de toi. Elle se nomme Halva et c'est la meilleure des femmes. Elle n'est pas d'une santé bien solide et déjà cinq enfants sont accrochés à sa tunique. Peut-être en a-t-elle même un de plus aujourd'hui ? Ton aide la soulagera si je dois accompagner mon père, qui est seul désormais.

Le lendemain, dans l'aube grise et toujours pluvieuse, Rekab fit sortir le char de la maison de Beth Zabdaï. La foule, calmée, se tenait à l'écart. Pour la première fois depuis des semaines elle se montrait patiente et ne prêtait qu'une attention distraite aux fureurs d'un nouveau prophète annonçant que, bientôt, les champs se mueraient en glace, puis en feu ruisselant de langues empoisonnées.

Joseph accompagna Miryem jusqu'à la tombe d'Abdias. Elle tenait à lui dire adieu avant de rejoindre Ruth et Mariamne. Elle s'agenouilla dans la boue. Joseph, qui s'attendait à l'entendre prier, fut surpris de voir bouger ses lèvres sans qu'aucun son n'en sorte. Quand elle se redressa, s'aidant de la ain qu'il lui tendait, elle murmura avec un contentement qu'elle ne pouvait pas masquer :

– Abdias me parle toujours. Il vient vers moi et je le vois. Toujours comme dans un rêve, alors que je ne dors pas et que mes yeux sont bien ouverts.

– Et que te dit-il ? demanda Joseph sans cacher son trouble.

Miryem rougit.

– Qu'il ne m'abandonne pas. Qu'il m'accompagne où je vais, et qu'il est toujours mon petit époux.

16.

Ils arrivèrent en vue des toits de Nazareth. C'était deux jours avant le mois de nisan. Le ciel possédait cette belle lumière annonciatrice du printemps qui permettait d'oublier les aigreurs de l'hiver. Tout au long de la route depuis Sepphoris, le soleil joua entre les futaies de cèdres et de mélèzes et, à l'approche de Nazareth, il creusait des ombres pures sous les haies qui bordaient le chemin. À Ruth et à Mariamne, qui ne connaissaient encore rien de ces collines, Miryem montrait les chemins et les champs qui avaient connu ses joies d'enfant. Elle était si impatiente de revoir son père, Halva et Yossef, que la pensée de sa mère s'estompait dans ce bonheur.

Quand ils furent en vue de la maison de Yossef, elle n'y tint plus. Les mules fatiguées tiraient le char trop lentement. Elle sauta sur le chemin et s'élança vers la grande cour ombrée.

Joachim guettait sans doute son arrivée. Il fut le premier à apparaître et lui ouvrit les bras. Ils s'enlacèrent, les larmes aux yeux, les lèvres tremblantes, joie et tristesse se mêlant.

Joachim répétait sans fin :

– Ah, tu es là ! tu es là...

Miryem lui caressa la joue et la nuque. Elle remarqua ses rides plus creusées et le blanc qui avait envahi sa chevelure.

– Dès que j'ai reçu ta lettre, je suis venue !

– Mais tes cheveux ? Qu'as-tu fait de tes beaux cheveux ? Que s'est-il passé en chemin ? C'est si loin, pour une fille...

Elle désigna le char qui approchait de la cour.

– Non, n'aie crainte. Je n'ai pas fait cette route sans compagnie.

Il y eut un moment de confusion car, à l'instant où elle lui présentait Rekab, Mariamne et Ruth, sortant de la maison de Yossef apparut un couple d'âge mûr.

Lui avait la longue barbe des prêtres, les yeux intenses et un peu fixes, tandis qu'elle était une petite femme ronde, gracieuse, d'environ quarante ans. Elle serrait un nouveau-né contre sa poitrine, un bébé de quelques jours, tandis que, derrière elle, dans son ombre, venait une marmaille pareille à une grappe de petits visages. Miryem reconnut les enfants d'Halva : Yakov, Yossef, Shimon, Libna et sa petite sœur.

Elle les appela, tendit les bras. Mais seule Libna s'approcha avec un sourire timide. Miryem l'attrapa, la hissant dans ses bras en demandant aux autres :

– Eh quoi ? Vous ne me reconnaissez plus ? C'est moi, Miryem...

Avant que les enfants ne répondent, un peu brusquement, encore submergé par l'émotion de ces retrouvailles, Joachim dit en désignant la femme ronde et le prêtre :

– Voici Zacharias, mon cousin chez qui nous étions avec ta pauvre mère, bénie soit sa mémoire ! Et voici la douce Élichéba, son épouse. Elle tient dans les bras Yehuda, le dernier-né de Yossef ! Que le Tout-Puissant le garde en Sa sauvegarde...

– Ah ! C'est ainsi ! s'exclama Miryem, rieuse. Toute malingre qu'elle soit, Halva n'a pas pu s'empêcher de faire un autre enfant. Mais où est-elle ? Encore couchée ? Et Yossef ?

Il y eut un bref silence. Joachim ouvrit la bouche sans prononcer un mot. Zacharias, le prêtre, chercha le regard de son épouse, qui baisait avec ferveur le front du bébé endormi.

– Eh bien, que se passe-t-il ? insista Miryem d'une voix moins assurée. Où sont-ils ?

– Je suis ici.

La voix de Yossef la surprit, provenant de l'atelier derrière elle. Elle se retourna vivement. Avec une exclamation de joie, elle déposa Libna au sol pour l'accueillir entre ses bras. Puis elle remarqua ses yeux rouges alors qu'il passait entre Ruth et Mariamne sans leur accorder d'attention.

– Yossef ! balbutia-t-elle, la poitrine serrée, devinant déjà. Où est Halva ?

Les derniers pas, Yossef les fit en chancelant. Il agrippa Miryem par les épaules, la serra contre lui pour étouffer les sanglots qui cognaient dans sa poitrine.

– Yossef ! répéta Miryem.

– Morte en donnant naissance à l'enfant.

– Oh non !

– Il y a sept jours aujourd'hui.

– Non ! Non ! Non !

Les cris de Miryem furent si violents que tous baissèrent la tête, comme s'ils recevaient des coups.

– Elle était si heureuse à la pensée que tu allais arriver, murmura Yossef en hochant la tête. Seigneur Tout-Puissant, comme elle s'en faisait une joie ! Elle prononçait ton nom à tout bout de champ. « Miryem est comme ma sœur... Miryem me manque... Miryem enfin de retour. » Et puis...

– Non ! gronda Miryem en reculant, le visage levé vers le ciel. Oh, Dieu, non ! Pourquoi Halva ? Pourquoi ma mère ? Tu ne peux pas faire ça.

Elle agita les poings, se frappa le ventre comme pour arracher la douleur qui l'empoignait. Puis, soudainement, elle cogna Yossef à la poitrine.

– Et toi ? Pourquoi lui as-tu fait cet enfant ? cria-t-elle. Tu savais qu'elle n'était pas assez forte ! Tu le savais !

Yossef ne tenta même pas d'esquiver les coups. Il opina de la tête, les larmes roulant jusqu'à ses lèvres. Mariamne et Ruth se précipitèrent d'un même mouvement pour écarter Miryem, tandis que Zacharias et Joachim tiraient Yossef par les bras.

– Allons ! Allons, fille, fit Zacharias, choqué.

– Elle a raison, marmonna Yossef. Ce qu'elle dit, je me le répète à chaque instant.

Élichéba avait reculé, protégeant les enfants de la colère de Miryem. Entre ses bras le bébé s'était réveillé. Elle dit avec reproche :

– Nul n'est à blâmer. Tu sais qu'il en va ainsi pour les femmes plus souvent qu'à leur tour. Telle est la décision de Dieu.

– Non ! gronda encore Miryem en se dégageant des mains de Ruth. Ça n'a pas à être ainsi ! Il n'est pas une mort à laquelle on doit s'accoutumer, surtout pas celle d'une femme qui donne la vie !

Cette fois, le nourrisson se mit à pleurer. Élichéba, le berçant contre sa poitrine, alla se réfugier sur le perron de la maison. Libna et Shimon pleuraient en se cramponnant à sa tunique, tandis que Yakov, l'aîné, tenait fermement ses cadets et contemplait Miryem avec de grands yeux. Brisé par un sanglot qui l'étouffa, Yossef s'accroupit, la tête entre les bras.

Zacharias posa une main sur son épaule et se tourna vers Miryem.

– Tes mots n'ont pas de sens, ma fille. Yhwh sait ce qu'Il fait, déclara-t-il sans masquer le blâme qui durcissait son ton. Il juge, Il prend, Il donne. Il est le Tout-Puissant, Créateur de toute chose. Nous, nous devons obéir.

Miryem sembla ne pas l'entendre.

– Où est-elle ? Où est Halva ?

– Près de ta mère, murmura Joachim. Presque dans la même terre.

***

Quand Miryem s'élança vers le cimetière de Nazareth, ils hésitèrent à la suivre. Les traits tirés par le chagrin, Yossef la regarda disparaître dans l'ombre du sentier. Sans un mot, il alla se cloîtrer dans son atelier. Au même instant, Élichéba poussa les enfants dans la maison en tentant de calmer le petit Yehuda.

Finalement, Joachim n'y tint pas. Il suivit sa fille à bonne distance, entraînant les autres. Mais, à l'entrée du cimetière, Ruth posa la main sur le poignet de Mariamne pour la retenir. Rekab s'arrêta derrière elles, tandis que Zacharias s'avançait d'autorité derrière Joachim. Cependant, eux aussi s'immobilisèrent à une dizaine de pas de la terre meuble qui recouvrait Hannah et Halva.

Jusqu'au crépuscule, Miryem demeura au cimetière. Selon la tradition, celui qui venait s'incliner sur une tombe y déposait un caillou blanc en signe de son passage. Cependant, Miryem, inlassablement, allait les puiser par dizaines dans le sac rangé à cet effet à quelques pas. Elle en recouvrait la tombe. Peu à peu celle-ci devint d'une blancheur aveuglante sous le soleil d'hiver. Quand elle n'en avait plus, elle retournait vers le sac et recommençait son manège.

Une fois encore, Zacharias voulut protester. D'un regard, Joachim l'en empêcha. Zacharias soupira en secouant la tête.

Durant tout ce temps, Miryem ne cessait de parler. Ses lèvres bougeaient sans que nul n'entende un mot. Plus tard, Ruth leur dit que Miryem ne parlait pas véritablement. Il en avait été de même sur la tombe d'Abdias, à Beth Zabdaï, raconta-t-elle.

– C'est sa manière à elle de converser avec les défunts. Nous autres, nous n'en sommes pas capables.

Lançant un regard vers Zacharias qui roulait des yeux offusqués, elle ajouta avec un peu d'humeur :

– À Beth Zabdaï, le maître Joseph d'Arimathie ne s'en est jamais étonné et ne le lui a jamais reproché. Pas plus qu'il ne l'a déclarée folle. Et pour ce qui tient de la folie, il en a vu des vertes et des pas mûres. S'il en est un qui s'y connaît en maladies, de l'esprit comme du corps, c'est bien lui ! Je peux même certifier que, s'il y a une femme qu'il admire, qu'il juge l'égale d'un homme malgré sa jeunesse, c'est Miryem. Il l'a assez répété aux frères de la maison qui s'étonnaient, comme toi, Zacharias : elle est différente des autres, disait-il, et il ne faut pas s'attendre à ce qu'elle fasse comme tout le monde.

– Elle a raison de se révolter devant tant de morts, ajouta Mariamne avec douceur. Depuis Abdias, elle a subi trop de deuils ! Elle et vous tous. Je ne sais que dire pour vous consoler.

Mais à leur surprise, ce soir-là, au retour à la maison de Yossef, Miryem parut calme et apaisée. Elle annonça à Joachim :

– J'ai prié ma mère de me pardonner tous les chagrins que je lui ai causés. Je sais que je lui ai manqué et qu'elle aurait voulu que je reste près d'elle. Je lui ai expliqué pourquoi je n'avais pu lui accorder ce bonheur. Peut-être bien que là où elle est, sous l'aile éternelle du Tout-Puissant, elle comprendra.

– Tu n'as rien à te reprocher, ma fille, protesta Joachim, les yeux brillants d'émotion. Rien n'est de ta faute, mais bien plus de la mienne. Si j'avais su me contenir, si je n'avais pas commis la folie de tuer un mercenaire et de blesser un percepteur, ta mère serait parmi nous, bien vivante. Notre existence ne ressemblerait pas à celle-ci.

Miryem lui caressa la barbe et l'embrassa.

– Si je n'ai rien à me reprocher, alors tu es encore plus pur que moi, assura-t-elle tendrement. Tu as toujours agi au nom de la justice, ce jour-là comme tous les autres jours de ta vie.

À nouveau, ils baissèrent la tête en entendant ses paroles. Cette fois, ce n'était pas la colère de Miryem qui les impressionnait, mais son assurance. Même Zacharias inclina le front sans protester. Mais d'où tenait-elle cette force qu'ils lui découvraient, ils auraient été bien en peine de l'expliquer.

***

Ce soir-là, aussitôt après avoir embrassé son père, Miryem alla rejoindre Yossef dans l'atelier. Quand elle en franchit le seuil, il la regarda approcher avec crainte.

Elle vint assez près de lui pour lui prendre les mains. Elle s'inclina.

– Je te demande de me pardonner. Je regrette mes paroles de tout à l'heure. Elles étaient injustes. Je sais combien Halva aimait être ton épouse et combien elle aimait enfanter.

Yossef secoua la tête, incapable de sortir un son. Miryem lui sourit avec douceur.

– Mon maître, Joseph d'Arimathie, m'a souvent reproché mes mouvements de colère. Il avait raison.

La légèreté de son ton apaisa Yossef. Il reprit son souffle, s'essuya les yeux avec un chiffon qui traînait sur l'établi.

– Rien de ce que tu as dit n'est faux. Nous savions, elle et moi, qu'une nouvelle naissance pouvait la tuer. Pourquoi n'avons-nous pas su nous abstenir ?

Le sourire de Miryem s'accentua :

– Pour la meilleure des raisons, Yossef. Parce que vous vous aimiez. Et qu'il fallait que cet amour engendre une vie aussi belle et aussi bonne que lui.

Yossef l'observa avec autant de stupeur que de reconnaissance, comme si cette idée ne l'avait jamais effleuré.

– Là-bas, sur sa tombe, reprit Miryem, j'ai promis à Halva que je n'abandonnerai pas ses enfants. À partir d'aujourd'hui, si tu le veux bien, je m'occuperai d'eux comme s'ils étaient les miens.

– Non ! Ce n'est pas une bonne décision. Tu es jeune, tu vas bientôt fonder ta propre famille.

– Ne parle pas pour moi. Je sais ce que je dis et à quoi je m'engage.

– Non, répéta Yossef. Tu ne te rends pas compte. Quatre fils et deux filles ! Quel labeur ! Tu n'as pas l'habitude. Halva y a laissé sa santé. Je ne veux pas que tu y ruines la tienne.

– Que de bêtises ! Compterais-tu te débrouiller seul ?

– Élichéba m'aide.

– Elle n'est plus en âge de le faire encore longtemps. Et elle n'a jamais été l'amie d'Halva.

– Plus tard, quand il sera temps, je trouverai une veuve à Nazareth.

– Si c'est une épouse que tu veux, c'est autre chose, admit Miryem un peu sèchement. Mais d'ici là, laisse-moi t'aider. Je ne suis pas seule : j'ai Ruth avec moi. Elle abat la tâche de deux personnes et, avant de venir, je l'avais prévenue que nous aiderions Halva.

Cette fois, Yossef s'inclina.

– Oui, admit-il en fermant les yeux sous l'effet de la timidité, elle aurait aimé que tu prennes soin des enfants.

Quand elle l'apprit, Ruth approuva sans réserve la proposition de Miryem.

– Aussi longtemps que Yossef et toi le voudrez, je vous aiderai.

Joachim parut heureux, l'esprit allégé pour la première fois depuis des jours. Il travaillait avec Yossef à l'atelier. À eux deux, ils engrangeraient assez de travaux pour nourrir cette grande famille.

– Ainsi va la vie selon la volonté de Yhwh, marmonna sentencieusement Zacharias. Il nous escorte entre la mort et la naissance pour nous rendre plus humbles et plus justes.

Cependant, Joachim ne le laissa pas poursuivre sur ce ton. Mis en joie par la décision de Miryem, il annonça :

– Le fait est que Zacharias a une bonne nouvelle à vous annoncer. Sa pudeur l'empêchait de le faire en ces jours de deuil. Alors, c'est moi qui vous l'apprend : en route pour Nazareth, Élichéba s'est découverte enceinte. Qui l'eût cru ?

– Ni toi ni moi, répliqua plaisamment Élichéba. Oui, grosse d'un enfant, je le suis par la volonté de Yhwh. Béni mille fois le Tout-Puissant qui S'est penché sur moi ! À mon âge !

Élichéba, qui devait avoir le double de l'âge de Mariamne et Miryem, se montrait radieuse et ne dissimulait pas sa fierté. Les jeunes filles la contemplèrent, ébahies.

– Ça, vous avez bien raison d'être étonnées. Qui l'aurait cru possible ?

– Tout est possible si Dieu étend la main sur nous. Loué, mille fois loué soit l'Éternel !

– Il faut le croire : moi qu'on disait plus stérile qu'un champ de cailloux pendant toutes ces années où une femme doit enfanter... Et voilà que cela nous est venu en un rêve, glousса Élichéba en clignant des yeux vers Ruth.

– Moi, je le dis, renchérit Zacharias avec le plus grand sérieux, c'est un ange de Dieu qui m'a poussé à faire cet enfant. Un ange qui m'a déclaré : *« C'est la volonté de Dieu, tu seras père. »* Et moi, plein d'orgueil, j'ai protesté, je lui ai répondu que c'était impossible. *« Tu n'es pas si vieux, Zacharias. Et ton Élichéba est presque jeune si tu la compares à la Sarah d'Abraham. Ils étaient plus vieux que vous deux, beaucoup plus. »*

– En vérité, je me suis moquée de son rêve. Je n'y croyais pas, pas du tout ! glousса Élichéba. « Regarde-nous, mon pauvre vieux Zacharias, lui ai-je dit. Pour un rêve, c'est un rêve, et maintenant que tu as les yeux grands ouverts, tu vas l'oublier. » En effet, comment pouvais-je le croire encore capable d'une si belle œuvre ?

Le rire d'Élichéba résonna haut et fort.

Elle se reprit aussitôt, lorgnant vers Yossef et Joachim pour s'assurer que cette gaieté qu'elle ne parvenait pas à réprimer ne les choquait pas.

– Tu as raison d'être joyeuse, l'encouragea Joachim. Les jours de peine, un tel événement vous réjouit le cœur.

Élichéba caressait son ventre comme si déjà il était gonflé par le futur enfant. Ruth, qui était demeurée froide pendant ce moment d'excitation, l'observa avec suspicion :

– En es-tu sûre ?

– Une femme ne saurait pas quand elle attend un enfant ?

– Une femme se trompe plus d'une fois, et plus d'une fois prend ses rêves pour la réalité. Surtout pour ces choses-là.

– Je sais ce que Dieu m'a commandé ! s'indigna Zacharias.

Miryem, s'interposant avec douceur, posa la main sur l'épaule de Ruth.

– Bien sûr qu'elle est enceinte.

Ruth rougit, embarrassée.

– Je suis sotte, pardonnez-moi. Je viens d'un endroit où les gens sont malades et pris par la folie. Si on les écoutait, le ciel serait un encombrement d'anges, et les prophètes pulluleraient sur la terre d'Israël. Cela a fini par me rendre un peu trop suspicieuse.

À un autre moment, Joachim et Yossef se seraient laissés aller à sourire.

***

Plus tard, Mariamne demanda à Miryem :

– Veux-tu que je reste près de toi quelque temps ? Bien que j'ignore tout des enfants, je peux me rendre utile. Je sais que ma mère ne refuserait pas. Nous renverrons Rekab avec un message pour elle. Elle comprendra.

– Pour les enfants, non, je n'ai pas besoin de toi. Mais pour mon moral et pour échanger des paroles que je ne saurais confier qu'à toi, oui, je le voudrais bien. Tu as des livres de la bibliothèque de Rachel avec toi. Il faudra me les lire.

Mariamne rougit de plaisir.

– Ton amie Halva était comme une sœur pour toi. Mais nous, nous le sommes aussi, n'est-ce pas ? Même si nous ne nous ressemblons plus comme avant, maintenant que tes cheveux sont courts.

Ainsi, la maison de Yossef renaquit à la vie. Chacun y trouva sa place dans la multitude des tâches quotidiennes, chacun avait de quoi s'occuper et se distraire de sa tristesse. La joie de Zacharias et d'Élichéba dans l'attente de leur enfant inclinait à la légèreté et des journées nouvelles commencèrent, semblables à une convalescence.

Après une lune, il se confirma qu'Élichéba était bien enceinte. Souvent, elle s'approchait de Miryem et lui confiait :

– Sais-tu que l'enfant dans mon ventre t'aime déjà ? Je le sens quand je viens près de toi : il s'agite et on croirait qu'il bat des mains.

Agacée, Ruth, incapable de se résoudre à cette naissance miraculeuse, lui faisait remarquer que son ventre était à peine gonflé. L'enfant ne devait être encore qu'une petite boule pas plus grosse qu'un poing.

Élichéba répliquait avec satisfaction :

– C'est bien ce que je sens. Un tout petit poing qui frappe quand je ne m'y attends pas.

– Eh bien, soupirait Ruth en levant les yeux au ciel, s'il commence ainsi à une ou deux lunes, qu'est-ce que ce sera quand il tiendra debout !

***

Bientôt, à l'aube, avant le lever des enfants, Miryem prit l'habitude de s'éloigner de la maison. Dans la lumière naissante entre nuit et jour, elle empruntait le chemin qui descendait vers Sepphoris à travers la forêt et errait au hasard.

Lorsque le soleil s'annonçait à l'horizon, elle était de retour. Elle traversait la cour, la mine pensive.

Mariamne et Ruth notèrent qu'elle devenait de plus en plus silencieuse et même un peu lointaine. Ce n'était qu'une fois les travaux de la journée accomplis qu'elle se montrait attentive aux bavardages des uns et des autres. Elle cessa peu à peu de s'intéresser à la lecture que lui faisait Mariamne à l'heure de la sieste des enfants, bien qu'elle l'eût elle-même réclamée.

Un soir, alors qu'elles achevaient ensemble de pétrir la pâte pour le pain du lendemain, Mariamne demanda :

– Cela ne te lasse pas de te promener le matin comme tu le fais ? Tu te lèves si tôt que tu vas finir par t'épuiser.

Miryem sourit et lui adressa un regard amusé.

– Non, cela ne me lasse pas ni ne me fatigue. Mais toi, cela t'intrigue. Tu voudrais bien savoir pourquoi je m'en vais ainsi presque chaque matin.

Mariamne rougit et baissa le front.

– Ne sois pas confuse. Il est bien normal d'être curieuse.

– Oui, je suis curieuse. Et de toi plus que de tout.

Elles coupèrent la pâte en silence pour en faire des boules. Alors qu'elle formait la dernière, Miryem s'immobilisa.

– Quand je suis ainsi sur les chemins, murmura-t-elle, je sens la présence d'Abdias. Aussi proche que s'il était encore vivant. J'ai besoin de ses visites comme de respirer ou manger. Grâce à lui, tout s'allège. La vie n'est plus aussi pénible...

Mariamne la dévisagea en silence.

– Tu me crois un peu folle ?

– Non.

– Parce que tu m'aimes. Ruth aussi déteste que je parle d'Abdias. Elle est convaincue que je perds la tête Mais comme elle m'aime, elle aussi, elle prétend le contraire.

– Non, je t'assure. Je ne te crois pas folle.

– Alors comment expliques-tu que je ne cesse de sentir la présence d'Abdias ?

– Je ne l'explique pas, fit Mariamne avec franchise. Je ne comprends pas. Et l'on ne peut pas expliquer ce que l'on ne comprend pas. Néanmoins, ce que l'on ne comprend pas existe tout de même. N'est-ce pas ce que nous avons appris à Magdala en lisant les Grecs qui plaisent tant à ma mère ?

Miryem tendit ses doigts pleins de farine pour frôler la joue de Mariamne.

– Tu vois pourquoi j'ai besoin que tu restes près de moi ? Pour que tu me dises des choses pareilles, qui m'apaisent. Parce que moi, souvent je me demande si je ne délire pas.

– Quand Zacharias affirme avoir vu un ange, nul ne se demande s'il est fou ! protesta Mariamne, en ajoutant avec malice : mais peut-être bien que, sans cet ange, nul ne croirait qu'il a fait un enfant à Élichéba.

– Mariamne !

Malgré son ton grondeur, Miryem s'amusait. Se masquant la bouche de ses mains blanches de farine, Mariamne fut prise d'un fou rire.

Cette fois, son rire espiègle entraîna celui de Miryem.

Ruth apparut sur le seuil de la pièce, le petit Yehuda dans les bras.

– Ah ! s'exclama-t-elle, on entend enfin des rires dans cette maison où même les enfants sont sérieux ! Voilà qui fait du bien.

***

Quelques jours plus tard, alors que Miryem cheminait à moins d'un mille de Nazareth, la silhouette de Barabbas surgit sous un grand sycomore.

Le soleil était à peine un disque incandescent. Miryem reconnut son corps élancé, son épaisse tunique de peau de chèvre, sa chevelure. Rien, dans la silhouette de Barabbas, n'avait changé. Elle l'aurait distinguée entre mille. Elle ralentit le pas et s'arrêta à bonne distance. Dans la lumière indécise de l'aube, elle discernait à peine ses traits.

Lui aussi se tenait immobile. Sans doute l'avait-il vue venir de loin. Peut-être fut-il intrigué par cette femme, ne la reconnaissant pas immédiatement à cause de ses cheveux courts.

Ils ne se saluèrent pas. Ils s'observèrent ainsi, à plus de trente pas l'un de l'autre. Aucun des deux ne sachant faire le premier geste ni prononcer une parole qui pût les rapprocher.

Soudain, incapable de soutenir plus longtemps le regard qu'elle portait sur lui, Barabbas se détourna. Il contourna le sycomore, franchit un muret de pierres et s'éloigna. Il boitait assez nettement, plaquait une main sur sa cuisse gauche pour asseoir son effort.

Miryem songea à la blessure qu'il avait reçue au bord du lac de Génézareth. Elle le revit dans la barque, portant le corps d'Abdias dans ses bras. Elle se remémora leur cruelle dispute dans le désert sur la route de Damas. Elle le revit la jambe en sang, hurlant sa rage contre elle et contre tout, alors que le jour venait de révéler le corps sans vie du am-ha-aretz.

Sans doute, ce jour-là, après qu'elle l'eut abandonné, Barabbas avait-il dû marcher des heures avec sa plaie saignante avant de recevoir des soins.

Elle avait effacé ces souvenirs de sa mémoire, comme elle en avait presque effacé Barabbas. Elle éprouva pour lui de la compassion et même un peu de remords.

Pourtant, déjà, elle regrettait de l'avoir rencontré. Elle déplorait qu'il se fût approché d'elle et qu'il soit si près de la maison de Yossef de Nazareth. Sans comprendre pourquoi, elle craignait qu'à le voir, à lui parler, la présence d'Abdias qu'elle maintenait près d'elle ne la fuie.

C'étaient des idées absurdes, inexplicables. Tout autant que les chuchotements d'Abdias qu'elle croyait entendre depuis des mois. Toutefois, Mariamne avait raison : peu importait que l'on comprenne. L'âme voyait ce que les yeux étaient impuissants à distinguer. Et Barabbas n'était-il pas de ceux qui ne voulaient voir qu'avec les yeux ?

Elle se détourna et rentra à la maison beaucoup plus tôt que d'habitude.

Vers le milieu du jour, elle annonça à Joachim :

– Barabbas est par ici. Je l'ai aperçu ce matin.

Joachim épia son expression, mais comme elle lui présentait un visage neutre, il avoua :

– Je sais. Il était ici il y a peu. Il m'a bien aidé après la mort de ta mère, Dieu la garde en Son sein. Il lui a fallu s'éloigner de Nazareth pour quelque temps, mais il comptait revenir. Il a des choses à te dire.

***

Il se passa deux jours. Miryem s'abstint de toute allusion à Barabbas. Ni Joachim ni Yossef ne prononcèrent son nom.

À l'aube de la troisième journée, comme elle s'éloignait de la maison, avant le réveil des enfants, il apparut. Debout sur le chemin, il l'attendait. Cette fois, à son attitude, elle comprit qu'il voulait lui parler. Elle s'arrêta à quelques pas de lui, cherchant son regard

Le jour était à peine levé. La lumière sourde creusait ses traits sans pour autant altérer la douceur de son expression. Il eut un geste de la main qui trahissait son embarras.

– C'est moi, annonça-t-il, un peu gauche. Tu devrais me reconnaître. J'ai moins changé que toi.

Elle ne put retenir un sourire. Cela l'encouragea.

– Ce n'est pas seulement ta chevelure qui a changé, c'est toi tout entière. On le voit au premier coup d'œil. Voilà très longtemps que je veux te parler.

Elle continuait de se taire, mais elle ne le décourageait pas. En dépit de tout ce qu'elle avait pensé de lui, elle était heureuse de le voir, d'entendre sa voix, de le retrouver bien vivant. Il le lut sur ses traits.

– Moi aussi, j'ai changé, dit-il. Je sais maintenant que tu avais raison.

Elle approuva d'un signe.

– Tu n'es pas bavarde, s'inquiéta-t-il. Tu m'en veux encore ?

– Non. Je suis contente de te voir bien en vie.

Il se massa la jambe.

– Je ne l'oublie jamais. Pas un jour sans que je pense à lui. Pour un peu, je demeurais estropié.

Elle inclina lentement la tête.

– C'est ta plaie d'Abdias, ton souvenir de lui. Pour moi aussi, il s'est arrangé afin que je ne passe pas une journée sans lui.

Barabbas fronça les sourcils, sur le point de demander ce qu'elle entendait par là. Finalement, il n'osa pas.

– J'ai eu de la peine pour ta mère. J'ai proposé à Joachim de châtier les mercenaires qui l'ont tuée, mais il a refusé.

– Il a eu raison.

Barabbas haussa les épaules.

– Ce qui est vrai, c'est que nous ne les tuerons pas tous. Il n'en est qu'un avec qui il faut en finir : Hérode. Les autres, ils peuvent aller en enfer seuls...

Elle ne contesta ni n'acquiesça.

– J'ai changé, répéta-t-il d'une voix plus dure, mais pas au point d'oublier qu'Israël est toujours à libérer. Pour ça, je suis toujours le même, et ce jusqu'à la fin de mes jours. Je ne changerai pas.

– Je m'en doute, et c'est bien.

Il parut soulagé à ces mots.

– Avec les zélotes, nous montons des coups. Hérode s'obstine à flanquer des aigles romaines sur le Temple et les synagogues, et nous, nous les détruisons. Ou, quand il y a trop de gens affamés dans un village, nous vidons les réserves des légions. Mais terminées, les grandes batailles ! Il n'empêche, je n'ai pas changé d'avis. Il faudra bien s'y résoudre. Avant qu'Israël soit détruit en entier.

– Moi non plus, je n'ai rien oublié. Mais près de Joseph d'Arimathie j'ai appris le pouvoir de la vie. Seule la vie engendre la vie. Aujourd'hui, il faut tenir la vie dans une main et la justice dans l'autre. Voilà ce qui nous sauvera. Seulement, c'est plus difficile que de se battre avec des lances et des épées. C'est à ce prix que la justice régnera sur nos terres.

Elle parlait bas, avec beaucoup de calme. Dans la lumière montante, Barabbas la scruta attentivement. Peut-être était-il impressionné par sa détermination plus qu'il ne se l'avouait.

Ils se turent un instant. Puis Barabbas sourit. Un grand sourire qui fit briller ses dents. Il déclara très vite, d'une voix un peu hachée.

– Moi aussi, je songe à la vie. Je suis allé voir Joachim. Je lui ai dit que je voulais te prendre pour épouse.

Miryem tressaillit sous le coup de la surprise.

– Cela fait longtemps que j'y pense, reprit Barabbas avec précipitation. Je sais que nous ne sommes pas toujours d'accord. Mais aucune femme au monde ne te vaut et je n'en veux aucune autre.

Miryem baissa les yeux, soudain intimidée.

– Que t'a répondu mon père ?

Barabbas eut un petit rire tendu.

– Qu'il est d'accord. Et que tu devais l'être aussi.

Elle releva le visage, offrant à Barabbas tout ce qu'elle pouvait de tendresse, et secoua la tête.

– Non, je ne le suis pas.

Barabbas frotta nerveusement sa cuisse et se raidit.

– Tu ne l'es pas ? chuchota-t-il, comprenant à peine le sens des mots qu'il prononçait.

– Si je devais prendre un homme pour époux, oui, ce serait toi. Je le sais depuis longtemps. Depuis le jour où je t'ai découvert sur la terrasse de notre maison tentant d'échapper aux mercenaires.

– Eh bien, alors !

– Jamais je ne serai l'épouse d'un homme. Cela aussi, je le sais depuis longtemps.

– Et pourquoi ? C'est stupide. On ne dit pas des choses pareilles. Toutes les femmes ont un époux !

– Pas moi, Barabbas.

– Je ne comprends pas ce que tu racontes. Ça ne tient pas debout.

– Ne sois pas fâché. Ne crois pas que je ne t'aime pas...

– C'est encore à cause d'Abdias ! Je m'en doutais. Tu m'en veux toujours !

– Barabbas !

– Tu racontes que tu aimes la vie, que tu veux la justice ! Mais tu ne sais pas pardonner. Ne crois-tu pas que je souffre toujours ? Abdias me manque autant qu'à toi... Mais non, tu veux encore te venger !

– Non, non ! Tu te trompes...

Déjà il lui tournait le dos, s'éloignant vite, sans plus rien entendre, la fureur et la douleur accentuant son boitement. Le soleil affleurait à présent les collines et, dans le contre-jour, Barabbas semblait une ombre qui fuyait.

Miryem secoua la tête, la gorge nouée. Bien sûr qu'il était plein de rage et de tristesse. D'humiliation, aussi. Comment aurait-il pu en être autrement ?

17.

– Je ne comprends pas. Tu ne veux pas d'époux ? Mais pourquoi ?

Il n'avait guère fallu de temps avant que Joachim n'apprenne le refus de Miryem. En secret dans la nuit, malgré la pluie drue qui inondait la Galilée, trempé et plus livide qu'un mort, le cœur en révolte, Barabbas avait déposé son chagrin entre ses mains.

Maintenant, à l'heure du repas matinal, alors que venait de s'achever la prière et que chacun était assis autour de la grande table, Joachim ne pouvait retenir sa colère. Impossible d'attendre un moment plus propice. Il pointait sa cuillère de bois vers Miryem et répétait :

– Ça, non ! Je ne te comprends pas. Pas plus que Barabbas ! Dis qu'il ne te plaît pas, si c'est la vérité. Mais pas que tu veux être sans époux.

Il en avait la voix tremblante, l'incompréhension lui écarquillait les yeux.

– La vérité est ainsi. Ce que j'ai à faire dans ce monde, ce n'est pas d'être l'épouse d'un homme, répondit Miryem.

Son ton était celui de l'humilité, mais aussi de la fermeté.

Joachim frappa la table de la paume. Ils sursautèrent. Yossef ou Zacharias, Élichéba ou Ruth, ils évitèrent de le regarder. C'était la première fois qu'on le voyait ainsi s'emporter contre sa fille tant aimée.

Mais les mots, le refus de Miryem, les embarrassaient plus encore. Qui était-elle pour oser s'opposer au choix de son père, quel qu'il fût ?

Seule Mariamne se tenait prête à prendre la défense de Miryem. Elle, elle n'était pas surprise. Combien de fois sa mère Rachel n'avait-elle pas répété qu'il n'y avait pas d'obligation à ce que la vie d'une femme échoue entre les bras d'un homme ?

« La solitude n'est pas une faute ou un malheur, assurait-elle. Au contraire, c'est lorsqu'elle sait vivre seule qu'une femme peut donner au monde ce qui lui manque et que les hommes s'obstinent à refuser en la contraignant à l'unique rôle d'épouse. Nous devons savoir être nous-mêmes. »

Comme si ces mots lui avaient été adressés, Joachim frappa à nouveau sur la table, faisant trembler les écuelles et le pain.

– Et si tu es seule, sans époux, qui t'aidera, te fera vivre et t'assurera un toit quand je ne serai plus là ? demanda-t-il.

Miryem le considéra avec chagrin. Elle tendit le bras par-dessus la table, voulut saisir la main de Joachim. Mais il la retira, comme s'il voulait mettre son cœur et sa colère hors de portée de la tendresse de sa fille.

– Je sais que ma décision te peine, mon père. Mais, pour l'amour de l'Éternel, ne sois pas impatient de me donner à un homme. Ne sois pas pressé de me juger. Tu sais que je veux le bien autant que toi.

– Cela veut dire que tu vas changer d'avis ?

Miryem soutint son regard, secoua la tête sans répondre.

– Alors, que veux-tu que j'attende ? Le Messie ? gronda Joachim.

Yossef posa une main sur l'épaule de son ami.

– Ne te laisse pas dominer par la colère, Joachim. Tu as toujours eu confiance en Miryem. Pourquoi douter d'elle aujourd'hui ? Ne peux-tu lui laisser un peu de temps pour qu'elle puisse s'expliquer ?

– Parce qu'il y a quelque chose à expliquer, selon toi ? Barabbas est le meilleur garçon qui soit. Je sais combien il tient à elle. Et ce n'est pas d'aujourd'hui.

– Oh, murmura Élichéba en glissant un regard affectueux vers Miryem. Dire que Barabbas est le meilleur garçon qui soit, c'est un peu exagéré, Joachim. On ne peut pas oublier que c'est un larron. Je comprends un peu Miryem. Devenir l'épouse d'un larron...

Zacharias l'interrompit :

– Une fille doit épouser celui que son père lui a choisi. Sinon, où irait l'ordre des choses ?

– Si c'est vraiment l'ordre des choses, alors cet ordre n'est peut-être pas aussi bon qu'il y paraît, intervint Mariamne, non moins péremptoire que Zacharias.

Chacun vit la main que Miryem posa sur le poignet de Mariamne, lui imposant le silence, tandis que Joachim foudroyait Élichéba du regard. Il désigna les pentes de Nazareth où l'on pouvait imaginer que Barabbas errait en ce moment, malgré le temps qui transformait les chemins en ruisseaux de boue.

– Ce larron, comme tu dis, m'a sauvé la vie au risque de sa vie ! Et pourquoi ? Parce que cette fille qui est ma fille le lui a demandé. Moi, je m'en souviens. Je n'ai pas la mémoire courte. Ma reconnaissance ne s'efface pas avec la fraîcheur de l'aube !

Il tourna sa cuillère vers Miryem. Il ne maîtrisait plus sa voix.

– Moi aussi, je suis triste de la mort d'Abdias. Moi aussi, je porte pour toujours dans mon cœur celui qui est venu défaire mes liens sur la croix. Mais je te le dis, ma fille, tu te trompes depuis le début en reprochant sa mort à Barabbas. Ceux qui l'ont tué, ce sont les mercenaires. Comme ils ont abattu ta mère. Eux et Hérode. Personne d'autre. Sauf qu'Abdias combattait. En gamin courageux qu'il était. Une belle mort, si tu veux mon avis. Pour la liberté d'Israël, pour nous ! Une mort qui me conviendrait. Il fut un temps où tu étais la première à le dire, Miryem.

À bout de souffle, il abattit une nouvelle fois son poing sur la table avant de reprendre, le menton haut et l'œil dur :

– Et je vous le dis à tous une bonne fois : qu'on ne traite plus Barabbas de larron devant moi ! Rebelle, combattant, résistant... Comme ça vous chante. Il y en a peu qui lui arrivent à la cheville, lui qui a le courage de faire ce que les autres n'osent faire et qui est fidèle à ceux qu'il aime. Et quand il me demande ma fille, je vous le répète, je suis fier de lui dire oui. Nul autre ne la mérite, sinon ce larron.

Un silence de glace suivit la violence de ces propos. Miryem, qui n'avait pas quitté Joachim des yeux, approuva d'un petit hochement.

– Ce que tu dis est juste, père. Ne crois pas que mon refus soit dû à la rancune. Je sais qu'Abdias, là où il est, aime Barabbas comme lui l'aimait. Moi aussi, je dis que Barabbas vit dans le courage. Pour cela il faut l'admirer. Je sais comme toi qu'il est bon, doux et tendre sous la violence apparente. Je lui ai dit : « Si je devais épouser un homme, ce serait toi. »

– Alors fais-le !
– Je ne peux pas.
– Tu ne peux ! Et pourquoi donc, bon sang de bois ?
– Parce que je suis moi et qu'il en va ainsi.
Elle se leva, sans précipitation, calme, assurée. Elle ajouta, offrant à son père toute sa douceur :
– Moi aussi, je suis une rebelle, tu le sais depuis toujours. Et demain ne s'accomplira pas avec la mort d'Hérode et le sang des mercenaires. Demain s'accomplira avec la lumière de la vie, avec un amour des hommes que Barabbas ne pourra jamais engendrer.
Elle se détourna et quitta la table. Sans un mot de plus, elle disparut pour rejoindre les enfants qui jouaient dans la maison, laissant derrière elle leurs visages abasourdis.
Ruth, la première, brisa l'embarras qui les avait saisis. S'adressant à Joachim, elle dit :
– Je ne connais pas ta fille depuis bien longtemps. Mais ce que je sais d'elle pour l'avoir vu à Beth Zabdaï, c'est qu'elle ne cède jamais. Quoi qu'il lui en coûte. Même le maître Joseph d'Arimathie a dû l'admettre. Mais ne te trompe pas : elle t'aime et te respecte autant qu'une fille peut aimer son père.
Sous le coup de l'émotion Joachim hocha la tête, abattu.
– Si c'est cela qui t'inquiète, fit soudain Yossef, Miryem aura toujours un toit ici. Tu as ma promesse, Joachim.
Joachim se raidit, le regard plus aigu, fronçant les sourcils et opposant une moue suspicieuse.
– Sans qu'elle soit ton épouse, tu la garderais près de toi ?
Yossef rougit jusqu'à la racine des cheveux.
– Tu as compris ce que je dis, murmura-t-il. Miryem est chez elle ici. Elle le sait.

***

Dans les quelques jours qui suivirent, l'humeur de Joachim ne changea pas et contamina celle des autres. Joachim fuyait autant qu'il le pouvait la présence de Miryem. Les repas étaient l'occasion de pesants silences. Il arrivait aussi qu'il se montre tout aussi avare de mots et d'attentions pour Yossef, tandis qu'ils travaillaient ensemble.

Yossef ne s'en offusquait pas. Le grand abattement qui avait suivi la mort d'Halva semblait l'avoir quitté pour laisser place à une sérénité, une paix que les autres ne partageaient pas.

Barabbas, on ne le revit pas. Nul n'osa demander à Joachim s'il rôdait toujours autour de Nazareth.

Puis le temps fit son œuvre. Les beaux jours du printemps s'installèrent pour de bon. Sa douceur, l'exubérance des champs et des bosquets en fleurs gagna d'abord les enfants, qui reprirent leurs jeux et leurs rires loin de la maison.

Il y avait du pardon dans le regard de Joachim. On l'entendit plus d'une fois plaisanter avec Yossef dans l'atelier. À la fin d'un repas, il prit la main de Miryem. Les autres échangèrent un sourire discret et soulagé. Joachim garda la main de Miryem tout le temps que Ruth et Mariamne racontèrent, en pouffant de rire, comment le petit Yakov s'était mis à jouer les prophètes devant ses frères et sa sœur.

– Ton fils a des dispositions, s'amusa Ruth en s'adressant à Yossef. Même ceux de Beth Zabdaï ne faisaient pas mieux. Où est-il allé pêcher ça, je me demande.

– Un homme haranguait à la synagogue, l'autre jour, lorsque j'y suis allé avec Yakov, raconta Zacharias, qui ne riait qu'à demi. Cela lui a beaucoup plu. Tu railles, femme, mais il a peut-être de vraies dispositions.

Ruth gloussa, moqueuse, glissant un regard vers Miryem. Elle et son père, toujours main dans la main, eurent le même rire.

Une autre fois, Élichéba saisit leurs mains pour les unir sur son ventre. Elle aimait toujours autant donner à sentir l'enfant qui lui arrondissait la taille. Une fois encore elle affirma :

– Ce garçon s'agite dès qu'il devine la main de Miryem, ne le sentez-vous pas ?

– Et quand les autres posent la main sur ton ventre, il galope tout autant, plaisanta Joachim. Tous les bébés font ainsi.

Élichéba protesta.

– Lui, c'est différent. Il m'annonce quelque chose. Peut-être que le temps n'est pas si loin où tu deviendras grand-père toi aussi, fit-elle en clignant de l'œil. Cela arrivera, j'en suis sûr.

Joachim leva la main de Miryem avant de la lâcher, mimant un accablement désabusé.

– Tu es bien savante, si tu peux dire ce qui m'attend avec une fille pareille.

Dans sa voix, cependant, on devinait de la tendresse et même de l'amusement.

***

Mariamne fut la seule à le remarquer : malgré l'humeur désormais apaisée de Joachim, Miryem demeurait distante. Elle avait des nuits agitées, lourdes de rêves qu'elle se refusait à confier le lendemain. D'autres fois, elle se réveillait très tôt. Non plus comme auparavant à la pointe du jour, mais bien avant que quiconque dans la maison ne se lève. Mariamne se mit à la guetter. Dans le noir, elle la devinait qui quittait silencieusement leur chambre. Elle attendait son retour en gardant les yeux grands ouverts sur l'obscurité. Elle put ainsi mesurer que l'aube était encore bien loin.

La troisième fois, elle lui dit :

– N'est-ce pas dangereux d'aller dehors comme tu le fais, en pleine nuit ? Tu pourrais faire de mauvaises rencontres. Ou alors te blesser à cheminer ainsi dans le noir.

Miryem sourit, lui caressa la joue.

– Dors et ne te soucie pas de moi. Je ne risque rien.

Cela ne fit qu'aiguiser la curiosité de Mariamne. La fois suivante, elle voulut la suivre. Mais la lune était à peine un fil d'argent. Les étoiles ne suffisaient pas à faire luire un caillou. Quand Mariamne parvint dans la cour, il n'y avait que des ombres épaisses, et aucune ne bougeait. Mariamne s'immobilisa, scrutant le noir, l'écoutant. Elle s'habitua au grésillement des grillons, devina le vol d'une chouette, mais aucun bruit de pas.

Inquiète, déconcertée, elle se résolut à confier le secret à Ruth. L'ancienne servante de la maison des esséniens prit son temps, avant de lui répondre :

– C'est Miryem, que veux-tu. Toutefois, mieux vaut que les autres ne s'aperçoivent pas qu'elle passe la moitié de ses nuits dehors. Garde ce que tu sais pour toi.

De son côté, elle attendit d'être certaine que nul ne les entende pour dire à Miryem, dans un murmure de reproche :

– J'espère que tu sais ce que tu fais.

– De quoi parles-tu ?

– Des nuits que tu passes loin de ta couche.

Miryem la regarda avec de grands yeux, puis se mit à rire.

– Ce ne sont pas des nuits. Tout au plus des aubes.

– L'aube, c'est quand le jour se lève, grommela Ruth. Pas quand il fait nuit noire. Toi, tu files avant qu'on y voie goutte.

Miryem se figea, l'amusement encore sur les lèvres, mais plus dans les yeux.

– Que crois-tu donc ?

– Oh ! rien. Avec toi, je ne crois rien de rien. Mais suis mon conseil. Évite que ton père, Élichéba ou Zacharias apprennent tes fugues.

– Ruth ! Qu'es-tu en train d'imaginer ?

Ruth agita les mains, rougissante d'embarras.

– Ce qui te rend si bizarre ces derniers temps et te pousse ainsi dehors, je ne veux pas le savoir et encore moins l'imaginer. Suis mon conseil, cela vaut mieux.

Un peu plus tard, Miryem s'assit près de Mariamne.

– Ne t'inquiète pas, dit-elle. Ne crains rien. Dors et ne cherche pas à m'espionner. C'est inutile. Tu sauras quand il le faudra.

Mariamne grillait de curiosité. L'envie lui vint d'aller visiter l'atelier de Yossef en pleine nuit, mais elle résista. Sans que cela fût dit, elle savait qu'elle ne devait plus céder à aucune tentation de l'imagination ou de la défiance si elle voulait conserver l'amitié de Miryem. Elle se contenta, selon les matins, d'échanger un regard entendu avec Ruth.

Une lune s'écoula presque entière. Et soudain, alors que l'on entrait dans le mois de sivan, cela les frappa comme la foudre.

***

Miryem vint devant son père alors qu'il était seul. Elle lui dit, montrant un visage heureux et confiant :

– Je suis enceinte. Un enfant grandit dans mon ventre.

La face de Joachim devint semblable à un bloc de craie.

Comme il se taisait, Miryem ajouta gaiement :

– Il y avait du vrai dans ce que racontait Élichéba : tu vas être grand-père.

Joachim voulut se lever, mais n'y parvint pas.

– Avec qui ? souffla-t-il.

Miryem secoua la tête.

– N'aie crainte.

Un bizarre grondement ronfla dans la poitrine de Joachim. Ses lèvres se tordirent. Il parut vouloir mâcher les poils de sa barbe.

– Ça suffit. Réponds. Avec qui ?

– Non, mon père. Je te le jure devant la foudre de l'Éternel.

Joachim ferma les paupières et se frappa la poitrine. Quand il rouvrit les yeux, le blanc en était devenu rouge.

– C'est Yossef ? Si c'est Yossef, dis-le. Je lui parlerai.

– Personne. C'est ainsi.

– Si c'est Barabbas, dis-le.

– Non, père. Ce n'est pas Barabbas non plus.

– S'il t'a prise de force et que tu n'oses pas l'avouer, je le massacrerai de mes mains, tout Barabbas qu'il est.

– Écoute-moi : ni Barabbas ni aucun autre.

Joachim finit par entendre ce que Miryem lui disait. Ses mots le glacèrent. Il laissa filer un petit gémissement et pour la première fois regarda sa fille comme une étrangère.

– Tu mens.

– Pourquoi mentir ? Cet enfant, on le verra naître. On le verra grandir. On le verra devenir le roi d'Israël.

– Qu'est-ce que tu racontes ! Ce n'est pas possible.

– Si. Cela est possible. Parce que je le voulais plus que tout. Parce que je l'ai demandé à Yhwh, béni soit Son nom pour l'éternité.

À nouveau Joachim ferma les paupières. Ses mains tremblaient, palpaient sa poitrine, glissaient sur son visage comme s'il pouvait en ôter la pellicule des paroles que venait de prononcer Miryem.

– Ce n'est pas possible et c'est un blasphème. Tu es folle. Passe encore l'ange de Zacharias, mais ça, non.

– Pourtant cela est. Tu le verras.

Joachim secoua fortement la tête, les yeux toujours clos.

– Pourquoi te faire souffrir quand c'est une bonne et une grande nouvelle ? demanda Miryem sans abandonner son calme. N'est-ce pas ce que nous savons, toi, moi, Joseph d'Arimathie et quelques autres : c'est la vie des hommes qui change la face du monde. Ce n'est pas la mort ni la haine. Pour abattre Hérode, il n'y a que la lumière de la vie et l'amour. Tout ce que Rome et les tyrans méconnaissent.

Joachim agita violemment les bras comme s'il voulait chasser les paroles de Miryem ainsi que l'on chasse les mouches importunes.

– On ne parle pas d'Hérode et d'Israël ! On parle de ma fille souillée ! s'écria-t-il. Et ne me raconte pas que c'est une bonne nouvelle.

– Père, je ne suis pas souillée. Tu peux me croire.

Maintenant, il la regardait comme une ennemie.

Miryem s'agenouilla devant lui, enserra ses mains entre les siennes.

– Joachim, mon père, comprends. Que peut une femme pour libérer Israël du joug romain, sinon donner naissance à son libérateur ? Souviens-toi. Souviens-toi de la réunion convoquée par Barabbas qui devait décider de la date de la révolte. J'ai parlé du Libérateur. Déjà. De celui qui ne connaîtra d'autre autorité que celle de Yhwh, maître de l'univers. De celui qui rappellera Sa parole et qui imposera Sa loi.

» Depuis, j'ai beaucoup réfléchi, père. J'ai vu des prophètes. Tous des hommes souillés par le sang et le mensonge. Pas un d'entre eux ne parlait d'amour. Pourtant, notre sainte Thora dit : *Aime ton prochain comme toi-même.*

» Pour vous tous, la femme n'est là que pour enfanter. Enfanter des hommes soumis ou des hommes rebelles. Et si l'une d'elles donnait la vie à celui que nous attendons tous depuis si longtemps ? Toi autant que moi et que tout le peuple d'Israël ?

» Donner naissance au Libérateur. Personne n'y a songé. Moi, si. Et c'est ce que je vais faire. Moi, Miryem, je t'ai dit qu'il en serait ainsi. Alors, pourquoi t'inquiéter, pourquoi te tourmenter, pourquoi poser toutes ces questions ?

Les lèvres de Joachim s'agitèrent, des larmes s'agrippèrent à sa barbe.

– Qu'ai-je fait pour que l'Éternel ne cesse de me frapper ? gémit-il. Qu'ai-je fait d'impardonnable ?

Il considéra les mains de Miryem refermées sur les siennes. Il eut une grimace, comme à la vue d'un animal répugnant. Il se libéra brutalement, se dressant en chancelant, tout entier dans l'effort de ne pas hurler les mots terribles qui lui noyaient la bouche.

***

Il lui fallut toute la moitié de la journée pour rassembler son courage et aller se mettre en face de

Yossef. Il voulait scruter chaque trait du visage de son ami et ne rien perdre de ses expressions alors qu'il le questionnerait.

– As-tu pris ma fille ?

Yossef eut la mine éberluée de celui qui ne comprend pas le sens des paroles qu'il entend.

– Ta fille ?

– Je n'en ai qu'une. Miryem.

– Qu'est-ce que tu me demandes là, Joachim ?

– Tu m'as compris. Miryem dit qu'elle est grosse. Elle dit aussi que pas un homme ne l'a touchée.

Yossef demeura sans voix.

– Ça n'est pas possible, gronda Joachim C'est une folie ou un mensonge. Il dépend de ta réponse que ce soit l'un ou l'autre.

Yossef n'eut pas l'air fâché par l'insistance de Joachim. C'était bien pire. Son visage exprimait l'intense tristesse, l'immense douleur de celui qui est trahi par la suspicion de son ami.

– Si je voulais prendre Miryem pour épouse, je n'aurais pas à me cacher. J'irais tout droit vers toi pour te demander ta bénédiction.

– Il ne s'agit pas de la prendre pour épouse mais de coucher avec elle et de lui faire un enfant.

– Joachim...

– Bon sang de bois, Yossef ! Tu ne dis pas les mots que j'attends ! À moi, son père, tu dois dire oui ou non.

Le visage de Yossef se durcit d'un coup. Ses joues, ses tempes se creusèrent, sa bouche s'étrécit. C'était une face que Joachim ne lui avait encore jamais vue.

L'attitude hostile de Yossef ébranla Joachim. Il détourna son regard un bref instant. Puis de nouveau il demanda :

– Alors, tu le crois, toi, qu'elle est grosse ?

– Si elle le dit, je le crois. Je crois ce que dit Miryem et le croirai jusqu'à la fin de mes jours.

– Qu'est-ce que tu veux dire ?

– Tu m'as compris.

Maintenant, Yossef se renfermait dans la grande blessure de l'orgueil. Joachim gémit et passa ses doigts noueux sur son visage.

– Je ne sais pas, je ne sais pas ! Je ne comprends plus rien de rien, gémit-il.

Yossef ne lui vint pas en aide. Il se détourna, lui offrit son dos tandis qu'il occupait ses mains à ramasser des outils traînant sur l'établi.

Joachim s'avança et le saisit par l'épaule :

– Ne m'en veux pas, Yossef. Il fallait que je t'interroge.

Yossef se retourna et le toisa d'un air qui signifiait qu'il n'y avait rien à demander, seulement à faire confiance.

– Yossef, Yossef ! s'exclama Joachim avec des larmes sur les joues.

Il saisit son ami et le serra contre lui.

– Yossef, tu es comme mon fils. Je te dois tout ce que j'ai aujourd'hui. Tu voudrais Miryem, je te la donnerais avant de la donner à Barabbas...

Il s'interrompit avec un râle, s'écarta de Yossef pour scruter ses traits. Il n'y trouva aucune mansuétude.

– Mais maintenant qu'elle est grosse, ce n'est plus possible. Pour l'un comme pour l'autre, n'est-ce pas ?

– Écoute ce que dit ta fille. Écoute-la, au lieu de toujours la soupçonner, ce que tu fais depuis qu'elle est revenue.

Fut-ce le ton ou les paroles de Yossef : la suspicion de Joachim revint brutalement.

– Tu sais quelque chose que tu veux me cacher.

Yossef haussa les épaules. Il faillit se détourner, mais se contraignit à supporter le mince filet brillant qui passait entre les paupières de Joachim. Il rougit comme cela lui arrivait parfois, dans la tendresse de l'émotion.

– Je n'ai rien de plus à ajouter. Mais j'aime Miryem et je fais ce qu'elle me demande.

***

Après que Miryem leur eut annoncé son état, Ruth erra dans la maison, désemparée, incapable de s'occuper des enfants qui choisirent d'aller jouer loin des cris et des visages sans joie.

– Cesse donc de tourner en rond ainsi, finit par grogner Mariamne. C'est agaçant.

Ruth s'assit, obéissante, le regard dans le vague.

– Eh bien, vide ce que tu as sur le cœur, bougonna encore Mariamne.

– Je l'avais dit. Je l'avais dit que ça allait arriver.

– Quoi, « ça » ?

Ruth n'accorda qu'une moue à Mariamne. Mais la fille de Rachel se pencha sur elle, des étincelles dans les prunelles.

– Ce qui arrive à Miryem, ce n'est pas « ça » ! Ne le comprends-tu pas ?

– On sait ce que c'est, ce qui lui arrive.

– Seigneur Dieu Tout-Puissant ! Comme ils sont bouchés et ne veulent rien entendre ! Et toi qui te dis son amie fidèle. C'est honteux !

– Bien sûr que je lui suis fidèle. Autant que toi. M'as-tu entendue prononcer une parole de reproche ? Tout ce que je dis, c'est qu'on va la montrer du doigt au lieu de l'admirer. Tu voudrais que je m'en réjouisse ?

– Oui ! C'est ça, exactement. Tu devrais remiser ta peine et te réjouir de la bonne nouvelle.

– Cesse donc avec cette bonne nouvelle !

– Écoute ce que Miryem répète : pas un homme ne l'a touchée.

– Ne dis pas de bêtise ! J'ai l'âge et l'expérience pour savoir comment une femme se retrouve grosse. Pourquoi profère-t-elle cette absurdité, voilà ce que je me demande.

– Si tu l'aimais, tu ne te poserais pas la question ! s'écria Mariamne en se frappant la cuisse de rage. Il n'y a rien d'autre à faire que la croire. Le fils de lumière arrive, il est dans son ventre et elle demeure pure.

– Je ne peux pas, s'énerva Ruth à son tour. Des folies, j'en ai entendu des centaines à Beth Zabdaï. Mais qu'une femme fasse un enfant sans ouvrir les cuisses et accueillir le vit de l'homme, ça, c'est la plus grande idiotie que j'aie jamais entendue !

– S'il en est ainsi, tu ne mérites pas de demeurer près d'elle.

***

Au soir, Élichéba annonça, en pleurs :

– Zacharias ne veut plus parler. Il a tellement honte qu'il ne veut plus prononcer un mot dans cette maison.

– Eh bien, qu'il aille passer sa honte ailleurs, grinça férocement Mariamne.

Comme Élichéba et Ruth la regardaient avec des yeux de deuil, elle ajouta cruellement, en pointant le doigt sur la large poitrine d'Élichéba :

– Toi, tu vas racontant qu'un ange est venu annoncer à ton Zacharias qu'il pourrait redevenir un homme alors qu'un souffle de vent le jette au sol. Et te voilà grosse, alors que tu n'as pu enfanter pendant plus de vingt ans ! C'est un miracle qui vaut bien celui de Miryem.

De manière inattendue, Élichéba approuva à petits coups de tête, sans pourtant tarir ses larmes.

– Oui, moi je veux bien le croire. Mais Zacharias... Zacharias est un homme. Et un prêtre. Et comme Joachim, il n'y croit pas non plus...

Elles se turent, se calmant toutes les trois et toutes les trois perdues, chacune à sa manière.

– Où est-elle ? souffla Ruth. On ne l'a pas revue depuis ce matin.

– On ne la reverra pas tant que Joachim sera incapable de l'accepter dans la maison sans lui reprocher son état, assura Mariamne.

***

Hélas, Joachim n'en fut jamais capable.

Quand Barabbas vint devant lui, il lui posa les mêmes questions qu'à Yossef. Barabbas lui répondit d'abord avec aigreur :

– Pourquoi irais-je prendre une fille qui ne veut pas de moi ?

– Justement, cela arrive parfois. La déception engendre la colère, et la colère fait perdre la raison.

– J'ai toute ma raison et je n'ai jamais été en manque de femmes au point de la perdre. Les combats, je les aime contre les glaives romains, les mercenaires. Quel plaisir trouverais-je à violenter Miryem ?

Joachim le savait. Il ne doutait ni de la parole de Barabbas ni de l'ahurissement qu'il lisait sur son visage.

Pas plus que Joachim, Barabbas ne pouvait supporter la nouvelle. L'un comme l'autre, ils auraient voulu arracher de leur tête les mots que Miryem y avait gravés.

Barabbas déclara soudain :

– C'est Yossef !
– Comment le sais-tu ?
– Je le sens.
– Il m'a juré que non.
– Pour ce que ça vaut ! Nul ne reconnaît une faute pareille.
– Miryem jure sur la tête de sa mère que ce n'est pas plus lui que toi.
Barabbas balaya d'un geste les assurances de Joachim.
– Elle raconte aussi qu'aucun homme ne l'a touchée, admit Joachim dans un murmure. Pourquoi prétendre des choses pareilles ?
– Elle a honte, c'est tout. C'est Yossef. Je le vois faire depuis un moment. La mort d'Halva lui a excité le sang, il ne sait pas endurer la solitude. Il tourne autour de Miryem comme une mouche autour d'un fruit ouvert. Il lui laverait les pieds avec la langue s'il le pouvait.
– Alors pourquoi Yossef ne m'a-t-il jamais demandé Miryem ? Il le pouvait. Je ne lui aurais pas refusé, pas plus qu'à toi.
– Il la veut, mais il craint son refus. Il se fait sournois.
– La jalousie te fait délirer ! protesta Joachim, accablé.
– J'ai des yeux et une cervelle : je vois ce que je vois.
Barabbas ne voulait pas se résoudre à l'impuissance. Aveuglé par ce qu'il ne pouvait comprendre, il répéta :
– Quand l'enfant naîtra tu verras que je dis vrai : il aura les traits de Yossef.
Devant tant d'insistance, Joachim était saisi de doutes. Barabbas ajouta :
– Mets-les face à face, Miryem et lui. Tu verras le mensonge devant toi.

***

C'est ainsi que, le lendemain, Miryem se présenta devant eux comme devant un tribunal. Ils se tenaient tous les sept dans la pièce commune, debout devant la table des repas : Joachim et Barabbas, Zacharias et Élichéba, Ruth, Mariamne et Yossef.

Joachim avait réclamé sa présence sans savoir où la trouver. Il était allé au bout de la cour en criant son nom, sans succès. Mariamne avait déclaré que personne ne savait où elle était, quand le petit Yakov, l'aîné des fils de Yossef, avait annoncé :

– Moi, je sais. On a joué toute la journée ensemble. Maintenant, elle se baigne dans la rivière avec Libna et Shimon.

Il disparut comme un souffle, revenant avec Miryem, main dans la main. Dès qu'ils virent son visage, ils furent mal à l'aise.

Jamais elle n'avait paru si belle, les yeux si clairs et si sereins. Les mèches de sa chevelure cuivrée, qui maintenant lui couvraient la nuque, jouaient en boucles désordonnées sur ses pommettes.

Elle embrassa Yakov sur le front et le renvoya auprès des autres enfants. Lorsqu'elle se tourna vers eux, elle comprit aussitôt ce qu'ils attendaient. Elle leur sourit. Aucune trace de moquerie dans ce sourire, seulement de la tendresse. De même quand elle leur dit :

– Ainsi, vous n'arrivez pas à me croire.

Ils auraient baissé les yeux si Barabbas n'avait répliqué :

– Même un enfant ne te croirait pas.

– Moi, je te crois ! protesta aussitôt Mariamne.

– Toi, la fille de Magdala, tu dirais n'importe quoi pour la défendre, gronda Barabbas.

– Ne vous disputez pas pour moi, ordonna Miryem d'un ton ferme.

Elle se plaça devant Barabbas.

– Je sais que tu as mal, que mon refus d'être ton épouse te blesse au cœur comme dans ton orgueil. Et je sais aussi que tu m'aimes comme je t'aime. Mais je te l'ai dit : je ne peux pas être ton épouse. La décision est mienne et celle du Tout-Puissant.

– Tu dis une chose et son contraire ! s'écria Barabbas. Comment peut-on te croire ?

Miryem lui sourit, posa la pointe de ses doigts sur ses lèvres pour le faire taire.

– Parce que c'est ainsi : si tu m'aimes, tu me crois.

Elle se tourna vers Joachim sans se soucier des protestations de Barabbas.

– Toi aussi, tu doutes, mon père. Pourtant, tu m'aimes plus qu'eux tous rassemblés. Il te faut accepter ce qui est. Un enfant est dans mon ventre. Pourtant, je ne suis pas souillée.

Joachim secoua la tête et baissa le front dans un soupir. Les autres n'osaient parler. Le visage de Miryem se durcit. Elle recula de quelques pas et, soudain, à deux mains, empoigna le bas de sa tunique. Elle la souleva jusqu'à ses genoux, fixant Joachim.

– Il est une preuve, la plus simple de toute. Assure-toi que je suis toujours fille.

Joachim écarquilla les yeux en balbutiant des mots inaudibles. À son côté, Zacharias gémit et, pour la première fois, Barabbas inclina le front.

– Fais-le, ensuite tu auras le cœur en paix. Je suis prête, insista Miryem.

On eût cru qu'elle les avait giflés.

– Bien sûr, tu ne peux le faire toi-même, fit Miryem d'une voix glacée. Élichéba le saura...

– Oh non !

– Alors Ruth.

Ruth se détourna. Elle alla se réfugier au fond de la pièce.

– Ce ne peut être Mariamne : Barabbas dira qu'elle ment pour me soutenir. Allez chercher une sage-femme à Nazareth. Elle saura vous le dire, n'en doutez pas.

Quand elle cessa de parler, le bourdonnement des mouches était pareil au grondement lointain d'un orage.

– N'ayez pas honte, puisque vous doutez de moi.

Joachim recula en s'appuyant au bras de Zacharias. Il s'assit sur le banc qui longeait la table.

– Supposons que tu dises vrai, murmura-t-il d'une voix lasse.

Regardant sa fille avec un brin de compassion, comme on regarde une malade, il demanda :

– Sais-tu ce qui arrive aux femmes enceintes sans époux ?

Il distillait les mots avec difficulté :

– On les lapide. C'est la loi.

Il posa ses mains calleuses sur la table.

– D'abord, vient la rumeur. Elle naîtra à Nazareth et fera vite le tour de la Galilée. Les gens diront : « La fille de Joachim le charpentier porte le fils d'un inconnu. » Honte. Jugement. Et l'enfant que tu attends ne verra jamais le jour.

Joachim parcourut l'assemblée du regard.

– Parce que nous voulions te protéger, couvrir la faute, nous serons maudits pour toujours.

– Auriez-vous peur ? demanda Miryem d'une voix glacée. Vous pouvez me dénoncer.

Tous baissèrent les yeux, le mépris de soi leur nouant la gorge. Et, dans le silence étrange qui tomba sur l'assemblée comme un rideau, Miryem s'approcha de son père, l'embrassa sur le front comme elle l'avait fait auparavant avec le petit Yakov et quitta la pièce aussi calmement qu'elle était venue. Les laissant désemparés.

***

Jusqu'au soir, ils s'évitèrent. Chacun craignait ses propres pensées et celles des autres.

Au crépuscule, Yossef brisa ce silence et déclencha un tumulte qu'ils redoutaient tous. Il vint devant Joachim et déclara :

– N'accable pas ta fille. Je t'ai dit que mon toit serait toujours son toit, ma famille sa famille. Miryem est chez elle ici, et son fils sera mon fils parmi mes fils. Et si le jour venu les gens de Nazareth lui réclament le nom d'un père pour celui à qui elle donnera naissance, elle pourra dire que nous sommes fiancés et donner le mien.

– Ah! s'écria Barabbas. Nous y voilà enfin!

Yossef se tourna vers lui, le poing déjà levé.

– Cesse d'insulter celle qui est plus grande que toi!

– Menteur et lâche, voilà ce que tu es. Miryem invente pour ne pas avoir à te condamner!

Yossef bondit sur Barabbas, l'un et l'autre s'empoignant dans un gueulement sauvage et roulant dans la poussière. Joachim parvint difficilement à dénouer les doigts de Barabbas qui serraient la gorge de Yossef.

– Non! Non!

Il fallut que Ruth et Mariamne lui viennent en aide pour les séparer, tandis que Zacharias et Élichéba s'écartaient avec horreur.

Debout et balayant la poussière de leurs tuniques déchirées, Yossef et Barabbas se dévisagèrent en tremblant, haletants. Joachim leur saisit une main à chacun, mais fut incapable de prononcer une phrase.

Yossef se dégagea et s'écarta. Il reprit son souffle, la tête basse. Quand il la releva, il déclara :

– Ma maison est ouverte à chacun. Mais à aucun de ceux qui refusent d'entendre la vérité dans la bouche de Miryem.

***

Nœud de rage, de fureur et de doutes, Barabbas quitta Nazareth dans l'heure.

Le lendemain, Zacharias attela sa mule au char inconfortable qui les avait menés de la Judée en Galilée et où Hannah avait été assassinée par les mercenaires. Élichéba y monta en pleurs, protestant qu'il n'était pas nécessaire de partir aussi vite. Mais Zacharias, toujours muet, ignora ses plaintes. Les brides et le fouet en main, il attendait que Joachim se décide.

Celui-ci fit trois pas dans un sens, deux dans l'autre, la gorge si nouée qu'il lui semblait respirer du sable. Il s'approcha de Yossef, lui frappa la poitrine du plat de la main et lui souffla au visage :

– Ou tu es fautif et Dieu te pardonnera, ou tu es généreux et Dieu te bénira.

Yossef retint Joachim par le bras et lui dit :

– Reviens, Joachim ! Reviens quand tu veux.

Joachim hocha la tête. Il passa devant Miryem sans lui accorder un regard et s'agrippa à la ridelle du char. Il vérifia inutilement que le banc avait été bien nettoyé du sang d'Hannah et finit par s'y installer. Pour la première fois de son existence, il avait la silhouette d'un vieil homme.

Il sursauta en découvrant que Miryem l'avait suivi, qu'elle était tout près de lui, debout à côté du char. Elle lui prit les mains, les baisa avec ferveur avant d'enfouir son visage dans les paumes calleuses.

– Je t'aime. Nulle fille n'a jamais eu de meilleur père que toi.

À cet instant, Joachim hésita. Peut-être s'en serait-il fallu de peu pour qu'il ne redescende du char. Il s'était redressé, le dos droit, la poitrine gonflée. Mais Zacharias fouetta le cul des mules. Les sanglots d'Élichéba se firent plus bruyants, le temps qu'ils s'éloignent et que le roulement des grosses roues de bois sur les cailloux du chemin les recouvre d'un grondement qui s'estompa lentement.

Avec une tendresse craintive et pleine d'égards, Yossef effleura l'épaule de Miryem.

– Je connais ton père. Un jour, il viendra jouer avec son petit-fils.

Miryem lui adressa un sourire de remerciement. Ses yeux brillaient, ses pommettes étaient rouges, mais elle ne céda pas aux larmes.

Mariamne et Ruth l'observaient, debout au milieu des enfants. Dans la nuit, Ruth, les rides creusées par les vacillements de la mèche d'une lampe, était venue la supplier :

– Garde-moi près de toi, Miryem. Ne me demande pas de croire ce que je ne peux croire. Demande-moi seulement de t'aimer et de te soutenir : cela, je le ferai jusqu'à mon dernier souffle, même sans comprendre.

Miryem fit un signe de la main en direction de ses deux amies. Un drôle de geste. Un peu lent, comme si elle les saluait de loin au retour d'un voyage. Ruth et Mariamne eurent pour la première fois un sentiment qu'elles éprouveraient souvent dans les longues années à venir : la conscience d'être étrangères à celle qu'elles croyaient si bien connaître.

18.

Le printemps prit fin et l'été aussi. Le ventre de Miryem s'arrondit et les gens de Nazareth commencèrent à raconter que Yossef vivait avec trois femmes tant était grand son appétit.

On raconta qu'il avait mis Joachim à la porte.

Pauvre Joachim ! Béni soit-il ! Sa vie n'était qu'une succession de malheurs depuis ce jour où il avait défendu la vieille Houlda contre la rapacité des percepteurs.

À la synagogue, on murmura le mot de « voleur ». On supputa, pour le pire, le besoin que Yossef et Miryem avaient de posséder deux servantes, une vieille, une jeune.

Quelques femmes haussèrent les épaules en disant aux hommes :

– Ne vous posez pas des questions aussi bêtes : Yossef a quatre fils et deux filles. Voilà pourquoi Miryem a deux servantes.

Mais ça ne convainquit personne.

On se souvint que Yossef vivait dans la maison où était né Joachim et que celui-ci la lui avait offerte deux décennies plus tôt. Joachim, qui avait le cœur sur la main, lui avait aussi fait don du savoir de la charpente et de sa clientèle. Mais il ne lui avait pas donné sa fille. S'il avait su qu'elle attendait un enfant de Yossef, jamais il ne se serait éloigné, lui qui avait enterré Hannah à Nazareth. Cela prouverait-il que Yossef avait forcé Miryem ?

Peut-être bien.

D'autres langues se mirent en branle, racontèrent que Barabbas avait été vu s'enfuyant du village un jour de printemps, le visage en pleurs. Qui sait si ce n'était pas avec lui que Miryem avait fauté ?

Certains demandèrent :

– Et elle, Miryem, pourquoi ne la voit-on jamais parmi nous ?

La réponse était simple. Elle se cachait comme se cachent les coupables.

Bientôt, quand Ruth vint acheter du fromage ou du lait, quand Mariamne vint chercher de la laine ou du pain, elles furent de moins en moins bien accueillies. À la fin de l'été, on ne leur accorda plus que le strict nécessaire.

Yossef alla s'en plaindre jusque dans la cour de la synagogue. On lui répondit :

– Mets tes affaires en ordre.

– Quelles affaires ?

En réponse on lui adressa des regards plus éloquents que tous les mots de la langue d'Israël.

À son retour, il dit à Miryem :

– Si nous ne nous marions pas, le jour n'est pas loin où ils arriveront ici et nous lapideront.

– As-tu peur ? demanda Miryem.

– Pour moi, non. Pour toi et pour l'enfant, oui. Pour Ruth et pour Mariamne, oui.

On ne les lapida pas mais on lui apporta de moins en moins de travail, si bien qu'aux premiers mauvais jours de l'automne son atelier fut étrangement vide.

C'est alors que la nouvelle se répandit, colportée de village en village par les mercenaires d'Hérode. Ils entraient dans les cours, frappaient aux portes, gueulaient partout que César Auguste, maître de Rome et d'Israël, souhaitait connaître le nom de chacun de ceux qui vivaient dans son royaume.

– Allez dans le village de votre naissance. Faites-vous reconnaître. On vous donnera une marque de cuir. Au premier jour du mois d'adar prochain, celui qui ne pourra pas montrer sa marque quand on la lui demandera ira dans les geôles.

La nouvelle déclencha autant de colère que de confusion.

Ruth dit :

– Où je suis née, je ne le sais même pas.

– Moi, c'est à Bethléem, fit Yossef. Un minuscule village de Judée où est né le roi David et où personne ne me connaît !

– Et moi, il me faudrait retourner à Magdala, s'énerva Mariamne. C'est une manœuvre de plus des Romains et d'Hérode pour nous surveiller. Mais tout ce qui vient d'eux est stupide. Qui empêchera de contrefaire les marques de cuir ? Qui nous empêchera de nous présenter à leur recensement dans deux ou trois villages de suite, si ça nous chante ?

– Peut-être bien qu'il y a là-derrière une astuce que nous ignorons, fit Yossef avec prudence.

Miryem posa les paumes sur son ventre, qui maintenant l'obligeait à se mouvoir plus lentement.

– Puisque nous ne sommes plus les bienvenus ici, à Nazareth, proposa-t-elle à Yossef, pourquoi n'irions-nous pas dans ton village pendant que je peux encore voyager ? L'enfant y naîtrait sans que nul autre que nous ne s'en soucie. Je dirais que je suis ton épouse et on trouvera normal que je me fasse reconnaître là-bas.

Ils y songèrent un jour ou deux. Ruth déclara avec enthousiasme :

– Pour moi, il n'y a pas de discussion : je vous suis. Il faut quelqu'un pour s'occuper des enfants de Yossef. Et de toi, le jour de la naissance. Et à Bethléem, s'ils ne se souviennent pas de Yossef, qui pourra dire que je n'y suis pas née ?

Miryem approuva :

– Tu passeras pour ma tante.

Mais Mariamne protestait. Elle voulait demeurer avec eux jusqu'à la naissance de l'enfant. Cependant, en ne retournant pas à Magdala, où on devait l'attendre pour le recensement, elle mettrait sa mère dans une position difficile, elle que les Romains surveillaient et n'aimaient pas.

Miryem lui dit :

– Tu me seras plus utile en retournant à Magdala qu'en me suivant en Judée. Au printemps, lorsque les routes seront redevenues praticables, je vous rejoindrai avec l'enfant, si Rachel le veut bien. Sa maison au bord du lac serait un endroit parfait pour le voir grandir et lui enseigner ce qu'un roi nouveau doit savoir.

Mariamne céda à contrecœur. Elle se fit plusieurs fois répéter par Miryem qu'elles se retrouveraient bien à Magdala.

– N'en doute pas. Pas plus de cela que du reste, l'assura Miryem.

***

Il neigeait lorsqu'ils arrivèrent en vue de Bethléem. Le froid et la bise étaient intenses, mais Yossef avait fabriqué une bâche et même un support pour un brasero qui faisait du char une manière de tente mobile et confortable. Ils s'y serraient avec les enfants, comme une petite meute dans son terrier. Quelquefois, les chaos des chemins les envoyaient rouler les uns sur les autres. Les enfants en riaient aux larmes, en particulier le dernier-né, Yehuda, qui y devinait un jeu merveilleux.

Miryem n'était plus loin de la délivrance. Parfois elle agrippait le poignet de Ruth en serrant les dents. Dans ces cas-là, Ruth criait à Yossef d'arrêter les mules. Mais comme elle n'avait pas encore accouché lorsqu'ils entrèrent dans la rue courbe de Bethléem, Miryem dit :

– Allons tout de suite nous faire recenser. Cela vaut mieux. Avant la naissance de l'enfant.

Ruth et Yossef protestèrent. C'était dangereux pour elle et pour l'enfant. Cela pouvait attendre qu'il soit né. Dans une semaine ou deux. Les Romains seraient encore là.

– Non, déclara Miryem. Quand il sera né, je ne veux pas qu'il ait affaire aux Romains ou aux mercenaires. Je ne veux même pas qu'ils puissent poser les yeux sur lui.

***

Le recensement avait lieu devant une grosse maison carrée que les officiers romains occupaient après en avoir chassé les propriétaires.

Deux grands feux chauffaient les décurions assis devant des tables pendant que d'autres, la lance à la main, surveillaient la file de ceux qui attendaient dans le vent.

Lorsque les gens de Bethléem virent Miryem debout, le ventre gros, s'appuyant sur Yossef et

Ruth, et les enfants qui grelottaient derrière eux, ils dirent :

– Ne restez pas là. Passez devant, rien ne presse pour nous.

Quand ils furent devant la table du décurion, le Romain les toisa. Il observa le gros ventre de Miryem sous le manteau épais, eut une grimace et leva le menton vers Yossef.

– Ton nom et ton âge ?

– Yossef. L'âge, je dirais trente-cinq années. Peut-être quarante.

Le décurion écrivit sur le rouleau de papyrus. Le froid épaississait l'encre et engourdissait ses doigts. Il lui fallait écrire de grandes lettres.

Miryem vit qu'il employait la langue latine, traduisant le nom de Yossef en *Josef*.

– Et toi ? lui demanda le décurion. Ton nom et celui de ton père.

– Miryem, fille de Joachim. J'ai vingt ans. Peut-être plus, peut-être moins.

– Miryem, dit le décurion, ça n'existe pas dans la langue de Rome. À partir d'aujourd'hui, tu t'appelleras *Marie*.

Il l'écrivit, puis pointa son stylet sur le ventre de Miryem.

– Et lui, comment vas-tu le nommer ?

– Yechoua.

Le décurion la regarda sans comprendre. Elle répéta :

– Yechoua.

– Un nom qui n'existe pas ! grommela-t-il en soufflant dans ses doigts.

Miryem s'inclina et prononça en grec :

– *Iessous*. Cela veut dire : « Celui qui sauve ».

L'homme ricana.

– Et tu parles grec ?

Il écrivit : « *Jésus, fils de Josef et de Marie. Âge : zéro.* »

– Et toi ? demanda-il en regardant Ruth.

– Ruth. Mon âge, je n'en ai aucune idée. Décide-le toi-même.

Cela fit sourire le décurion.

– Je vais écrire que tu as cent ans, mais que tu ne les fais pas.

Puis vint le tour des enfants.

– Mon nom, c'est Yakov, dit fièrement l'aîné de Yossef. Mon père c'est lui, ma mère elle s'appelait Halva et j'ai presque dix ans.

– Ton nom c'est *Jacques*, soupira le décurion sans plus sourire.

Et c'est ainsi qu'en ces jours ils changèrent tous de nom pour les temps à venir :

Mariamne devint Marie, Marie de Magdala.
Hannah devint Anne.
Halva devint Alba.
Élichéba devint Élisabeth.
Yakov devint Jacques.
Libna devint Lydie.
Yohanan devint Jean.
Yossef devint Joseph.
Shimon devint Simon.
Yehuda devint Judas.
Zacharias devint Zacharie
Gueouél devint Georges
Rekab devint Roland...

Et ainsi de tous les noms que l'on portait dans le peuple d'Israël.

Il n'y eut que Barabbas dont le nom ne fut pas changé. D'abord parce qu'il refusa de se présenter devant les Romains. Et puis, en cette langue araméenne que chacun parlait en ces jours dans le royaume d'Israël, Barabbas signifiait « fils du père ». C'était ainsi que l'on nommait les enfants dont les mères ne pouvaient donner le nom du père. C'était le nom de ceux qui n'avaient pas de nom

Mais cela, les Romains l'ignoraient.

Tout comme ils ignoraient que le nom du fils de Marie, qu'elle enfanta onze jours plus tard dans une ferme abandonnée, du côté de Bethléem, ce Yechoua que le décurion avait nommé Jésus, car à l'oreille cela se ressemblait, signifiait le « sauveur ».

Je croyais que mon récit s'arrêtait là.

La suite est l'histoire la mieux connue du monde, pensais-je. Outre les Évangiles, innombrables sont les peintres, les conteurs et, de nos jours, les cinéastes qui l'ont racontée sous mille facettes différentes au cours des siècles.

Durant les quelques années nécessaires aux recherches et à la rédaction de ce roman, dressant le portrait de « ma » Marie, je m'étais efforcé d'imaginer qui avait pu être cette Miryem de Nazareth, née en Galilée. Une femme réelle, vivant dans le chaotique royaume d'Israël en l'an 3760 après la création du monde par l'Éternel, selon la tradition juive, année qui devint la première de l'ère chrétienne.

Or ce que disent les Évangiles de la mère de Jésus tient dans un mouchoir de poche. Quelques phrases contradictoires et vagues. Un vide qui mit en ébullition l'imagination des auteurs des apocryphes qui fleurirent jusqu'à la Renaissance, romanciers de leur temps. Ainsi naquit une Marie cristallisée par le goût de l'Église romaine, peu convaincante et bien trop marquée par l'ignorance de l'histoire d'Israël à laquelle Miryem appartenait.

Mais le destin d'un livre n'est pas scellé par avance. Le hasard souffle et fait s'envoler les pages. Il brouille leur belle ordonnance, bouleverse les évidences pourtant longuement mûries. En vérité, les personnages ne sont jamais que de papier. Ils exigent leur vie, leur part d'imprévu. Un imprévu qui s'immisce dans les phrases et trouble leurs sens.

***

Ainsi, quelques jours à peine après avoir achevé une première rédaction de mon roman, le hasard a voulu que je me rende à Varsovie, ville de ma naissance. Je devais y compléter un film dédié aux Justes, à ceux, chrétiens ou non, qui, pendant la dernière guerre mondiale, ont sauvé des Juifs. Souvent au péril de leur vie.

Jamais, depuis mon arrivée tout jeune en France, je n'étais retourné en Pologne. L'émotion était grande. Et, sous le plaisir nostalgique et ambigu que chacun éprouve à retrouver les lieux de son enfance, revenait en moi une ancienne, une indélébile colère.

Je retrouvais une Varsovie étrangère à ma mémoire. Ce monde fébrile et tourmenté, nimbé du souvenir du yiddish volubile et coloré de mon grand-père Abraham, imprimeur de son état, mort dans la révolte du ghetto de Varsovie, avait disparu. Effacé, ce monde-là, aussi radicalement que s'il n'avait jamais existé.

Comme le dit souvent Joseph d'Arimathie à Miryem de Nazareth, la colère aveugle, rend maladroit au moment de défendre les causes les plus justes.

À peine arrivé dans Varsovie, mon seul désir était de quitter au plus vite cette ville. Fuir le passé et ceux qui préfèrent l'ignorer à présent, qui n'ont plus rien à m'apprendre. Un rendez-vous prévu depuis plusieurs semaines avec une femme qui, m'avait-on dit, avait sauvé deux mille enfants juifs du ghetto me retint. Me décommander eût été un affront impardonnable.

Je me suis rendu chez elle à contrecœur. À tort : le destin m'y attendait.

Je grimpai les trois étages d'un escalier branlant pour me retrouver face à une vieille Polonaise au visage bien dessiné, à l'expression juvénile. Elle souriait en plissant les yeux avec la malice d'une fillette. Ses cheveux courts et blancs étaient coiffés comme ceux d'une écolière des années trente. Juste au-dessus du front, une barrette retenait une mèche lissée avec soin. Elle se déplaçait avec précaution à l'aide d'un déambulateur.

Dans un bavardage convenu qui nous permettait de briser la glace d'une rencontre trop formelle, et comme elle s'appelait Maria, je lui confiai que j'écrivais un livre sur Marie, la mère de Jésus.

Elle s'égaya d'un sourire lumineux.

– Vous ne pouviez mieux tomber, me dit-elle. Moi aussi, j'ai eu un fils qui s'appelait Jésus, Yechoua.

Je me raidis. Elle n'accorda aucune attention à mon trouble et se mit à évoquer le ghetto. Quand je lui demandai comment elle avait pu sauver près de deux mille enfants juifs, à ma surprise, elle se mit à pleurer.

– On aurait dû en sauver plus encore. Nous étions jeunes, nous ne savions pas nous y prendre...

Elle porta un minuscule mouchoir de dentelle à sa tempe, ouvrit la bouche, sur le point d'en dire davantage. Elle se ravisa et le silence s'installa entre nous.

Durant les vingt ou trente mois qui venaient de s'écouler, j'avais peu vécu dans le présent. Ainsi que d'une drogue, je m'étais saoulé des visions d'une Galilée imaginaire, aux plaines infinies et aux pentes recouvertes de forêts sombres. J'avais navigué sur les reflets éblouissants du lac de Génézareth, arpenté les chemins de poussière des villages blancs et odorants engloutis depuis des millénaires par le temps et l'Histoire. Et soudain, brouillant tous mes songes, j'avais devant moi une table carrée recouverte d'une nappe de tissu plastifié, entourée de trois chaises aux lames de contreplaqué peintes d'un bleu écaillé par l'usage.

Décontenancé, je m'obligeai à parler, faisant remarquer qu'elle n'avait pas répondu à ma question.

Elle m'observa avec bonté et un léger amusement. Elle n'avait aucune intention de me répondre. Elle me demanda à son tour :

– Savez-vous pourquoi une grande partie de Varsovie est surélevée ? Vous avez certainement remarqué que, pour accéder à la plupart des rues, il faut emprunter quelques marches ?

Je lui répondis d'un signe. Je l'avais remarqué, mais en ignorais la raison.

– Après la guerre, les survivants n'avaient ni l'argent ni le temps de déblayer les ruines des maisons juives. Et pas le temps, non plus, d'en retirer les cadavres des habitants encore enfouis dessous. Des bulldozers ont entassé les gravats, effaçant les ruines des cours, des ruelles, des lavoirs, des puits, des fontaines, des écoles... Ils ont tout nivelé et les maisons des vivants se sont empilées sur les maisons des morts. Quand vous grimpez ces marches, vous posez les pieds sur le plus grand cimetière juif du monde.

Nous nous tûmes à nouveau, échangeant des regards embarrassés. Il arrive toujours un moment où les horreurs commises par les hommes vous laissent sans voix.

Je fixais involontairement le numéro tatoué sur son avant-bras. Elle le remarqua et le couvrit de sa main flétrie.

Deux fenêtres donnaient sur une de ces cours communes si fréquentes à Varsovie avant la guerre. Dans un angle de la pièce, une représentation de la Vierge Marie par Leonard de Vinci ornait une minuscule chapelle blanche en carton-pâte. Entre les deux fenêtres, j'apercevais, sous un verre piqueté, une photo représentant deux hommes côte à côte, l'un jeune, l'autre vieux.

Elle suivit mon regard.

– Mon époux et mon fils, dit-elle en souriant franchement.

Puis, comme j'étais fasciné par le visage de son fils, elle ajouta :

– Même sur cette mauvaise photo, ça se voit. En lui, il n'y avait que miséricorde.

Je m'approchai. C'était vrai. Je remarquai ce curieux regard qu'ont les hommes qui savent ce qui les attend. Ses cheveux longs donnaient à son visage un air de fragilité que démentaient ses mains fortes croisées sur son ventre.

À mon côté, la vieille Maria murmura :

– J'adorais ses cheveux. Aussi soyeux que des cheveux de fille. Bien sûr, ils les lui ont coupés. C'est incroyable, n'est-ce pas ? cette obsession qu'ils avaient des cheveux ! Comme les philistins épouvantés par la chevelure de Samson.

Elle secoua la tête, souleva son déambulateur pour en frapper le plancher d'un petit mouvement rageur.

– Cette montagne de cheveux qu'il y avait à l'entrée des camps !

À nouveau, il ne me restait plus qu'à me taire.

Je songeais à me lever et à partir. À prendre congé avec des images que je ne connaissais que trop bien.

Sans doute le devina-t-elle. Elle me lança un regard malicieux.

– Avant que vous ne partiez, je veux vous offrir quelque chose.

S'appuyant sur son déambulateur, elle se leva. À petits pas précautionneux, elle s'approcha de l'unique armoire de la pièce. Me tournant le dos, elle fouilla dans un tiroir et en retira une sorte de tube enveloppé dans un vieux journal yiddish. J'étais debout derrière elle, elle se retourna à demi, une main agrippée au support d'aluminium de son déambulateur, l'autre me tendant l'objet.

– Prenez.

– Qu'est-ce que c'est ?

Sous le papier journal déchiré par endroits, je devinais un étui rigide. Je le dégageai. C'était un cylindre de bois très fin recouvert d'un cuir pareil à une peau transparente et que le temps avait assombri, durci comme de la corne. Je n'avais vu ce genre d'objets que derrière les vitrines des musées, mais je pouvais le reconnaître. Il s'agissait d'un de ces tubes avec lesquels, il y a plus de deux mille ans et jusqu'au Moyen Âge, on protégeait les écrits de quelque importance, lettres, déclarations officielles et administratives, et même les livres.

– Mais c'est précieux ! m'exclamai-je, ahuri. Je ne peux pas...

Elle balaya ma protestation en fermant les yeux.

– Vous lirez.

– Je ne peux pas emporter une chose aussi précieuse ! Vous devez...

– Tout y est. Vous reconnaîtrez la parole de celle que l'on n'a pas beaucoup écoutée en son temps.

– Marie ? Miryem de Nazareth ?

– Vous lirez, répéta-t-elle en se dirigeant vers la porte à petites secousses de son déambulateur, me congédiant cette fois sans réplique.

***

Le journal qui protégeait l'étui se défit de lui-même, brûlé par le temps. Il me fallut batailler un peu pour retirer le capuchon. Le bois et le cuir trop sec menaçaient d'éclater sous mes doigts tremblants.

À l'intérieur, je trouvai une bande de parchemin enroulée sur elle-même, mais que l'on avait soigneusement protégée à l'aide d'une feuille de papier cristal.

Le parchemin, déjà effrité sur les bords, collait à la pulpe de mes doigts dès que je le touchais. Je le déroulai sur le lit de l'hôtel, millimètre par millimètre, craignant à chaque instant de le voir se désagréger.

Le parchemin avait été malencontreusement plié. Des fragments de texte s'étaient détachés à l'endroit des pliures. Des taches d'humidité s'étaient mêlées à l'encre d'un brun passé. Par places, elles absorbaient les lignes d'une écriture petite et régulière. À première vue, je crus reconnaître l'alphabet cyrillique. Ce n'était qu'une illusion d'ignorant.

À ma surprise, à mesure que je déroulais le parchemin apparurent des feuillets de papier à petits carreaux. Eux aussi, le temps les avait jaunis, mais ils n'étaient vieux que de quelques décennies. Cette fois, je reconnus aussitôt la langue utilisée : le yiddish.

Je m'assis au bord du lit pour les lire. Dès les premiers paragraphes, mes yeux s'embuèrent, refusèrent d'aller plus loin.

Je me levai pour vider dans un verre les menues bouteilles de vodka du bar de la chambre. Un alcool médiocre qui me brûla la gorge et que je laissai agir jusqu'à ce que mon pouls cesse de battre la chamade.

***

27 janvier, l'an 5703 après la création du monde par l'Éternel, béni soit-Il.

« Toi, Toi, saint, dont le trône est entouré des louanges d'Israël, c'est à Toi que se sont confiés nos pères. Ils ont cru en Toi et Tu les as délivrés. Pourquoi pas nous ? Pourquoi pas nous, Seigneur ? »

Je m'appelle Abraham Prochownik. Je vis dans une cave de la rue Kanonia depuis des mois. Il se peut bien que je sois le seul survivant de la famille Prochownik. Grâces en soient rendues à notre voisine Maria.

J'espère que viendra un jour où les chrétiens la béniront comme une sainte. Moi, Juif, je ne peux qu'espérer qu'elle restera dans la mémoire des hommes comme une Juste. Une Juste parmi les nations. Que l'Éternel, Dieu d'amour et de miséricorde, la protège.

Si on retrouve ces feuillets, je veux qu'on le sache : Maria a sauvé des centaines d'enfants juifs. Elle a été déportée par les nazis – que leur nom soit maudit pour l'éternité – comme une Juive, avec son fils Jésus, qu'elle appelait Yechoua, et son époux, le père de son fils. Père et fils ont péri dans les camps. Elle, elle en a réchappé avec l'aide du réseau catholique Zegota.

« Il y eut dix générations d'Adam à Noé, dit le Traité des Pères, pour faire connaître la longue patience de Dieu, alors que toutes les générations s'acharnaient sans discontinuité à Le provoquer, avant qu'Il ne les engloutisse sous les flots du Déluge. »

Combien de temps me reste-t-il à vivre ? Seul l'Éternel, Maître de l'univers, le sait.

Seul l'Éternel sait aussi, comme écrit plus haut, s'il reste des Prochownik à part moi. Nous avons été, dans les temps anciens, une famille illustre. Selon la légende que m'ont transmise mon père et mon grand-père, notre ancêtre Abraham (je porte son nom) avait été couronné roi en 936 de notre ère par des tribus slaves païennes qui venaient d'accepter le Christ. La tribu la plus importante était celle des Polanes et notre famille vivait parmi eux depuis plusieurs générations.

Le Seigneur Dieu de la Sagesse inspira sans doute l'esprit d'Abraham, qui refusa l'honneur d'être roi. Il déclara aux Polanes que ce n'était pas à un Juif de régner sur des chrétiens. Ils devaient trouver leur chef parmi les membres de leurs propres familles. Il leur proposa de désigner l'un des paysans qui produisait le plus de blé. L'homme s'appelait Mieszko, issu de la famille des Piast. Les Polanes suivirent son conseil et le paysan devint « Miesko premier ».

La dynastie des Piast fut longue et s'est toujours bien conduite envers les Juifs.

Du moins si on en croit notre légende familiale.

Pour mon grand-père Salomon, cela ne faisait pas de doute. C'était la vérité vraie. La seule fois où il a levé la main sur moi, c'est le jour où je me suis moqué de lui en prétendant que l'ancêtre Abraham n'avait été qu'un pauvre bottier sans le sou.

Pour grand-père Salomon, la preuve irréfutable de la grandeur passée de notre famille était tout entière contenue dans notre trésor familial : le rouleau qu'Abraham Prochownik aurait reçu des Piast en témoignage de reconnaissance.

Le jour de sa bar-mitsva, chaque garçon, dans notre famille, avait le droit d'ouvrir l'étui, de déployer un peu le rouleau et d'en contempler l'écriture.

Selon grand-père Salomon, ce rouleau, les Piast le reçurent des mains de saint Cyrille en personne au moment de leur conversion. Ce qui y est inscrit n'est qu'une copie. Le rouleau original était rédigé en hébreu et en grec. Mais copie ou original, ils contiennent la même chose : l'évangile de Miryem de Nazareth, Marie, mère de Jésus.

Grand-père Salomon racontait qu'Hélène, la mère de Constantin Ier, l'empereur de Rome devenu chrétien, le rapporta de Jérusalem. Le rouleau d'origine, en papyrus comme cela se faisait à l'époque, la mère de l'empereur affirmait que des femmes chrétiennes le lui donnèrent lorsqu'elle vint à Jérusalem pour édifier l'église du Saint-Sépulcre, à l'emplacement même de la crucifixion de Jésus. C'était en 326 de notre ère.

Quelques siècles plus tard, sous l'empereur byzantin Michel III, le grand évangélisateur Cyrille aurait emporté une copie du rouleau lors de son voyage en Khazarie en compagnie de son frère Méthode, en l'an 861. Il voulait convertir les Juifs khazars au christianisme.

Que le rouleau fût le témoignage de la parole d'une mère juive ne pouvait que l'aider dans son entreprise chez les Khazars, espérait-il.

Par bonheur, le Saint, Dieu d'Israël, protégea le roi des Khazars contre la tentation.

Cyrille alors décida de convertir les peuples païens qui se déplaçaient tout autour du Caucase et de la mer Noire. Ce que racontait le rouleau était une preuve de l'existence de Jésus, dont les peuples païens doutaient encore. Cyrille traduisit le texte en plusieurs langues : l'ajar, qui était pratiqué dans les montagnes, le géorgien, avec l'alphabet phénicien, et le slavon.

Mon père, Yakob, fils de Salomon, devint un grand professeur de langues anciennes à cause de cette histoire. Le plus connu et le plus respecté des universités de Vienne, de Moscou, de Budapest et de Varsovie, où il a enseigné. Il y était encore lorsque les Allemands sont entrés en Pologne.

C'est lui qui reconnut la langue du rouleau transmis par notre ancêtre Abraham. C'est de l'ajar. Qu'on ne perde pas son temps à aller chercher une autre langue.

Mon père aurait pu se rendre incroyablement célèbre en faisant connaître ce rouleau. Pourquoi ne l'a-t-il pas fait ?

La seule fois où je lui posai la question, il me répondit qu'il n'avait pas besoin d'être célèbre. Plus tard, il ajouta que ce que contenait le texte pouvait engendrer une dispute inutile. « Il y a bien assez d'affrontements dans ce monde sans en rajouter. Surtout pour nous, en ce moment. » C'était il y a sept ans, alors qu'Hitler ameutait déjà les foules. Mon père a toujours été un homme d'une grande lucidité. C'est pourquoi il n'a pas non plus laissé de traduction du rouleau, alors qu'il est le seul à l'avoir lu parmi nous.

Quant à ce qu'il est advenu du rouleau d'origine, celui rapporté par Hélène de Jérusalem, nul ne le sait. Détruit dans le sac de Byzance, supposait mon père.

Varsovie, 2 février, l'an 5703 après la Création du monde par l'Éternel, béni soit-Il.

L'organisation des combattants juifs nous pousse à la résistance. Maria, que les anges du Ciel la protègent, m'a apporté leur tract en yiddish : « Juifs ! L'occupant accélère notre extermination. N'allez pas passivement à la mort ! Défendez-vous ! Prenez la hache, la barre de fer, le couteau ! Barricadez vos maisons pour sauver vos enfants, mais que les hommes adultes luttent par tous les moyens ! »

Ils ont raison. Il faut se battre. Mais avec quoi ? Nous manquons de tout. Même des haches et des barres de fer dont parle le tract, nous n'en avons plus ! Les munitions et les armes, il ne faut même pas y songer...

De grâce, Ô Eternel ! fais que nos persécuteurs soient châtiés, que ceux qui nous font périr finissent en enfer ! Amen.

Varsovie, 17 février. L'an 5703 après la Création par l'Éternel, béni soit-Il.

Maria est venue à nouveau, alors qu'il est dangereux et difficile de se déplacer. Elle m'a apporté deux morceaux de sucre, quatre noix et sept pommes de terre qu'elle a trouvés je ne sais comment. Que Dieu Tout-Puissant la bénisse ! Qu'Il la garde en Sa protection.

Hier, les Allemands ont vidé l'hôpital après avoir fusillé les malades qui ne tenaient pas debout et traîné les autres dans la neige jusqu'à Umschlagplatz, d'où ils les ont expédiés à Auschwitz.

Nous avons combattu et résisté comme nul ne l'avait fait avant nous. Par le verbe que l'Éternel nous a donné pour qu'il pénètre le cœur de nos bourreaux ; par le témoignage qui, si telle est la volonté du Seigneur, Tsabaoth, préservera notre souffle parmi les nations. Et maintenant – Saint, Saint, Saint est Ton nom ! – il ne nous reste que la mort à opposer à ceux qui portent la mort, afin que Ton nom, Seigneur, et le nom de Ton peuple soient glorifiés à jamais ! Amen.

Demain, je ne serai plus là. Le rouleau de l'Évangile de Marie, que les Prochownik se sont transmis de génération en génération durant plus d'un millénaire, est à présent entre les mains de Maria. Elle est libre d'en faire ce qu'elle veut. Nul ne peut avoir de meilleur jugement qu'elle.

C'est grâce à elle, Juste parmi les Justes, que demeurera le nom des Prochownik. Amen.

Évangile de Marie

« Moi, Miryem de Nazareth, Marie selon mon nom en langue de Rome, fille de Joachim et d'Anne, je m'adresse à Mariamne de Magdala, Marie selon son nom en langue romaine, fille de Rachel.

Au commencement la parole,
Dieu est parole, Dieu,
parole qui engendre la parole.
Au commencement, sans elle rien
n'a été de ce qui fut.
Parole, la lumière des hommes,
sans aucune obscurité.
La parole du commencement,
la nuit jamais ne la saisit.

« Je m'adresse à Mariamne de Magdala, ma sœur par le cœur, la foi et l'âme. Je m'adresse à toutes celles qui suivent son enseignement au bord du lac de Génézareth.

« En l'an 3792 après la création du monde par le Seigneur Tout-Puissant, béni soit Son nom, au mois de nizan, dans la trente-troisième année du règne d'Antipas, fils d'Hérode.

« Pour celles qui se soucient et qui craignent sa disparition, je témoigne pour mon fils, Yechoua, afin qu'elles ne se laissent pas abuser par les rumeurs que répandent jusqu'à Damas les corrompus du temple de Jérusalem. Voici mon témoignage.

« Il est au milieu de vous et vous ne le connaissez pas.

« Voici ce qui est arrivé au temps où Antipas trancha la tête de Jean le Baptiste. Trente années s'étaient écoulées depuis la naissance de mon fils, et depuis trente années, depuis la mort de son père Hérode, Antipas régnait sur la Galilée. Il n'avait pas le pouvoir sur le royaume d'Israël en entier à cause de la défiance des Romains.

« Jean le Baptiste, fils de Zacharias et d'Élichéba, je l'ai connu dans le ventre de sa mère. Et ma sœur de cœur Mariamne l'a connu pareillement, qu'elle s'en souvienne. Selon la volonté de Dieu, l'enfant nous est venu, à Élichéba en premier et à moi ensuite. Pour l'une comme pour l'autre, cela s'est passé à Nazareth, en Galilée.

« Devenu homme, Jean alla sur les routes. Partout où il allait, il prenait la parole et baptisait par l'eau ceux qui venaient à lui. Voilà pourquoi on le nomma le Baptiste.

« Son nom grandit.

« De Jérusalem, des prêtres du sanhédrin et des lévites vinrent à lui et demandèrent : Toi, qui es-tu ?

« Il répondit avec la parole de l'humilité. Il dit : Je ne suis pas celui que vous attendez. Je viens devant. Je ne suis pas celui qui ouvre le ciel. Moi, je suis la parole d'avant la parole criant dans le désert.

« Cela se passait à Béthanie près du Jourdain.

« Pendant dix ans la renommée de Jean-Baptiste grandit.

« Pendant dix ans, mon fils Yechoua étudie et écoute. Il entend la parole de Jean et l'approuve. Lui, quand il parle, sa parole ne va qu'au petit nombre.

« Pendant dix ans, le ciel reste couvert et jamais ne s'ouvre à celui qu'Israël attend.

« Un jour, Jean le Baptiste me dit : Que ton fils vienne pour l'immersion. Je lui réponds : Mieux qu'aucun autre, tu sais qui il est. Pourquoi veux-tu le baptiser, lui ? Quand tu fais entrer dans l'eau c'est pour purifier l'homme et la femme. De quoi voudras-tu purifier Yechoua, mon fils ?

« Ma réponse ne plaît pas. Jean le Baptiste dit à qui veut l'entendre : Yechoua, fils de Miryem de Nazareth, on voudrait l'entendre, mais on ne l'entend pas. On voudrait voir s'il est aussi miraculeux que sa naissance et ouvre le ciel. Mais on ne le voit pas. Il parle, mais ce ne sont que des paroles d'homme et pas le souffle de Yhwh.

« Ainsi parla Jean le Baptiste. Que ma sœur de cœur Mariamne en témoigne, elle qui était présente. Cela se passait à Magdala.

« De ce jour, mon fils Yechoua se tient à Capharnaüm, au bord du lac de Génézareth. Il ne rencontre plus Jean le Baptiste, dont le bruit de la parole ne cesse de grandir. Antipas lui-même l'entend. Il prend peur. Il dit : L'homme que l'on appelle le Baptiste se répand en paroles contre moi. Il veut la fin de ma maison. On l'écoute partout, en Galilée et au-delà. Il a plus d'influence que les zélotes, les esséniens et les larrons.

« Antipas se décide. Il fait arrêter Jean le Baptiste. Pris par le vice de sa famille, qui coule dans son sang depuis son père Hérode, Antipas offre la tête de Jean le Baptiste à son épouse Hérodiade, qui était aussi sa nièce et sa belle-sœur.

« La veille du jour où l'on doit mettre Jean, fils de Zacharias et d'Élichéba, en terre, Joseph d'Arimathie, le plus saint des hommes et le plus sûr de mes amis, vient me voir. Il me dit : Il faut aller devant la tombe de Jean le Baptiste. Ton amie Mariamne est au côté de ton fils Yechoua, à Capharnaüm. Ils sont trop loin pour revenir à temps pour la sépulture. C'est à toi d'être devant la fosse de celui qu'Antipas a assassiné tant il avait peur.

« Cela se passait à Magdala.

« Je réponds à Joseph d'Arimathie : J'ai désapprouvé les paroles de Jean le Baptiste contre mon fils Yechoua. Mais tu as raison, il faut se tenir la main devant la fosse où Antipas veut enfouir sous son vice la parole du Tout-Puissant.

« De nuit, en bateau, nous allons de Magdala à Tibériade.

« Au matin, devant la fosse ouverte, nous sommes un tout petit nombre. Il y a là Barabbas, le larron. Depuis le premier jour, il m'aime comme je l'aime. Le Tout-Puissant n'a jamais voulu que les épreuves nous séparent. Que ma sœur Mariamne en témoigne, elle qui nous a vus amis et ennemis.

« Barabbas se plaint du peu que nous sommes. Il dit : Hier, ils couraient vers Jean le Baptiste pour se laver de leurs péchés dans l'eau de son bain. Aujourd'hui qu'il faut se tenir debout devant sa fosse sous l'œil de mercenaires d'Antipas, on ne les voit plus.

« Il se trompe. Lorsque la terre a recouvert le corps séparé de Jean le Baptiste, des milliers et des milliers arrivent pour le pleurer. Les chemins de Tibériade sont noirs. On n'y avance plus. Chacun veut mettre un caillou blanc sur la tombe et chanter la grandeur du Tout-Puissant. Cela dure jusqu'au soir. À la fin du jour, la tombe de Jean le Baptiste est un monticule blanc qui se voit de loin.

« Joseph d'Arimathie et Barabbas m'entraînent à l'écart de peur que j'étouffe dans la multitude. Joseph d'Arimathie dit : La parole de Jean le Baptiste s'en est allée. Cette multitude qui est là aujourd'hui est à nouveau aussi perdue que des enfants dans le noir. Ils croyaient avoir trouvé celui qui leur ouvrait le ciel. Ils ne savent pas encore qu'il est là-bas, à Capharnaüm, celui qu'ils doivent suivre maintenant. Ils l'ignorent et ils doutent à nouveau.

« Barabbas approuve : Antipas tue, il tranche la tête du Baptiste et la colère de Dieu ne se voit nulle part. Et pour moi, Barabbas ajoute : Joseph a raison. Comment croire que ton fils est celui qu'annonçait Jean s'il ne peut en faire le signe ? Ils n'avanceront pas derrière Yechoua seulement en l'écoutant.

« D'entendre ces paroles, la colère me vient. Je dis : Je suis comme eux. Voilà trente ans que mon fils est né et trente ans que j'attends. J'étais une fille en pleine jeunesse, je suis une femme qui regarde la nuit de son temps. La patience a une fin. Jean le Baptiste s'est moqué de Yechoua et de moi. Zacharias et Élichéba, avant leur mort, m'ont dit : Nous avons cru que ton fils était comme le nôtre, mais non. Je les écoute et je suis humiliée. Je suis dans la honte. Je dis : Que se passe-t-il ? Dieu veut-Il une chose et son contraire ? Dieu me fait-Il mère de Yechoua en vain ? Quand donc fait-Il, par la main de mon fils, le signe qui ouvre le ciel ? Quand donc fait-Il le signe qui abat Antipas et libère Israël ? N'est-ce pas pour cela que nous vivons ? Et n'avons-nous pas assez vécu dans la pureté pour le mériter ?

« À Joseph d'Arimathie et à Barabbas je ne cache rien : Aujourd'hui, je vous le dis, je n'ai plus de patience. Voir ces milliers sur la tombe de Jean le Baptiste ne me réconforte pas. Ce n'est pas une tombe que nous devons célébrer, c'est la lumière de la vie. Et Yechoua est né pour cela.

« Ma colère ne retombe pas avant mon retour à Magdala. Joseph d'Arimathie ne cherche pas à l'apaiser. Il est comme moi, et encore plus avant dans l'âge. Son temps est compté, sa patience plus usée que sa tunique.

« Se passent deux jours. Ma sœur de cœur Mariamne revient de Capharnaüm. Qu'elle s'en souvienne. Elle annonce avec une grande joie : Les nouvelles sont belles. Yechoua a prêché à Capharnaüm. Ceux qui l'écoutaient disaient : Voici Jean le Baptiste ressuscité. La rumeur de sa parole est venue aux oreilles d'un centurion romain. Il est venu l'écouter et on craignait sa présence. Mais Yechoua lui dit : Je sais que ta fille est entre la vie et la mort. Demain, elle sera debout. Le centurion court chez lui. Le lendemain, il revient et s'incline devant Yechoua : Mon nom est Longinius et je dois reconnaître devant tous que tu as dit la vérité. Ma fille est debout.

Mariamne annonce encore : Dans huit jours, il y aura une noce d'importance à Cana, en Galilée. Le père de l'époux est riche et respecté. Il a entendu Yechoua et il l'a invité.

Alors Joseph d'Arimathie me regarde. Je sais qu'il pense comme moi. Je dis : Allons à Cana nous aussi. C'est [...] [1]

« [...] romaine qui se nomme Claudia, femme de Pilatus, gouverneur de Judée. Elle me dit : J'ai entendu la parole de ton fils à Capharnaüm et je

1. À cet emplacement du rouleau, manque un fragment du texte : la macule de l'humidité a engendré une déchirure.

suis ici. Je suis fille de Rome, d'une naissance qui me met au-dessus du peuple, mais ne crois pas que cela me rende aveugle et sourde. Ce que fait Antipas dans ce pays, je le sais. Ce qu'y faisait son père, je le sais aussi.

« À ma sœur de cœur Mariamne, Claudia la Romaine dit : L'enseignement de sagesse que tu donnes à Magdala, je l'admire. On raconte que tu es celle qui fait briller la parole de Yechoua chez les femmes. Mariamne lui répond : Viens à Magdala près de moi. Il y aura de la place pour toi, bien que tu sois fille de Rome.

« Ainsi se déroule le repas de noce à Cana. Yechoua dit aux époux : Personne n'allume une lampe pour l'enfouir dans un trou. Le bonheur des épousailles fait du corps la lumière qui repousse toutes les obscurités. La chair des époux rayonne et révèle combien mon Père aime la vie qui est en vous.

« Un disciple de mon fils s'approche de moi. Un homme petit, les joues sèches et le regard sans détour. Il se nomme Jean dans son nom de Rome. Son salut me surprend, tant les disciples de Yechoua n'aiment pas se montrer près de moi. Lui, au contraire, est aimable : Enfin, tu viens écouter la parole de ton fils. Cela fait longtemps que je ne t'ai vue près de lui. Je lui réponds : Comment pourrais-je le suivre quand il me chasse ? Lui qui va en disant qu'il n'a pas de famille, pas même de mère. Jean secoue la tête et m'assure : Non ! Ne t'offusque pas. Ce n'est pas une parole contre toi mais contre ceux qui doutent de Lui. Cela va bientôt changer.

« Le jour est chaud à Cana. Chacun boit pour le plaisir et pour se désaltérer. La fin du repas de noce approche. Il y a du monde en nombre. Certains sont venus de Samarie, de Bethsaïde. Joseph d'Arimathie a près de lui ses meilleurs disciples de Beth Zabdaï. Gueouél, celui qui ne m'aimait pas lorsque j'étais dans leur maison avec Ruth, bénie soit-elle, est présent parmi les autres. Il vient vers moi avec respect : Le temps où j'étais contre toi est révolu. J'étais jeune et ignorant. Aujourd'hui, je sais qui tu es.

« Alors que le soleil est dans sa descente, Barabbas me dit : Tu nous as fait venir ici, mais rien n'est différent de d'habitude. Ton fils parle et les autres ont soif à force de l'écouter.

« À cet instant, Joseph d'Arimathie m'approche : Le vin va manquer. La noce va se gâcher.

« Je comprends ce qu'il veut dire. Je me lève, la peur dans le cœur. Cela se voit sur mon visage. Que ma sœur Mariamne s'en souvienne. Je vais devant mon fils : Ils n'ont plus de vin. Tu dois faire ce qu'on attend de toi. C'est le jour.

« Jean le disciple est près de moi. Yechoua me toise comme une étrangère : Femme, ne te mêle pas de ce que je dois accomplir ou pas. Mon heure n'est pas encore venue.

« Alors moi, sa mère, je dis : Tu te trompes, Yechoua. Le signe est entre tes mains. Tu ne peux le retenir plus longtemps. Nous sommes là qui attendons.

« Il me toise encore. Ce n'est pas le fils qui regarde sa mère. Il se tourne vers ceux des noces, vers Jean son disciple, vers Joseph d'Arimathie et Barabbas. Vers Mariamne aussi, qu'elle s'en souvienne. Il se tait. Alors moi, je demande aux gens qui servent les noces d'approcher : Yechoua va vous parler. Quoi qu'il vous ordonne, faites-le.

« On m'observe avec surprise, sans comprendre. C'est le silence dans les noces. Yechoua enfin commande aux serviteurs : Allez aux jarres prévues pour la purification et remplissez-les. Ils font remarquer : Pour les remplir, Rabbi, nous n'avons que de l'eau et c'est jour de noces. Il répond : Faites ce que je dis. Remplissez les jarres avec de l'eau.

« Une fois les jarres remplies, Yechoua ordonne : Puisez dedans avec un gobelet et portez-le au père de l'époux. Ce qu'ils font. Le père de l'époux s'exclame : C'est du vin ! Voilà du vin qui vient de l'eau. Et le meilleur que j'aie bu de ma vie.

« Tous veulent voir et boire. On leur donne des gobelets et ils s'exclament : C'est le vin du Tout-Puissant ! Il salue nos noces ! Il fait de Yechoua Son fils et Sa parole !

« Ma sœur de cœur Mariamne est en larmes. Elle va baiser les mains de Yechoua, qui la serre contre lui. Elle vient dans mes bras pour rire entre ses larmes, qu'elle s'en souvienne. Joseph d'Arimathie me serre aussi contre lui : C'est le premier signe, Dieu Tout-Puissant, Tu ouvres enfin le ciel ?

« Jean le disciple s'approche de moi : Tu es sa mère, nul ne peut en douter.

« Toute la noce est devant Yechoua, à genoux et buvant le vin. Claudia la Romaine, la femme de Pilatus, est au premier rang, aussi humble qu'une Juive devant l'Éternel.

« Moi, je songe et je tremble. Je prie. Cela a eu lieu. Que le Tout-Puissant me pardonne, je n'avais plus de patience et j'ai bousculé le temps. La parole dans la bouche de mon fils, je l'ai poussée. Mais, Seigneur Éternel, n'est-ce pas pour cela qu'il est né : pour que l'amour des hommes se montre et parle. Dieu du Ciel, protège-le. Suis-le. Étends sur lui Ton souffle

« Barabbas me dit : Tu avais raison. Il peut bien être notre roi. Cette fois, il me faut bien y croire, ou alors je ne dois plus croire ce que voient mes yeux ! Désormais, Yechoua doit aller sur les chemins et accomplir des signes comme celui-ci. Le peuple d'Israël tout entier viendra à lui.

« C'est ce qu'il fait. Pendant plus d'une année les signes ne manquent pas. Cela en Galilée, puis en Judée. Dans le peuple, on commence à dire : Voilà Yechoua le Nazaréen, il accomplit des signes, il est dans la main de Dieu. C'est pourquoi un jour il vient devant Jérusalem.

« Les disciples, grâce à l'intercession de Jean, ne m'empêchent plus de le suivre. Avec moi viennent Joseph d'Arimathie, Barabbas et Mariamne de Magdala, qu'elle s'en souvienne. À Jérusalem, Yakov, Jacques de son nom de Rome, fils de Josef qui fut mon époux au temps de la naissance de Yechoua, nous rejoint. Il va embrasser Yechoua, qui lui dit : Reste tout près, tu es mon frère que j'aime. Qu'importe que nous n'ayons ni le même père ni la même mère, nous sommes frères et fils du Même.

« Vient la Pâque.

« Les événements de la Pâque, chacune d'entre vous les connaît. Comment Yechoua nous entraîne devant le Temple et y trouve la foule qui vient se purifier. Comment la cour du Temple est comble de ceux qui transforment le sanctuaire en commerce. Les changeurs y tiennent leurs tables. Les marchands de bœufs et de [...] [1] nuit, Barabbas tend le fouet de corde et de nœuds. Yechoua s'en empare. Il fouette devant lui. Il sort les bœufs du Temple. Il sort les moutons. Les cages des

1. Ici, une déchirure supprime trois lignes de texte en biais, épargnant, sur le côté gauche du rouleau, quelques mots qui ne permettent pas à eux seuls une reconstitution fiable.

colombes se brisent sur le sol, les oiseaux s'envolent. La monnaie des changeurs roule sur les dalles. Yechoua renverse les tables, chasse tout le monde hors de la cour.

« Cela sous les yeux de la foule venue se purifier, qui le regarde en disant : Voilà Yechoua de Nazareth. Il a parcouru la Galilée, la Samarie et la Judée en semant les signes par sa parole. Il a transformé l'eau en vin de noce. Ceux qui ne pouvaient plus marcher, il les a fait marcher. Personne ne fait des signes pareils si l'Éternel n'est pas avec lui. Maintenant, il se dresse contre les corrompus du sanhédrin. Béni soit-il !

« Cela pendant qu'il vide la cour du Temple. À ceux qui protestent, Yechoua répond : Ôtez-moi ça ! Ne vous étalez plus jamais dans la maison de mon Père comme dans une maison de commerce.

« Arrivent les prêtres du sanhédrin, les pharisiens et les sadducéens. Ils crient : Qui crois-tu être pour te permettre d'agir ainsi ? Yechoua leur répond : Vous l'ignorez, vous qui instruisez Israël ?

« Caïphe, le grand prêtre qui tient son pouvoir de la volonté des Romains et de son beau-père Hanne, est attiré par le bruit de la foule. Il craint ce qu'il voit. Il se dresse devant Yechoua : Prouve par un signe que Yhwh est avec toi. Prouve-nous qu'Il te donne le droit de t'opposer à nos décisions !

« Yechoua répond : Abattez ce temple, je le relève en trois jours.

« Que ma sœur de cœur Mariamne s'en souvienne, ce sont ses mots. Ceux que la foule entend. Ceux que les prêtres corrompus entendent. Car lorsque Yechoua parle, tous se taisent. Ils tremblent en regardant les murs du Temple. Ils ont les yeux prêts à voir le sanctuaire s'écrouler sous la volonté du Tout-Puissant.

« Rien ne se passe. Caïphe se moque : Hérode a mis quarante-six ans à construire ce temple et toi tu le relèverais en trois jours ? Tu mens. Yechoua dit : Le mensonge, il est dans la racine de vos pensées. Comment ce temple pourrait-il être le sanctuaire de Dieu, puisque c'est Hérode qui l'a voulu et vos mains avariées qui l'entretiennent ?

« La foule fait grand bruit. Dans le tumulte, il y a la menace de la révolte. On entend des cris qui annoncent : Le Messie est dans la cour du Temple. Il affronte Caïphe et ses prêtres vendus aux Romains.

« Barabbas vient à mon côté. Il annonce : La ville bouillonne de colère. Les rues sont pleines. Le peuple arrive de partout pour la Pâque. C'est le moment que nous attendons depuis si longtemps, toi et moi. Un signe de ton fils, et nous renversons le sanhédrin. Nous courons à la garnison des Romains et nous la prenons. Dépêche-toi.

« Avant d'agir, je prends conseil auprès de Joseph d'Arimathie et de Mariamne, qu'elle s'en souvienne. L'un et l'autre répondent : Cela dépend de Yechoua. Alors moi de dire à tous : Barabbas a raison. Jamais il n'y a eu de meilleur moment pour libérer le peuple de Jérusalem du joug romain.

« À mon fils Yechoua, je dis : Fais un signe pour entraîner la foule derrière toi. Elle ne veut plus attendre. Elle bout de te suivre contre le sanhédrin et contre Rome. N'hésite plus.

« Yechoua me regarde comme il m'a regardée à Cana. Sa bouche demeure close. Ses yeux me disent : Qui est cette femme qui croit qu'elle peut me demander d'obéir ainsi qu'un fils doit obéir à sa mère ?

« C'est le moment que Caïphe choisit pour ameuter sa garde de mercenaires. Il crie que le

Nazaréen est un usurpateur, un faux prophète, un faux Messie. Il pointe le doigt sur nous, sur les disciples, sur moi, sur Joseph d'Arimathie et Mariamne : Voilà ceux qui veulent détruire le Temple. Voilà les impies ! Les mercenaires baissent leurs lances, ils tirent leurs glaives. Barabbas nous fait enserrer par la foule afin de sauver nos vies.

« Que Mariamne s'en souvienne. Tout ce qu'il advint ensuite, nous étions côte à côte pour le vivre.

« Yechoua et ses disciples sont accueillis dans la maison d'un nommé Shimon, sur la route de Béthanie, à moins d'une heure de marche de Jérusalem. Moi, sa mère, Mariamne et Joseph d'Arimathie, on nous place dans la maison voisine. Barabbas me dit : Je retourne à Jérusalem. Le peuple est trop fébrile pour que je demeure les bras croisés. Il n'est plus possible de le retenir. Ma place est là-bas, devant ceux qui vont se battre. Que ton fils se décide. Il a lancé une pierre, à lui de savoir qui elle va frapper.

« Je l'embrasse avec l'amour de mon cœur. Je sais qu'il peut mourir dans ce combat, si Yechoua ne se décide pas.

« Mariamne est à mon côté. Nous essayons de convaincre Yechoua : Tu as dit devant le peuple qu'on pouvait détruire le Temple et toi le relever en trois jours. Le peuple va le détruire pour te mettre à l'épreuve. Ils veulent voir la puissance de Dieu agir dans ta parole. Ils veulent un sanctuaire pur. Ils te veulent, toi, devant eux. Ils veulent voir celui que tu es. Le peuple d'Israël n'en peut plus d'attendre. Il veut que s'ouvre le ciel.

« Yechoua ne nous regarde pas. Il s'adresse à ses disciples : Qu'y a-t-il qui les presse ? Moïse a tourné longtemps dans le désert et n'a pas même atteint Canaan. Pourtant, des prodiges, sous la paume de Yhwh, il en a accompli. Et voilà que maintenant ce peuple à la nuque raide a des exigences ?

« Après ces paroles, les disciples nous chassent de la maison.

« Jean vient à moi, le visage triste : Ne t'offusque pas. Les paroles de Yechoua, ton fils, nous les comprenons et nous ne le comprenons pas encore. Il a raison, cependant : Yhwh seul décide du temps des hommes.

« Avant la nuit, la nouvelle arrive. Les rues de Jérusalem sont rouges du sang des combats. Les cavaliers de Pilatus le gouverneur ont chargé, lance pointée. À la nuit, on sait que Barabbas a tué un prêtre du Temple. On me dit : Il est prisonnier. On l'a conduit dans les geôles de Pilatus. Je me retourne contre Jean avec colère : Et cela n'ouvre pas la bouche de mon fils ?

« Au-dessus de Béthanie, le ciel de la nuit est rouge des incendies de Jérusalem. Ma sœur de cœur Mariamne dit en pleurant : C'est le sang du peuple qui monte au ciel. Comme le ciel est toujours fermé, il le tapisse de notre douleur.

« Un vieillard nous rejoint. Il marche à peine, on l'a transporté dans un char. Il s'adresse à moi : Je suis Nicodème, le pharisien du sanhédrin. Celui qui est venu à Nazareth, chez Yossef le charpentier. Il y a plus de trente ans de cela. À la demande de Joachim, ton père.

« Je le reconnais sous sa vieillesse. Il dit : Je suis là pour toi, Miryem de Nazareth. Je suis là pour ton fils, Yechoua. Introduis-moi près de lui. Ce que j'ai à lui apprendre vaut sa vie.

« Jean le disciple le conduit à Yechoua.

« Nicodème annonce à Yechoua : Je suis du sanhédrin, mais mon cœur m'assure que tu es celui qui peut nous instruire de la volonté du Tout-Puissant. J'ai prié pour que Dieu m'éclaire et j'ai vu ton visage. C'est pourquoi je suis là et te dis : Cette nuit, il te faut agir pour apprendre à tous qui tu es. Et Yechoua de répondre : Qu'attends-tu de moi ? Nicodème : Un signe. Celui que tu as annoncé. Va devant le peuple qui détruit le Temple et remonte-le en trois jours. Yechoua : Comment savez-vous que l'heure est venue ? Vous qui ne savez rien, pas même si vous êtes dans la main de mon Père ! Nicodème insiste : Ce signe, il faut que tu le fasses, ou les Romains te saisiront à l'aube. Caïphe et son beau-père Hanne ont lancé la condamnation du sanhédrin sur toi. Ils te veulent mort pour ce que tu as fait aujourd'hui. Le peuple s'est révolté contre eux. À cette heure de la nuit, il est maté et Barabbas est en prison. Agis dans la main de Yhwh ou le sang sera répandu pour rien. Je te le dis : le peuple de Jérusalem attend ton signe.

« Mon fils se tait. Nous attendons sa réponse à Nicodème. Enfin : Tous, vous voulez accélérer le temps. Passe encore pour une mère impatiente qui oublie sa place. Mais, toi, le pharisien, ne sais-tu pas Qui décide ? Votre impatience vous fait esclave du monde. Pourtant, je vous le dis : dans le monde, vous n'aurez que détresse.

« Nicodème est consterné par ce qu'il entend. Même les disciples espéraient d'autres paroles. Je dis à Mariamne : Mon fils me condamne en public. Ai-je commis une faute ? Ai-je commis une faute irréparable ? Qu'elle s'en souvienne, car c'est la première fois que j'y songe.

« Nicodème s'en retourne comme il est venu. Toute la nuit, Jérusalem retient son souffle. Des milliers attendent le signe de mon fils.

« Il n'y en a pas. Le ciel demeure couvert.

« À l'aube, une cohorte romaine, son tribun et la garde du Temple viennent à Béthanie. Yechoua va entre leurs mains comme un agneau va au couteau. Ils le conduisent à Caïphe, qui le donne à Pilatus le Romain. Dans les rues de Jérusalem, la colère gronde. Cette fois, contre Yechoua. On entend : Où nous a-t-il entraînés, celui-ci ? Il annonce qu'il va remonter le Temple en trois jours, il n'est même pas capable de faire tomber Caïphe de son siège ! Notre sang est dans les rues, et pour quelle issue ?

« Claudia la Romaine, celle qui suit l'enseignement de Mariamne depuis Cana, accourt en pleurant. Elle dit : Pilatus est mon époux. Il n'est pas mauvais. Je vais lui demander la clémence pour ton fils Yechoua. Il ne doit pas mourir, il ne doit pas aller sur la croix. Je lui réponds : N'oublie pas Barabbas. Il est dans [...] [1]

« [...] foule : Lui ! Lui ! Il s'est battu pour nous. L'autre nous a [...] sentence de Pilatus doit à l'influence vicieuse d'Hanne sur [...]

« [...] genoux devant moi : Quelle honte d'avoir été choisi par le peuple à la place de ton fils. À quoi bon cette libération ? Cette vie que l'on me rend, maintenant, que vais-je en faire ? J'aurais préféré mille fois mourir.

« C'est la première fois que je vois des larmes dans les yeux de Barabbas. Sa tête blanche pèse entre mes mains, ses pleurs mouillent mes paumes. Je le relève. Je suis déchirée par ses mots. Je le serre contre moi. Je dis : Moi, je suis heureuse que

1. Cette partie du rouleau est fortement détériorée, sans doute pour avoir été manipulée plus que les autres. L'humidité et l'usure rendent illisibles une vingtaine de lignes. Ensuite, sur autant de longueur, seuls quelques fragments sont déchiffrables.

tu vives, Barabbas. Je suis heureuse que le peuple t'ait désigné à la clémence de Pilatus. Je ne veux pas te perdre en plus de perdre mon fils. Tu sais comme je le sais que nos vies [...]

« [...] garde de ne pas consentir à ce qu'on lui fasse du mal. Moi, Claudia, cette nuit j'ai eu un songe effrayant. Le feu du ciel ruisselait sur nous après son supplice. Tous te l'ont assuré : Yechoua de Nazareth est un homme de bien. Si la foule a choisi Barabbas, cela ne veut pas dire que la mort de Yechoua n'engendrera pas une nouvelle révolte. Alors mon époux me répond : Tu parles ainsi de ce Nazaréen parce que tu es devenue sa disciple. Moi, Pilatus, gouverneur de Judée, j'écoute ce que me dit le grand prêtre Caïphe. Lui, il connaît le bien et le mal des Juifs.

« À ces mots, chacun soupire. Les disciples protestent et gémissent. Claudia la Romaine dit encore : La vérité, c'est que Pilatus mon époux a peur de César. S'il se montre magnanime, à Rome on dira qu'il est un gouverneur à la main faible et malhabile.

« Après ces paroles, nous savons qu'il n'y aura pas de grâce. Chacun va dans ses larmes et sa tristesse. Mariamne ma sœur de cœur me demande : Pourquoi tes yeux demeurent-ils secs ? Tout le monde pleure, sauf toi.

« Qu'elle se souvienne de ma réponse. Je lui dis : Les larmes, on les verse lorsque tout est achevé. Pour ce qui est de Yechoua mon fils, rien n'est achevé. Et moi, je suis peut-être bien la raison de ses tourments d'aujourd'hui. Mon cœur me dit : Lacère ton visage et demande pardon au Seigneur. Ton fils va mourir à cause de toi. Yechoua t'a dit : Mon temps n'est pas encore venu. Toi, tu es passée outre. À Cana, je l'ai contraint à nous faire signe. Je l'ai contraint à montrer la face du Tout-Puissant en lui. L'eau de Cana devenue vin de Yhwh. J'ai eu l'orgueil de l'impatience. Voilà l'épée qui transperce maintenant mon âme et me fait voir ma faute.

« À Mariamne, je dis : Il n'est pas de nuit et d'heure du jour sans que je prie le Seigneur Dieu de me châtier pour avoir voulu accélérer le temps. J'ai voulu la délivrance ici et maintenant. Je suis comme le peuple, je veux la lumière, l'amour des hommes, et je n'en peux plus du ciel fermé. Mais qu'apportera la mort de Yechoua ? Sa parole n'a pas encore changé la face du monde. Rome est toujours dans Jérusalem. Le vice est dans le Temple, il règne sur le trône d'Israël. Rien n'est encore accompli. Pourtant, ce Yechoua, ne l'ai-je pas enfanté pour qu'adviennent la lumière des jours à venir et la libération du peuple d'Israël ?

« Que Mariamne s'en souvienne, ce sont mes paroles : Je ferai ce que doit faire une mère pour empêcher son fils de mourir dans le supplice de la croix. N'ai-je pas empêché Hérode d'y faire périr mon père Joachim ? Je le ferai encore. Dieu peut me punir. Pilatus peut me punir. J'ai commis une faute, je suis prête pour le châtiment. Que l'on me crucifie à la place de mon fils. Que l'on cloue mes mains et mes pieds.

« Mariamne répond : Cela ne sera jamais. Tu ne pourras pas remplacer Yechoua dans le supplice. Ici, les femmes n'ont aucun droit, pas même celui de mourir sur la croix.

« Je sais qu'elle a raison. Je vais vers Joseph d'Arimathie : Qui peut me venir en aide ? Cette fois, je ne veux rien demander à Barrabas. Les disciples de Yechoua le montrent du doigt. Il cache sa honte d'avoir été libéré à la place de mon fils. Il souffre tant qu'il n'a plus assez de raison pour que je m'appuie sur lui. Joseph me répond : L'aide, c'est moi qui vais te l'apporter. Celui qui saura sauver ton fils, c'est moi. Dieu fera le jugement. Si la volonté de tuer ton fils sur la croix appartient au Tout-Puissant, Yechoua mourra. Si elle n'appartient qu'à Pilatus, alors Yechoua vivra.

« On se réunit en tout petit nombre. Joseph d'Arimathie désigne ceux qui peuvent être utiles sans trahir : Nicodème, le pharisien du sanhédrin, Claudia la Romaine, les disciples esséniens accourus de Beth Zabdaï à sa demande [...] [1]

« [...] dressée, ainsi que Claudia la Romaine l'a annoncé. À la gauche de sa croix, l'homme au supplice est Gestas de Jéricho. Une pancarte dit qu'il a tué. À la droite, l'homme est plus vieux de beaucoup. Son nom est Demas. Il est de Galilée. Dessous, sa famille le pleure en criant qu'il n'est pas un larron mais un aubergiste qui répand le bien autour de lui.

« Sur la croix de Yechoua, il est écrit sur une planche : Yechoua, roi des Juifs. En hébreu, en araméen, en grec et en langue de Rome : toutes les langues d'Israël. Les Romains savent que le peuple de Jérusalem a nommé ainsi Yechoua devant le Temple. Ils désirent humilier tous ceux qui ont cru en lui.

« Que Mariamne se souvienne, nous, les femmes, les mercenaires nous maintiennent au loin, la lance basse. Mariamne supplie et se met en colère. En vain. Même Claudia, la femme de Pilatus, ils ne l'écoutent pas.

1. Ici, le rouleau a été déchiré, peut-être volontairement. La partie manquante est importante et les deux bords déchirés sont retenus ensemble par une couture de fil de soie rouge.

« Quand le soleil est haut, les curieux viennent en nombre. Certains crient : Est-ce là, sur ta croix, que tu vas remonter le Temple ? D'autres ont pitié et se taisent.

« Arrivent Joseph d'Arimathie et ses disciples de Beth Zabdaï. Ils vont sous la croix et chassent ceux qui crient. Arrive Nicodème sur la chaise que portent ses serviteurs. Le corps suspendu aux liens, Yechoua parle. Les paroles qu'il prononce, nous, les femmes, nous ne pouvons les entendre. Je dis à Mariamne : Regarde, il est vivant. Tant que ses lèvres bougent, je sais qu'il est vivant. Et moi, de le voir ainsi, je suis comme morte.

« Le soleil est de plus en plus haut. La chaleur grandit, l'ombre n'est plus qu'un fil. Arrive le centurion Longinius, celui dont Yechoua a sorti la fille de la maladie, à Capharnaüm. Longinius fait un signe à Claudia. Il ignore Joseph d'Arimathie et Nicodème. Il nous ignore, nous qui sommes tenus à l'écart. Il discute avec les soldats au pied de la croix. Ils rient. Ce rire me transperce. Longinius joue le rôle que lui a assigné Joseph d'Arimathie, mais ce rire, on ne le supporte pas.

« Mariamne ma sœur de cœur s'écrie : Quelle honte ! Ce Romain dont la fille a été sauvée par Yechoua, voilà qu'il se moque. Infamie sur lui ! Les mercenaires la font taire. Qu'elle se souvienne et me pardonne. Moi qui sais, je n'apaise pas sa douleur. Je me tais. C'est le prix à payer pour la vie de mon fils.

« Joseph d'Arimathie montre Yechoua : La soif lui craquelle les lèvres. Nicodème demande : Qu'on le fasse boire. Les disciples de Beth Zabdaï crient : Il faut le désaltérer. Le centurion Longinius dit : C'est bon. Il donne l'ordre aux mercenaires.

« Un soldat va pour tremper un linge dans une jarre. Longinius a prévenu : elles sont remplies de vinaigre. Ainsi, Rome désaltère les condamnés en ajoutant de la souffrance à la souffrance. Longinius arrête la main du mercenaire. Il lui tend une autre jarre, que Nicodème a apportée dans son char sans que quiconque s'en aperçoive. Longinius dit au soldat : Utilise plutôt ce vinaigre-là. Il est plus fort. Il conviendra au roi de Juifs. Il rit quand le soldat trempe le linge.

« Mariamne crie à mon côté. Les mercenaires nous repoussent durement. Je n'ai plus de souffle. Je crains tout. De la pointe de sa lance, le mercenaire fourre le linge dans la bouche de Yechoua. Je sais ce qui doit arriver, pourtant mon cœur cesse de battre.

« La tête de Yechoua bascule sur sa poitrine. Ses yeux sont clos. On peut le croire mort.

« Mariamne tombe sur le sol. Qu'elle me pardonne mon silence. Moi aussi, j'ignore si mon fils est vivant ou mort. J'ignore la volonté du Tout-Puissant.

« Le grand nombre est attiré par nos cris et nos larmes. La foule se presse sous la croix de Yechoua. On entend : Voilà le Nazaréen. Il est mort comme un homme sans forces, celui qui devait être notre Messie. Même les larrons qui l'entourent sont encore en vie.

« La fin du jour approche. Le lendemain est shabbat. Le grand nombre rentre en ville. Le centurion Longinius annonce : Celui-ci est mort, inutile de rester ici. Il s'éloigne sans se retourner. Les mercenaires le suivent.

« Les disciples de Beth Zabdaï font le cercle sous la croix et défendent qu'on l'approche. Les autres se tiennent à distance. Ils prient en pleurant. Et nous aussi, les femmes, on nous laisse. Je cours pour voir le visage de mon fils. C'est un visage sans vie, brûlé par le soleil.

« Joseph dit à Nicodème : Il est temps. Allons chez Pilatus, vite. Claudia la Romaine dit : Je vous conduis. Mariamne s'étonne à travers ses larmes : Pourquoi aller chez le Romain ? Je réponds : Pour demander le corps de mon fils afin qu'on lui fasse une sépulture digne. À mon visage, Mariamne devine que je suis entre la terreur et la joie. Elle demande : Qu'y a-t-il que l'on me cache ?

« Alors que les murs de Jérusalem sont rouges du crépuscule, Joseph et Nicodème ne sont pas de retour. Arrive une cohorte de mercenaires. L'officier ordonne aux soldats : Achevez les condamnés ! Avec une masse sur un long manche, ils brisent les jambes, les côtes des larrons. Les disciples de Beth Zabdaï se tiennent au pied de la croix de Yechoua, prêts à se battre. Nous sommes glacés de peur.

« L'officier nous regarde. Il regarde mon fils. Il se moque : Celui-là est déjà mort. Inutile de se fatiguer avec les masses. Quand même, par vice et par haine, un soldat pointe sa lance. Le fer entre dans le corps de mon fils. Du sang coule. De l'eau aussi. C'est un bon signe. Je le sais. Joseph d'Arimathie me l'a dit. Yechoua mon bien-aimé ne donne pas signe de vie. L'officier dit au mercenaire : Tu vois, tout à l'heure les oiseaux s'en occuperont.

« Je tombe sur le sol comme si ma conscience m'abandonnait. Mariamne ma sœur de cœur me prend dans ses bras. Elle pleure dans mon cou : Il est mort ! Il est mort ! Comment Dieu peut-Il laisser faire une chose pareille ? Qu'elle se souvienne et me pardonne. Je ne lui dis pas ce que je sais. Je ne dis pas : il vit encore. Joseph d'Arimathie l'a endormi avec une drogue pour le faire passer pour mort. Je me tais et je crains.

« Joseph et Nicodème reviennent. Ils montrent une lettre de Pilatus : Le corps de Yechoua est pour nous. Ils voient la plaie : Vite, vite.

« Les disciples de Beth Zabdaï défont les liens et descendent Yechoua de la croix. Je songe à Abdias, mon bien-aimé, qui descendit pareillement mon père du champ de douleur, à Tibériade. Je sens son aile, il est avec moi, mon petit époux. Il me rassure.

« Je baise le front de mon fils. Joseph demande de l'aide. On place un emplâtre sur la plaie. On entoure son corps en entier avec des bandes de byssus enduites d'onguents. Dans le char de Nicodème on le transporte à la grotte achetée depuis cinq jours.

« Nous, les femmes, nous restons dehors.

« Joseph d'Arimathie et les disciples de Beth Zabdaï ferment l'entrée de la grotte au moyen d'une grande pierre roulante qu'on appelle un gotal. Avant d'entrer, Joseph m'a laissée voir la fiole. Celle qu'il avait à Beth Zabdaï pour tirer la vieille femme de la mort. Celle qui fit crier la foule et croire au miracle.

« Ceux du sanhédrin viennent et questionnent avant que commence le shabbat. Les disciples, en tunique blanche comme on la porte dans les maisons d'esséniens, les repoussent : Ici, le sanhédrin n'a pas de pouvoir. Ici, on vient pour bénir, non pour maudire. À nous, les femmes, ils demandent de prier et que nos voix s'entendent de loin.

« À la nuit, Joseph est près de nous : Il faut s'éloigner, maintenant. Les disciples gardent la grotte. Allons dans la maison de Nicodème, près de la piscine de Siloë.

« Je suis seule avec Joseph, je lui demande : Il vit ? Je veux le voir. Il me répond : Il vit. Tu ne le verras pas avant que les espions de Pilatus se soient assurés que la grotte est son tombeau.

« Je le vois dans la nuit d'après le shabbat. On entre dans la grotte par une faille dissimulée derrière un arbuste de térébinthe. Mon fils est dans des linges, sur une couche de mousse que l'on a recouverte d'un drap. Il y a du myrte dans l'huile des lampes, pour que ça ne sente pas mauvais. Joseph me dit : Pose la main sur lui. Sous ma paume, je sens battre son cœur. Joseph dit : Si Dieu le veut, ce ne sera pas plus difficile que pour la vieille femme que tu as sauvée à Beth Zabdaï. Et Dieu le veut, car autrement, Il ne l'aurait pas laissé survivre jusqu'ici.

« On le veille trois jours. Après trois jours, il ouvre les yeux. Il me voit. La lumière des lampes n'est pas suffisante pour qu'il me reconnaisse.

« Quand il peut parler, il demande à Joseph : Combien de temps depuis que tu m'as descendu de la croix ? Trois jours. Il sourit, heureux : N'avais-je pas annoncé qu'il me suffirait de trois jours pour redresser le Temple en ruine ?

« Encore une nuit et il annonce qu'il veut partir. Je proteste : Tu n'as pas assez de force ! Il m'offre pour la première fois depuis longtemps un regard de tendresse : Que sait une mère de la force de son fils ? Nicodème lui dit : Tu n'es pas en sûreté dans ce pays. On te cherchera. Ne te montre plus au peuple. Ta parole te survivra. Tes disciples la sèmeront. Joseph d'Arimathie lui dit : Attends quelques jours, mes frères de Beth Zabdaï te conduiront à notre maison près de Damas. Tu y seras en sécurité.

« Il n'écoute pas. Il s'en va en annonçant : Je retourne d'où je viens. Ce chemin, je le ferai seul. Joseph d'Arimathie et moi, nous comprenons qu'il veut faire le chemin jusqu'en Galilée. On se récrie encore. Rien n'y fait. Yechoua s'en va.

« Quand on ne le voit plus, qu'il nous repousse d'un signe de main, nous retournons à la maison de Nicodème.

« Mariamne ma sœur de cœur voit ma détresse. Elle questionne. J'ai honte du secret qui m'a fermé la bouche. Je lui avoue : Yechoua est vivant. Joseph d'Arimathie l'a sauvé de la croix. J'ai fait ce que j'ai dit. La grotte n'était pas son tombeau. Mariamne crie : Maintenant, où est-il ? Sur la route de Galilée. Sur la route de Damas. Elle court pour le rattraper. Je sais qu'elle, il ne l'a pas repoussée.

« Barabbas nous rejoint à la maison de Nicodème. Il nous apprend les rumeurs de la ville. Une femme a découvert la grotte ouverte, la pierre de l'entrée roulée. La foule vient voir. On crie au miracle. On clame : Yechoua était bien celui qu'il disait. Les prêtres du sanhédrin vont sur le parvis du Temple. Ils disent : Les démons ont roulé la pierre qui fermait le tombeau du Nazaréen. Ils ont emporté son corps pour nourrir les enfers !

« Il y a des bagarres. Barabbas prédit : Ils ne se battront pas longtemps. Pilatus a fait savoir que les disciples de Yechoua iront sur la croix. Demain, ils seront doux comme des agneaux.

« Claudia la Romaine approuve : Jamais je n'ai vu mon époux avoir si peur. Si je vais près de lui aujourd'hui, il ne me reconnaîtra pas et me jettera dans ses geôles.

« Barabbas a eu raison. Trois mois se sont écoulés, déjà les disciples qui entouraient mon fils au premier jour se sont débandés. Il n'est que Jean qui demeure près de moi. Les autres pêchent dans le lac de Génézareth. Pour apaiser leur conscience, certains disent que je suis folle.

« Dans Jérusalem, le sanhédrin enseigne que Yechoua n'est jamais né comme il est né. On dit : Sa mère Miryem de Nazareth est une folle qui a couché avec les démons. Elle n'a pas voulu qu'on le sache. Elle a inventé et masqué la naissance de son fils.

« Vous, mes sœurs qui suivez à présent l'enseignement de Mariamne, vous dites : Si Miryem n'avait pas fait ce qu'elle a fait, Yechoua serait grand aujourd'hui. On ne l'oublierait pas. Vous dites : Miryem sa mère a refusé la mort de son fils, mais le Tout-Puissant voulait sa mort pour en faire la colère de la révolte. Désormais, rien n'adviendra plus.

« Moi, je réponds : Vous vous trompez. Le Tout-Puissant ne se préoccupe pas de notre révolte mais de notre foi. La révolte, elle, est entre nos mains aussi longtemps que nous soutenons la vie contre la mort et la lumière contre les ténèbres. J'ai voulu que mon fils Yechoua demeure vivant tant que rien n'est accompli de ce qui l'a fait naître. Rome est toujours dans Jérusalem, l'injustice règne sur Israël, les puissants massacrent les faibles, les hommes méprisent les femmes...

« Vous dites : Yechoua est vivant aujourd'hui. Mais nul ne se soucie de l'entendre, sinon les trois disciples qui lui restent. Vous dites : Sur la croix, il faisait honte et la vengeance pouvait naître de sa souffrance.

« Je réponds : La vengeance ne vaut pas plus que la mort. Laissez-la à l'Éternel Tout-Puissant, Maître de l'univers. C'est une parole de Yechoua. Qu'on fasse mon procès, car j'ai commis la faute de l'impatience à Cana. Dieu est courroucé. Je n'ai pas laissé mon fils mourir. Dieu est courroucé. Mais comment le Tout-Puissant, Dieu de miséricorde, peut-Il être courroucé de voir Yechoua en vie ? Comment pourrait-Il choisir la souffrance et la malédiction au lieu de la joie et la bénédiction ? Comment peut-Il vouloir que demain ne soit qu'une ombre où règnent l'humiliation et la haine des uns pour les autres ? Que l'Éternel Seigneur pardonne la fierté d'une mère. Celle qui a donné naissance à Yechoua, celle qui l'a révélé au monde et l'a gardé en vie. Pour toujours. Amen

« Voilà la parole de Miryem de Nazareth, fille de Joachim et Hannah, Marie selon le nom de Rome. »

Des mois plus tard, je revins à Varsovie. Je me retrouvai devant la porte de l'appartement délabré, rue Kanonia, dans la vieille ville. Me reconnaissant, Maria comprit immédiatement pourquoi j'étais là.

Elle n'eut pas besoin de me poser de question. Son sourire et son regard étaient éloquents. Elle me parut plus fatiguée. Mais la lumière dans le clair de ses yeux était aussi fraîche, aussi éternelle que dans ceux d'une enfant.

– J'ai fait traduire le texte et je l'ai lu, dis-je.

Elle approuva d'un signe de tête en accentuant son sourire.

– Et vous, l'avez-vous lu ? En avez-vous une traduction ?

– Abraham Prochownik me l'a raconté.

– S'il n'est pas mort sur la croix, demandai-je, comment est-il mort ?

Elle haussa les épaules, agacée d'avoir à prononcer cette évidence.

– Vous parlez de qui ? De mon Jésus ? De mon Yechoua à moi ? Je vous l'ai dit... à Auschwitz.

Table

Impression réalisée sur Presse Offset par

49098 – La Flèche (Sarthe), le 01-10-2008
Dépôt légal : octobre 2008

POCKET – 12, avenue d'Italie - 75627 Paris cedex 13

Imprimé en France